THE ANSWER

デーヴィッド・アイク David Icke

渡辺亜矢訳

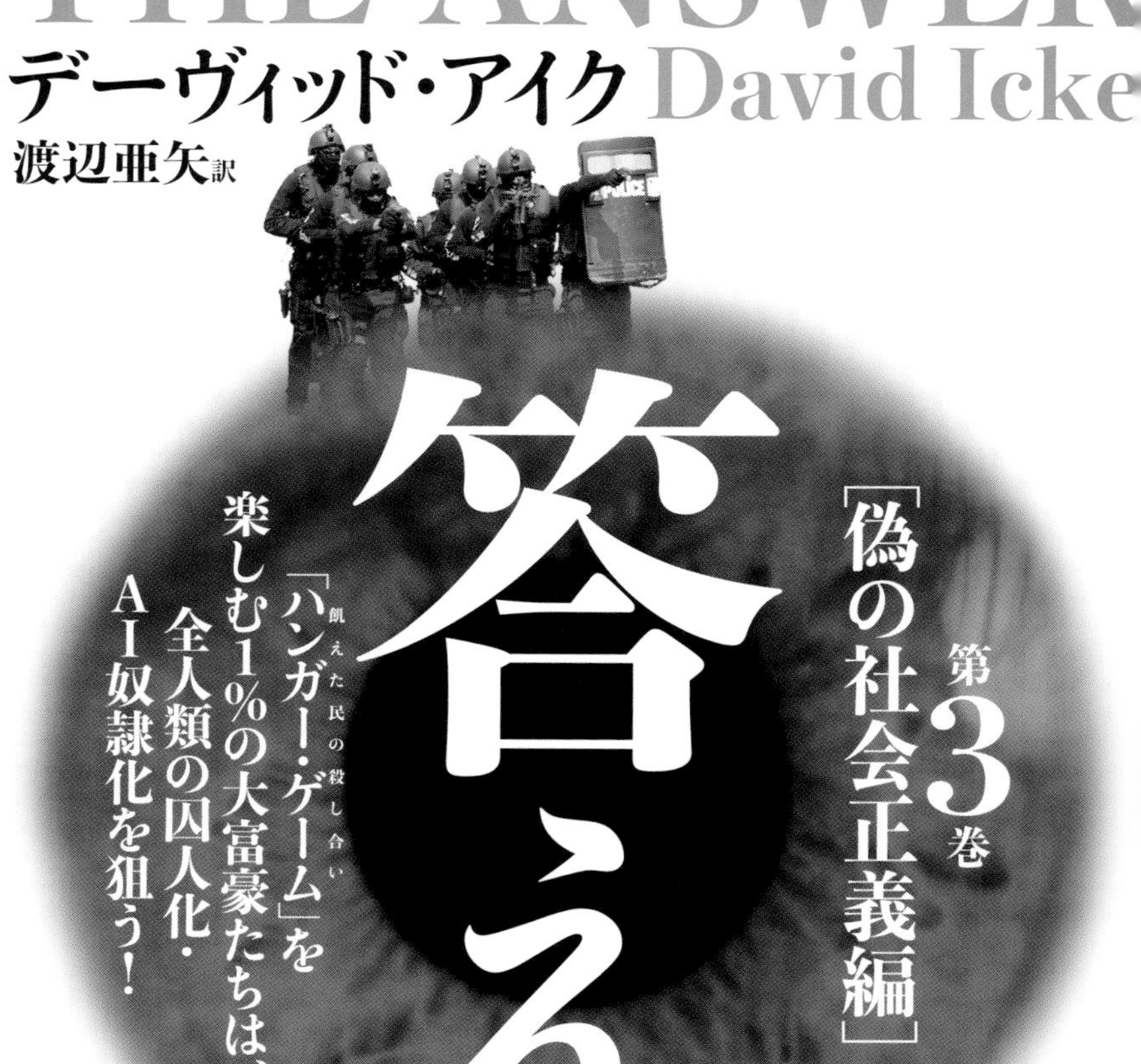

答え

第3巻

［偽の社会正義編］

「ハンガー・ゲーム」を
（飢えた民の殺し合い）
楽しむ1％の大富豪たちは、
全人類の囚人化・
AI奴隷化を狙う！

ヒカルランド

再三、正しいと証明された男――デーヴィッド・アイク［著］
渡辺亜矢［訳］

答え

第3巻

地球温暖化と反差別運動は
飢餓社会建設の口実

【偽の社会正義編】

★本書は、人生や世界についてのあなたの知覚を変えるだろう。そして、人間社会を操っている幻想から、あなたを解き放つ。
★私たち共通の自由にとって、人類が本書の内容に気づくより重要なことはない。

カバーデザイン　重原隆
校正　広瀬泉
編集協力　守屋汎
本文仮名書体　蒼穹仮名（キャップス）

Originally published in the UK by Ickonic Enterprises Limited
Japanese translation published by arrangement with Ickonic Enterprises Limited
through The English Agency (Japan) Ltd.

訳者まえがき

本書は、英国の著述家デーヴィッド・アイクが２０２０年8月に発表した『THE ANSWER』の邦訳『答え』第3巻である。第1巻は２０２１年7月、第2巻は２０２２年6月に刊行された。

２０２０年3月8日、アイクは英ロンドンの独立系ネット放送局「ロンドンリアル」に出演し、コロナ騒動が計画されたものであると指摘して、話題を呼んだ。2回目の出演となった4月6日は生配信終了直後、ユーチューブが動画を削除。フェイスブックやヴィメオ（Vimeo）なども続いた。２０２２年8月15日、アイクは「ロンドンリアル」に7度目の出演をし、新刊『THE TRAP（罠）』にかかわる内容を約3時間にわたって語った。アイクの最新情報として、その概要をご紹介しよう。

アイクは１９９６年頃に、人間社会を操る非人間の勢力があるのではないか？　私たちが見ている世界はつくられたシミュレーションなのではないか？　と考えはじめた（シミュレーションについては、本書第2巻の第5章で詳しく述べている）。宗教的、あるいはスピリチュアル的に語られる輪廻（りんね）もまた、死してなおシミュレーションに舞いもどってくるという現象といえる。

私たちはみな、ひとつの意識である。一個人とは、永遠で無限の意識のなかのひとつのあらわれ、つまり注意を向けたひとつの点であって、別個のものではない（このあたりは、本書第2巻第1、2章で触れている）。しかしシミュレーションでは、今目にしている五感の世界がすべてであると思いこまされる。ひとりひとりはばらばらに孤立した、ちっぽけな存在だと。その「孤立」こそが「罠（Trap）」である。あなたを閉じこめている五感の世界も、肉体（ボディ）も罠（わな）だ。

私たちは、生まれたときからVRヘッドセットをつけているようなものだ。すべての情報はヘッドセットを通してやってくるので、そこに映しだされたもの、そこで得られる知識が現実であり、真実だと感じられる。だがヘッドセットを外してみれば、これまで信じていたものとはまったく違う世界が広がっている。

数の上では圧倒的な大衆が、ほんの少数の支配層に黙って従っているのはなぜだろうか？　それは自尊心が欠けているからだ。権力者も自分も、同じ意識の異なるあらわれであって優劣はないと理解していれば、おかしいと思えばそう言うし、従わない。それでは困るので、シミュレーションは「自分」はちっぽけで力がないと思いこませる。すると人びとは、さまざまなおそれから守ってくれる大いなる権威にすがるようになる。おそれもまた、「罠」である。権力者の横暴から身を守るには、自尊心という砦（とりで）が必要だ。

ロシアは、ウクライナ侵攻に対する西側の制裁によりインフラにダメージが生じたとして、欧州への天然ガス供給を無期限停止すると表明した。世界的なエネルギー危機、食料危機、物価高騰が人びとの暮らしを脅(おびや)かしている。アイクはこれも、本書第7章で述べるような、世界政府をつくるためのアジェンダ(実現目標)だという。物資を不足させ、価格をつりあげ、補助金やベーシックインカムで政府に依存させる。依存は自尊心を破壊してしまう。グレート・リセットとは、こうした動きのことかもしれない。

ではこうした罠から逃れるには、どうしたらよいのか？　圧倒的多数の大衆が従わなければ、支配層の要求は通らない。従わなければよいのだ。さまざまなインフラを政府や大企業に握られながら、従わないことは可能だろうか？　そのためには、仲間をつくり、助けあってシステム(体制)の外で自活できるようになることだ。直観的にそう感じて、行動を起こしている人も増えてきているのではないだろうか。東日本大震災後に注目されるようになった「オフグリッド」（電力の自給自足）や、田舎に移住して自給的生活を目指す人など。たとえば小さくても家庭菜園を始めたり、共感できる農家とつながって作物を購入したりなど、できるところから始めれば、未来は変わってくるはずだ。

世の中を良くしようと思うあまり、攻撃的になる人がいる。マスク警察VSノーマスク、ワクチン推進派VS反ワクチン、主流派VS陰謀論者、などなど。だが、戦う必要はない。憎しみは、憎む相手との波動のからみあいを形成する。戦いもまた然(しか)りである。この波動場（情報）相互作用とからみあいによって、あなたが戦う相手があなた自身になる。ただ、協力しない。従わない。それだけでいいのだ。

LGBT、トランスジェンダー等については本書第10章、そしてこのあと刊行される第4巻で論じられているが、アイクはこれを「アンチヒューマン・アジェンダ(反人間実現目標)」と呼んでいる。性別はなくなり、生殖の必要ない合成人間「ヒューマン2・0」をつくろうとするものだというのだ。

罠から抜けだすために必要なのは、自己認識だ。自分の本質を思いだせば、幾重にも張りめぐらされた罠は無効になる。

本質とは、あなた自身が「神」であるということ。神とは仰ぎ見るものではなく、あなた自身がすでにその一部なのだということ。私たちは、ちっぽけな罠を超越した存在であるということ。それを思いださせないためのしかけが、シミュレーションだ。支配層はたったひとつの「すべてを見通す目」しかもっていない。私たちが盲目のままなら彼らが王だが、私たちがふたつの目を見開けば、一つ目は太刀打ちできない。

とはいえ、三次元で日々の雑事に追われる私たちが、どうすればそのような拡大した意識をもつことができるのだろうか？ そう問われたアイクはこう答えた。1か月間、なにかにつけ「これは無限の意識である私が、ひとつの経験をしているところ」と意識的に考えてみてほしい、そうすれば世界の見え方が変わってくるはず、と。

私の個人的な経験でいうと、天然石を身につけることで俯瞰(ふかん)的なものの見方ができるようになったように思う(石の波動がもつ人の波動に影響をおよぼすと言われている)。目の前のできごとをまるごと受けとめて揺さぶられるのではなく、斜め上から分析しているような。嫌なことが起こったとき、最悪！　で終わるのではなく、この経験はなにを学ぶためのものなのか？　と客観的に考えるようになった。瞑想（めいそう）でもなんでも、人それぞれの方法で、今ここにある肉体だけが自分なのではない、ということを実感できるとよいと思う。

私も『THE TRAP』を読み、ぜひ日本の読者にご紹介したいと強く感じた。ここで話された内容に加え、エモい実体験も織りこまれた、過去のアイクにはないタイプの本だ［418ページ参照］。

ともあれ、まずは『答え』第3巻をお届けすることができたことに心から感謝いたします。支えてくださったみなさま、本当にありがとうございます。

２０２２年10月吉日

答え　第3巻［偽の社会正義編］　目次

第8章　なぜ生命のガスを悪魔化するのか？

【編集部注記】本文中〔　〕内は訳者註

第6章

なぜ私たちはわからないのか？

どのように考えるかはほとんど教えられず、こう考えよと教えこまれた人ばかりの社会で、議論することに意味があるだろうか？

――ピーター・ヒッチェンズ

人生というゲームは、知覚と呼ばれるスタジアム（シミュレーション）でおこなわれる。ここからすべてがやってくる。私たちが知覚するものが、私たちが信じるものになる。信じるものに従って、私たちは行動する。そして行動は、経験になる。これがルールだ。このつながりを理解することで、世界や人間のありさまがわかってくる。

知覚が周波数を決定し、自身の周波数がどのような人や場所、状況、体験とからみあうかを決める。このプロセスを通じ、私たちは人生に**知覚**のホログラフィックなあらわれを呼びこむことで、自分だけの現実と体験をつくりだす。

「ちっぽけな私」という知覚は、波動を大幅に制限し、弱めてしまうだろう。「私は無力だ」「被害者だ」「取るに足らない者だ」などと、潜在能力が低く見積もられ、知覚とフィールド（場）のフィードバックループ（調整・改善の回路）で、まさにそのような人生が目の前に開けてゆく（図200）。

かたや、無限の認識（すべての可能性）が、短い人間としての体験をしていると知覚していれば、フィールドからのフィードバックはまったく違ってくる。もっとスケールが大きく、高い周波数になるのだ。自己の感覚が拡大すると、アクセスした意識もその知覚に合わせて自然と拡大し、フィールドのなかでその可能性の範囲と相互作用する。フィードバックループにより多くの可能性が増え、それが経験となるよう、人生が変化する（図201）。

私たちの自己認識は、フィールドとの関係の中核をなすものだ。カルト［人間社会の内側でクモの巣を制御している核心部。クモは非人間の権力で、五感が知覚する周波数帯を超えて人間を操っている。クモの巣は、隠れたクモが目に見えるできごとを指示できるようにする、相互につながった秘密結社の構造。カルトの背景は、アイクの『Trigger』（未邦訳）や『今知っておくべき重大なはかりごと』（ヒカルランド）で詳しく紹介されている。第2巻11ページ「はじめに」参照」は、知覚をコントロールすれば、体験をコントロールできることをよくわかっている。

ある米国の大学では、学生にＬＧＢＴＴＱＱＦＡＧＰＢＤＳＭ［レズビアン、ゲイ、バイセクシュアル、トランスジェンダー（身体的性と性自認が一致しない）、トランスセクシュアル（身体的性と性自認が一致せず、性別適合手術を希望する）、クイア（セクシュアルマイノリティ）、クエスチョニング（性自認、性的志向が定まっていない）、フレクシュラル（自在な性意識）、アセクシュアル（無性愛）、ジェンダーファック（男とも女とも思われたくない）、ポリアモラス（同時に複数人を愛する）、ボンデージ／ディシプリン（拘束／調教）、ドミナンス／サブミッション（支配／服従）、サディズム／マゾヒズム］（やれやれ）という自己認識コードを割り振っている。こんなにもアイデンティティを狭く狭く知覚するようにしむけられているのは、そのためだ。

ＬＧＢＴＱうんぬんという文字の羅列は、あなたがたがこの本を読むころには、さらに長くなっていることだろう。新たな近視眼的アイデンティティが、日々でっちあげられている。現実のしくみがわかれば、操作やできごとから見て、世の中で起こっていることが、すとんと腑（ふ）に落ちる。

カルトの主たる目的は、知覚を支配することである。そのため、人間社会はゆりかごから墓場まで、プログラミングの研究室として構築されてきた。それは、私が長年「切手サイズのコンセンサス（共通認識）」

と呼んでいるものの上に成りたっている（図202）。これは、義務教育や大学などで吹きこまれる、ごくごく狭い範囲内の可能性のことだ。世界中どこへ行っても、主流、さらには「オルタナティブ」なメディアの多くが、毎日24時間これを繰りかえし喧伝（けんでん）している。切手サイズの信念は、学界、科学、医学、メディア、政府、ビジネスといった主流の**すべて**を知覚的に支配し、私が「プログラム」と呼ぶものの基礎をなしている（図203）。

カルトは、知覚をあざむく道具としてまず宗教を使った。「聖書」に記されている信念を押しつけ、そこから外れれば死刑を宣告する。これが当時の切手サイズのコンセンサスである。宗教には、死後も魂は存在しつづけるという概念があるが、愛と悪意をあわせもつ矛盾した「神」への服従も、もれなくついてくる。神を信じるものは、とこしえの楽園へと導かれるが、信じないものは糾弾され、消えることのない地獄の業火で焼かれるのだ。私たちは、「神」がこの永遠の分断を定めたと信じるよう求められている。針の頭の10億分の1ほどの惑星での、数秒から数十年の短い地上生活にもとづいてだ。あなたがどう思うかはわからないが、私なら、ジントニックを10杯以上、ウイスキーをチェイサー［強い酒の合間に飲む飲みもの］に飲んで泥酔でもしなければ、とうてい理解できない。いまだに何十億人もの人が、この信念に知覚（と解読された体験）を支配されているとはおそろしいことだ。

しかし、この種のコントロールを拒否する人が多くなり、そうした人に向けて新しいカルトの罠が用意された。「科学」と、国家の統制下にある「教育」という裏技だ。主流の確立された科学に

Hi-Ringo史上
最強！
「量子の修理人」
ついに登場！

音のソムリエこと藤田武志先生と，ホワイト量子エネルギー（WQE）開発者の齋藤秀彦先生のノウハウをW搭載した、新たなヒーリングアイテム。1日2〜3時間身につけてホワイト量子エネルギーを与えることで、原子や分子などをより高いエネルギー状態にして全身のバランスを整えます。生命力、自信、直観力、表現力、共感力など自分全体のパワーアップに期待！

2種同時購入で
264,000円（税込）が
特別価格
220,000円（税込）！

WQE＋/orgone+
量子のクスリ箱クオンタムリペイヤー

ハイパワー

176,000円（税込）

サイズ：[本体]幅約5cm× 長さ約10.5cm× 厚さ約2.8cm[ストラップ]長さ約52cm× 幅約1cm/重量：約80g/素材：[本体]ABS樹脂、[ストラップ]ナイロン/仕様：マイクロオルゴンボックス、WQEコイル、緑色LED、充電タイプ

レギュラー

88,000円（税込）

サイズ：[本体]幅約4.4cm× 長さ約9mm×厚さ約2cm[ストラップ]長さ約52cm× 幅約1cm/重量：約100g/素材：[本体]ABS樹脂、[ストラップ]ナイロン/仕様：マイクロオルゴンボックス、WQEコイル、緑色LED、充電タイプ

※レギュラーとハイパワーでは、バッテリー容量(通電力)が3倍違います。
※デザインおよび色合いは予告なく変更することがあります。

ハピハピヒーリン号
本誌にて掲載！

本アイテムを試して大絶賛の
飛沢誠一先生も加わり
ヒカルランドに欠かせない
先生方、激推しです！

これはスゴイ！

崩れた体内バランスを自然治癒力でととのえる

上古 眞理 先生

神経内科専門医、指導医、内科認定医。神経難病を見ていく中で西洋医学の限界や矛盾を感じ、予防医学、その他医療に興味を持ちはじめるように。

体を正常な状態に維持する体内の「内因性カンナビノイドシステム」に働きかけ、崩れたバランスをととのえるサポートをするCBD（カンナビジオール）をカプセル状に。近年発見された「CBDを含んだホップ」には、精神作用を引き起こすというTHCをつくる酵素は含まれないため、高い安全性も実現されています。（※詳細はハピハピヒーリン号本誌にて）

Kriya®Hops ソフトカプセル

【お試し用】 5カプセル入り
※お1人様2パックまで
3,600円（税込）

【お徳用】 60カプセル入り
38,880円（税込）
内容量：231.6g（386mg×60粒）/原材料名：Kriya Hops 抽出物、MCT（インドネシア製造）、ミツロウ、グリセリン脂肪酸エステル、カカオ色素

MiracleHop（Kriya®Hops 水溶性タイプ）

14,580円（税込）
内容量：1瓶 30ml（水溶性 CBD 300mg）/原材料：Kriya Hops 抽出物、水、柚子果汁

※疾病療養中の方、及び妊婦・授乳中の方は、医師にご相談の上、ご使用ください。
※眠気が起こる場合がございますので、車等の運転前や運転中のご使用は避けてください。
※原材料をご確認の上、食物アレルギーのある方はお召し上がりにならないでください。

Hi-Ringo
オリジナル！

ソマチッドたっぷり！

「素粒子エネルギー」注入技術アイテム

Hi-Ringo ジェネレーター

各 298,000 円（税込）

サイズ：縦 118mm× 幅 40mm

**電気を使わず
素粒子エネルギーチャージ！**

大量の素粒子エネルギーが渦巻き状に放出されるパワフルなジェネレーター。体に当てて素粒子エネルギーチャージ&“量子場”が「ととのう」よう促します。胸腺に当てたり、付属のコードで「素粒子エネルギー風呂」を楽しむ使い方も◎ 内部の素粒子エネルギー発生装置には、ソマチッドパワーも凝縮。

**瞬間エネルギーチャージ
&クリアリング**

大量のソマチッドが確認された奥飛騨ガーデンホテル焼岳「うぐいすの湯」に、静電誘導、浅井敏雄氏の素粒子エネルギー注入技術と、勢能幸太郎氏開発の「ハイパフォーマンスエッセンス」を注入。「神楽坂ヒカルランドみらくる」の限定サービス「量子最適化」の加工まで施した、Hi-Ringoオリジナルスプレー。

Hi-Ringo スプレー

3,690 円（税込）

内容量：120ml / 原材料名：鉱泉水 / 水質：ナトリウム炭酸水素塩・塩化物温泉 / 成分：温泉水

新着アイテム

まだまだ紹介しきれない、磁力や水の力で心身をととのえるという、スゴイ新着アイテムも。ここで、ちょこっとご紹介！

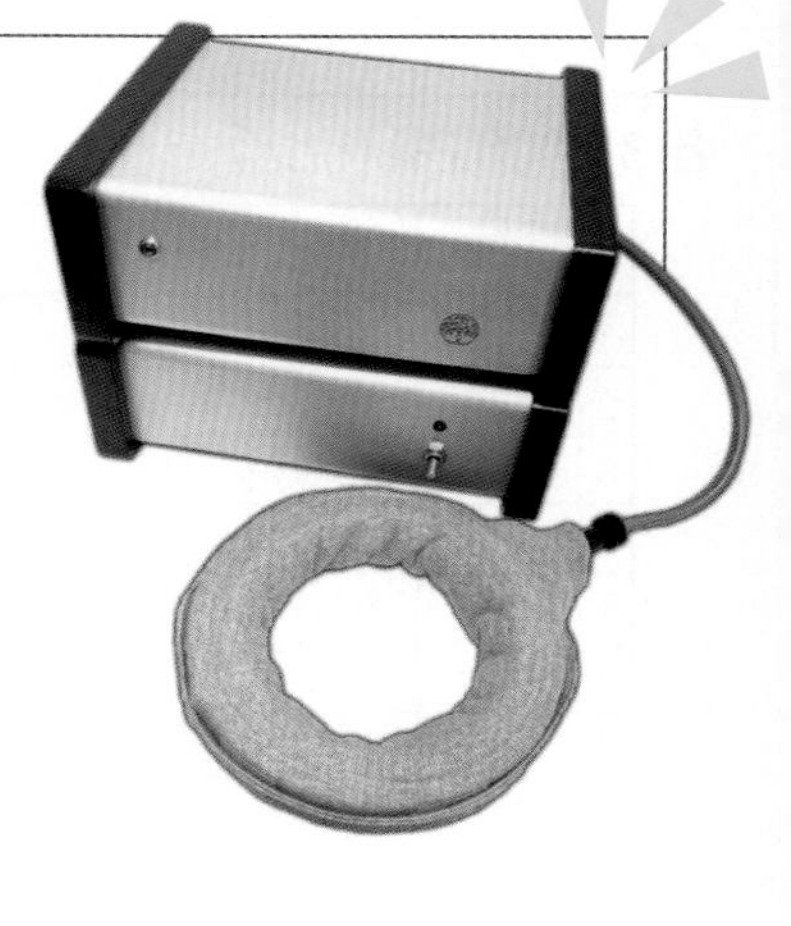

マッサージでは届かない体の奥に磁力でアプローチ!!

これが普及すれば肉体的トラブルは消滅！？人体に流れる微弱な電流の乱れをととのえ、肉体をリフレッシュする手助けとなるアイテム。とある日本の偉大な発明家が亡き後、幻となった装置をリニューアル！

使い方は簡単。気になる部位などに『セルパワー』を当てるだけです。スイッチを入れると、『セルパワー』のリング部分から強い特別な磁力が発生しますので、当てようと思う部分の上に30分ほど近付けるだけです。

磁力は、リングの周囲が最も強くなります。1日で、全ての部位には当てられないので、毎日当てる場所を変え、数日で満遍なく当てるようにします。特に気になる部分には集中的に当てます。セルパワーは、30分使用するとタイマーでスイッチが切れます。リングが暖かくなりますので、引続き使う場合は、5分～10分程度時間をおいてから使用して下さい。

セルパワーαCP-06 本体（リング付き）セット

396,000円（税込）

サイズ：高さ210mm×幅290mm×奥行220mm／重量：約8kg［コイル］約2 kg／ケーブルの長さ（本体～コイル）：約1.9m／消費電力：30W

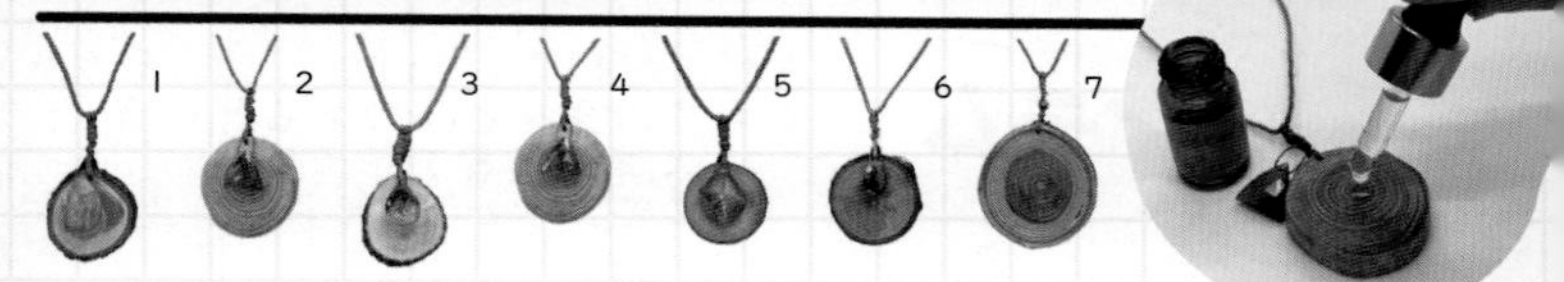

Hi-Ringo チャクラペンダント
(アロマオイル付き)

各 36,900 円（税込）

木製ペンダントトップにチャクラに対応したWQEコイル内臓。天然石と付属のアロマオイルで艶やかに。

	種類	木端コイン	天然石	コイル	木の端コイン川オイル
1	根	杉	サンストーン	赤	ジンジャー、ローズウッド他
2	丹田	カラマツ	アンダルサイト	黄	オレンジ、ゼラニウム他
3	みぞおち	河内晩柑	サファイヤ	橙	ローズマリー、ライム他
4	心臓	欅	グリーンリチル	緑	ベルガモット、ラベンダー他
5	喉	黒文字	ラブラドライト	青	ユーカリ、サンダルウッド他
6	眉間	桜	ブラックオパール	藍	クラリセージ、ジュニパー他
7	頭頂	槐	ヘマタイト	紫	ペパーミント、フランキンセンス他

※手作りのため、お届けまで１ヶ月程かかる場合がございます。

Hi-Ringo 水晶とHEMPのホワイト量子サンキャッチャー

クラシック　44,000 円（税込）

サイズ：[トップ] 約 30mm[全長] 約 42 ㎝ / 重量：約 81g / 素材：クリスタルガラス、ブラジル産水晶、ヘンプ、天然木、精麻

虹色タッセル　55,000 円（税込）

サイズ：[トップ] 約 30mm[全長] 約 37 ㎝ / 重量：約 77g / 素材：クリスタルガラス、ヒマラヤ産レインボー水晶、ヘンプ、天然木、コットン、精麻

太陽のエネルギーを集めてお部屋に美しいプリズムを。「癒される」「運気が上がる」と大評判！ ７種のWQEコイルが麻ひもに編み込まれたHi-Ringoならではの逸品。部屋に吊るせばスペースクリアリング＆チャージが即完了！

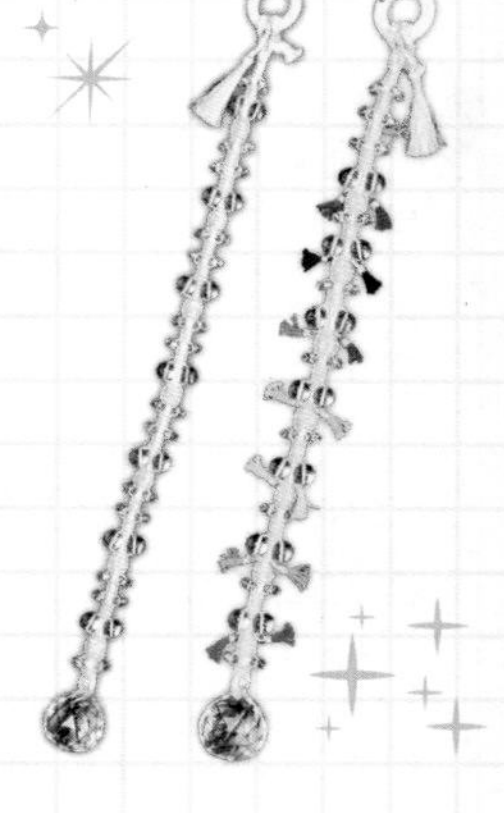

※手作りのため、お届けまで１ヶ月程かかる場合がございます。

「田口音響研究所」が制作、音のソムリエ・藤田武志先生も大絶賛の球体型スピーカー。従来型スピーカーでは乱れてしまう音波も、自然界と同様に360度広がります。長時間聴いていても疲れず脳波のα波も増えてリラックスできるほか、「Hi-Rin Coil」内臓でホワイト量子エネルギーも加わり、よりクリアで臨場感満載の音を楽しめます。

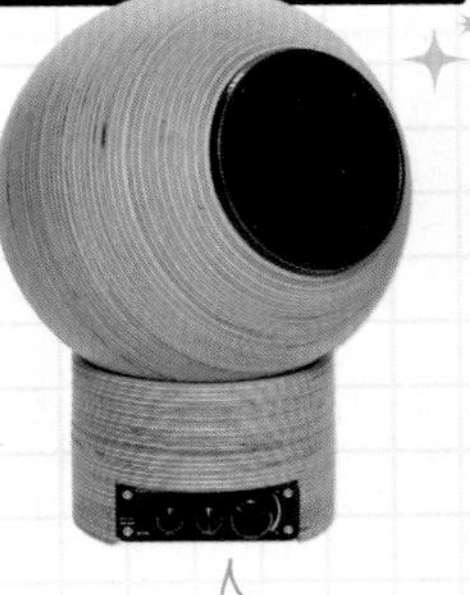

視聴可能♪
お問合わせ
ください!

Hi-Ringo Special
量子【球面波・Q・球】スピーカー

300,000円（税込）

サイズ：[本体] 直径200mm、[スピーカー部（幅）] 各10mm、[台座] 直径約135mm× 高さ87mm、[アンプ] 縦120mm× 横85mm× 高さ30mm / 重量：[本体（台座含む）] 約1,620g、[アンプ] 約260g / 入力：3.5mm外部入力端子 ×1、Bluetooth 5.0,2.0ch / インピーダンス：8Ω×2 / 周波数特性：130～23kHz×2 / 出力音圧：83dB/w×2 / 電源：19V ACアダプター（80～240V）/ 付属品：専用アンプ（Audio BT10A）、ACアダプター

※1つひとつ手作りのためお渡しまで時間がかかります。

ジュエリーの中には、特殊な鉱石や色料、触媒を何層にも重ねたチップが内蔵されており、そこからWQEの波動が放出される仕組みになっています。身に着けるだけで、体の内側から浄化し、ストレス解消やリラックス効果をはじめ、活性化・活力維持、免疫アップなど、さまざまなサポートが期待できます。

プライベートでもお
仕事中でも、シーン
を選ばず体内を浄化

Jewelry-Q（ジュエリーQ）

33,000円（税込）

カラー：赤、緑、紫　サイズ：[本体] 直径約30mm、厚さ約5mm、[チェーン] 長さ約60cm　重量：約18g

そのほかの「Hi-Ringo」！

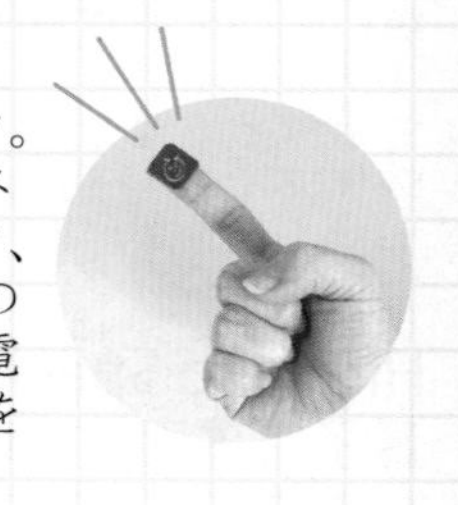

「Hi-Ringo」マークがあしらわれた7色ワッペン。中に小さな振動体が入っていて、「量子」エネルギーを発生。コイルを貼った対象の不調や、その先想定される不具合の原因に「最適化」の修正コードを送ります。お水、植物や食材、電子機器まで、“ゆがみ”を整えあらゆる生命体を活性化します。

量子 Hi-RinCoil（ヒーリンコイル）

1個各 4,444 円（税込）/ 7個（7色）セット 29,000 円（税込）

カラー:赤、橙、黄、緑、青、紺、紫 / サイズ:［四角タイプ］15mm×15mm、［丸タイプ］直径約 17mm、厚さ 2mm（共通）/ 重量：約 0.2g

※原材料高騰のため、最終見込み価格は1個 6,600 円（税込）予定（詳細はお問い合わせください）※デザインは予告なく変更されることがあります。

自然界で一定の強度を保つヘキサゴン型のプレートに「Hi-RinCoil」が配置され、より量子エネルギーが安定化！ 電磁波や悪い波動から“空間ごと”量子エネルギーで守るよう働きかけます。ヒーリンゴマークに向かってエネルギーが放たれるので、お部屋の壁などに設置していただければ、室内が量子エネルギーで満たされるでしょう。

量子バリア【七位一体！ヒーリンジャー！】

26,000 円（税込）

サイズ：約 80mm×70mm / 重量：約 6g / 付属品：粘着シール

※被着体や添付時間等によっては、傷める場合があります。

「ヒーリンジャー」同士の対面設置で、より空間量子化が安定します！

糊部分にホワイト量子エネルギーが転写されたヒーリングシール。ホワイト量子エネルギーは水に伝わりやすく、体の6割が水分の人体にもじんわりと広がります。凝りや痛み、違和感のある箇所に貼ると、不調が気にならないという声が多数。カラーは人体の各チャクラに共鳴するよう調整されています。活性化したいチャクラに合わせてカラーを選ぶのもおすすめ。

チャクラに合わせ
ス〜ッと楽に♪

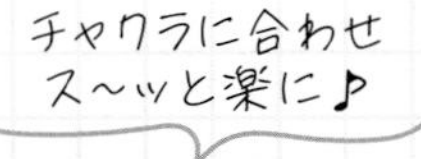

量子 Hi-Link（ハイリンク）転写シール【Naotta】くん

1シート各 1,100円（税込）
8シート（8色）セット 8,800円（税込）

カラー：赤、橙、黄、緑、青、紺、紫、金／サイズ：[シート本体] 直径約23mm、[シート] 約52mm× 約133mm／素材：布

※金カラーは8シートセットのみに含まれ、単品販売はありません。

北欧家具などに使用される木材「バーチ」の肌触り抜群！ 中にホワイト量子エネルギーのコイルと、特殊なアルミハニカムシート（ハチの巣構造の振動体）を内蔵。ホワイト量子エネルギーの波動を放出し持ち主を癒してととのえます。木材のやさしい硬さが心地よく、握るとなんだか“ほっ”とするから不思議。

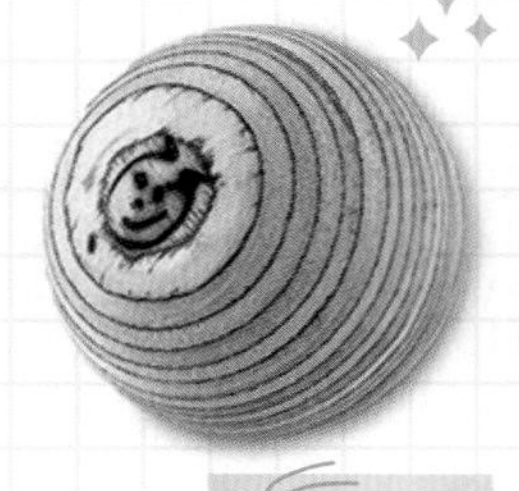

量子 Hi-RinBall（ヒーリンボール）にぎにぎ【Q】ちゃん

16,000円（税込）

サイズ：直径約40mm／重量：約23g／素材：木材（バーチ）

※中にはアルミハニカムシートが内蔵されています。

そのほかの「Hi-Ringo」！

中央にホワイト量子エネルギーのコイルが内蔵された透明なコースター。上に乗せた物に対してホワイト量子エネルギーを転写します。水の入ったペットボトルを乗せれば一晩で「酸化させる力を抑えて還元力が高い」ホワイト量子エネルギー水に。青果や鮮魚、精肉などをコースターに乗せて冷蔵庫で保存すると、鮮度と美味しさが長持ち。

お水をコップに入れて
乗せておけば、
ホワイト量子水に！

量子 Hi-RinCoaster（ヒーリンコースター）

9,000 円（税込）

サイズ：直径約 100mm、厚さ約 3 mm / 重量：約 34g

普段お使いのスピーカーやスマートフォンなどの音源、楽器などに置くだけで、音の音質が変わります。音がよりクリアに聴こえるだけでなく、普段なら聴こえない「倍音」まで耳に届く！より音楽を楽しみたい、深く味わいたい、心地よく癒されたいといった方におすすめです！

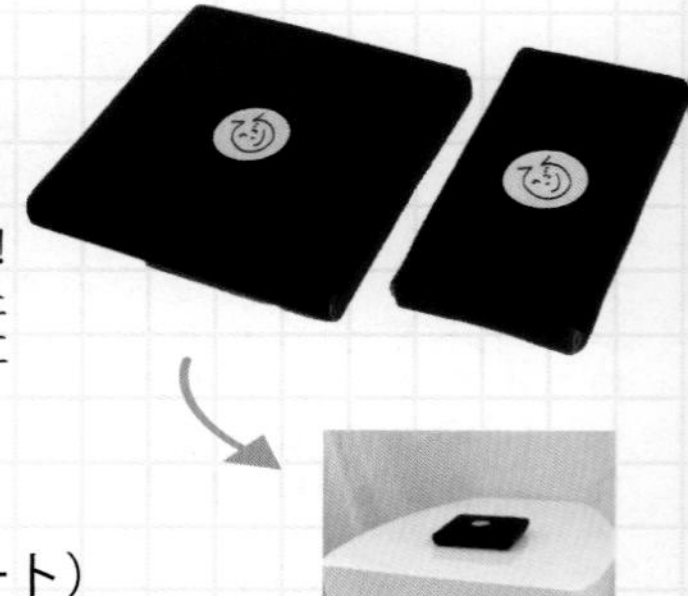

量子 Hi-RinPlate（ヒーリンプレート）

[大・小] 各 33,000 円（税込）

サイズ:[大] 縦約 54mm× 横約 54mm× 厚さ約 10mm、[小] 縦約 54mm× 横約 28mm、厚さ約 10mm / 重量:[大] 約 20g、[小] 約 7 g / WQE 照射範囲:[大] 約 5 m、[小] 約 2 m

※設置する場所や用途に応じてサイズをお選びください。

その箱には、たくさんの“キュウサイ”アイテムが入っている…。中身は完全シークレット！ 開けてみてのお楽しみ“詰め合わせBOX”。テーマに合わせお得な内容でお届けします。ヒーリンゴグッズに興味がある、何を買えば良いかわからない。商品を試してみたい。新しい商品と出会いたい。宇宙にお任せしたい…！ そんな方には、素敵なグッズとのご縁が導かれるかもしれません。

リラックス箱
お家でゆっくり癒されたい、癒しアイテムに迷う方へ。

デトックス箱
“悪いもの”を追い出す！
なんだか調子が悪い方。
健康でありたい方に。

キュウキュウバコ

30,000〜50,000円（税込）

箱の種類：リラックス箱、デトックス箱、リラックス＆デトックス箱

アーティスト「Hi-Ringo」が演奏する、レムリアンライアーのヒーリングサウンド。量子エネルギー満載のスタジオ「Hi-Ringo Yah!」で収録し、必要な人に必要な音が届くよう、WQE加工を施しました。クリアな癒しの波動を、ぜひご堪能あれ。

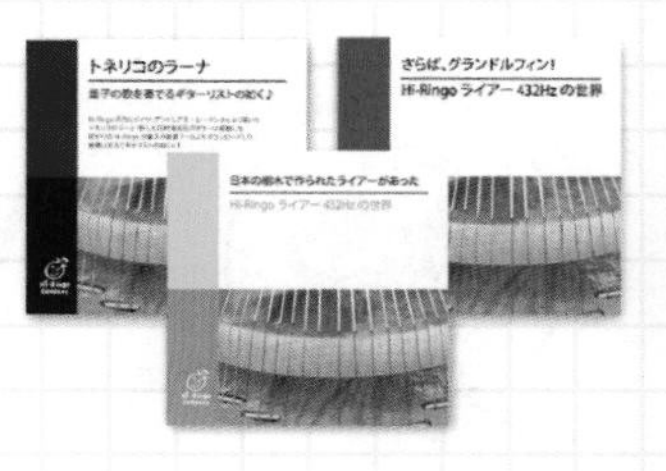

Hi-Ringoレーベル ライアーCD

各2,200円（税込）

演奏：Hi-Ringo（石井健資）/ 収録スタジオ：Hi-Ringo Yah!

オンラインサロン「Hi-Ringo Q Site」にて試聴できます！

詳しくは裏表紙をご覧ください→

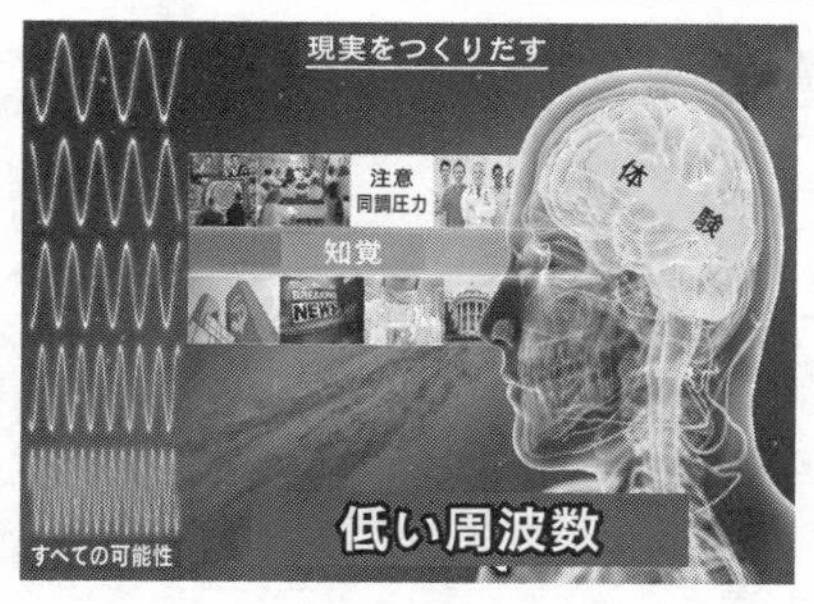

図200：閉じたマインド（思考回路）は閉じた周波数を発し、限定された可能性の範囲内でしかフィールドと相互作用しない。そのため、「ちっぽけな私」とか、「これが私」と決めつけてしまう知覚が、原因と結果から限られた体験と認識を生みだすフィードバックループをつくりだす。（ガレス・アイク画）

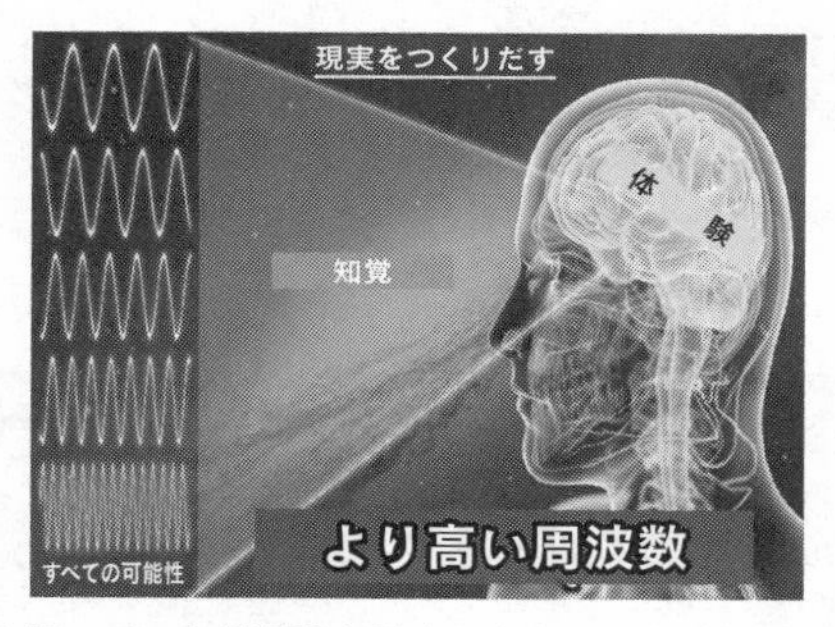

図201：マインドを開いて、自己認識を拡大しよう。そうすれば、フィールドとの相互作用と可能性が拡大する。「大いなる私」という知覚が、「大いなる私」の体験をつくりだす。（ガレス・アイク画）

図202：私が切手サイズのコンセンサスと呼ぶものは、「教育」システムが教えこむ、狭い範囲内の可能性であり、メディアによって推進される。学界、科学、企業、医学、政府、そして大衆のほとんどが、メディアを信念体系の基盤としている。

図203：バーチャルリアリティのヘッドセットは、人間の知覚プログラムを完璧(かんぺき)に象徴している。

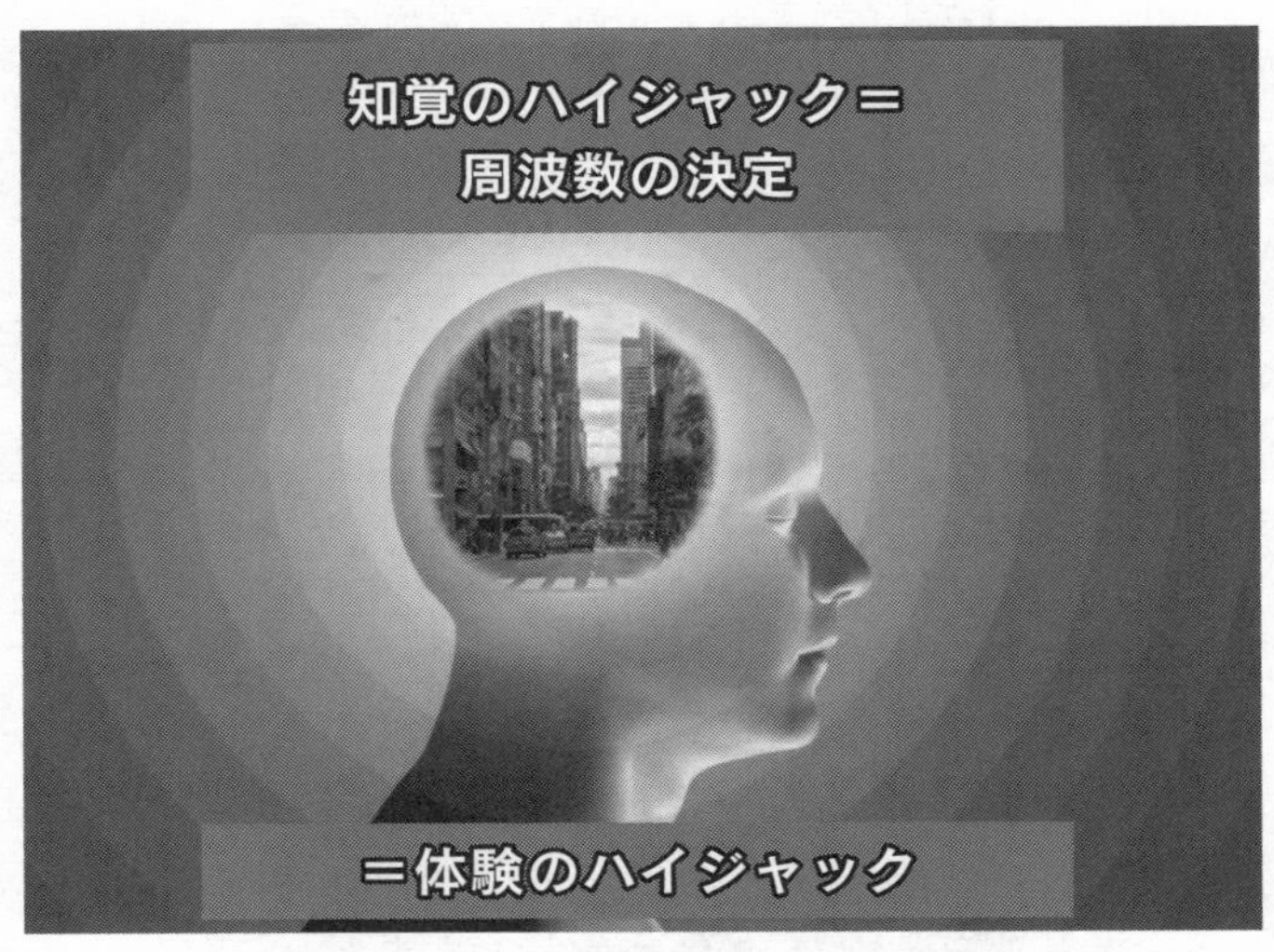

図204：カルトは、知覚をハイジャックすれば、体験を引きよせる周波数を決定できることをわかっている。近視眼的な知覚は近視眼的な人生をつくりだし、大衆を集団的にコントロールすることが可能になる。カルトは、人間の知覚を操作することによって、私たちの現実の本質をつくりだしている。

は、創造主という概念を消し去るという利点もあった。「合理的思考」を装ったこの宗教の信奉者たちは、そのターゲットと支持者を「物質」界の偶然の存在という知覚に、より深く引きこんでいった。

宗教においては、最も過激な形では冒瀆者（ぼうとくしゃ）への死、穏便な形ならば「信仰」からの破門という罰がある。科学教という「合理的な」宗教では、社会的な死や、学校（「信仰」）からの追放となる。大がかりな洗脳は、カルトの支配下にあるメディアの偏向と検閲によってさらに定着させられ、いまやカルトが所有するシリコンバレーによって、これまでにない極限レベルに達している。人びとが見聞きするものをコントロールすれば、人びとは言われたことをそのまま信じるだろう。それには当然、なにを見聞き**しない**かもコントロールする必要がある（図２０４）。

ダウンロードの始まり

人間社会は、ボディー（肉体）マインド（精神）［五感の現実に対する知覚］の実験室である。このテーマを他の言葉で言いあらわすとしたら、ベルトコンベアー、ソーセージマシン、コンピューター・ダウンロードといったところだ。

人間の生活とは、まさに子宮から始まって墓場まで続く**知覚**のダウンロードである。胎児が光を感じてまばたきするようになれば、プログラミングの本格始動だ（図２０５）。まずは両親。この子がこれから受けるプログラミングをすでに完了して、信じよと言われたことを受けいれている（ボディーマインドに囚(とら)われている場合。大多数の人があてはまる）。両親は、自身が教えこまれたことを幼少期の子どもにアップロードする。悪気でそうしているわけではなく、むしろその逆だ。両親は体制が現実であるとするものをダウンロードし、その「常識」をよかれと思って子どもに伝えている。

ダウンロードされた幻想の「常識」には、あらゆることが含まれている。子どもたちがどうしつけられ、どのように扱われるか。そしてカルト所有のビッグファーマを潤わせ、子どもたちの免疫を弱め、生涯にわたって知覚プロセスをむしばむワクチンの大量接種を受けいれることも、だ。ワクチンの子どもへの害は、脳にあらわれることが多い。脳障害と診断されるにいたらずとも、思考や創造のプロセスが抑圧され、制限されたまま一生を送る子どもたちがどれだけいるだろうか？

脳へのダメージが行動にあらわれると、ワクチンをつくっているのと同じ、カルトのビッグファーマカルテルが製造した処方薬によって、ワクチンの作用を「治療」することになる。食品／薬品の（化学的／波動的）ゆがみについても、同じことが言える。そうしたゆがみが、子どもたちが情報を知覚や行動へと処理するプロセスをゆがめるのだ。

生後3、4年で、すでに毒に侵された子どもたちは幼稚園などに通いはじめる。「教育」という笑える名前のもとに、知覚のダウンロードの大幅なアップグレードが待ち受けているのだ（図206）。両親の影響力はおとろえはじめる。子どもたちは、全方位にわたってプログラムされた知覚

図205：知覚プログラミングは、子宮をでた瞬間から始まる。というより、お腹のなかにいるうちから、母親との波動や化学物質のやりとりによってすでに始まっているのだ。

図206：「教育」を１枚の絵であらわすなら……。

の前に、確固たる自己を急速に失ってゆく（図207）。

子どもたちの形成期は、来る日も来る日も教室や講堂に座り、国家の知覚プログラムを代表する権威から、自分自身や世界のあらゆる側面や形態について、なにを信じ、なにを信じないかを教えこまれることに終始する。「権威」とは、小学校の教師から「著名な教授」にいたるまでさまざまだがいずれにせよ、彼らの役割は同じだ。子どもたちや若者に国家（カルト）が信じてほしいことを信じさせるのだ。集団的知覚・行動を決定づけるにあたり、若い世代が形成期に教えこまれることをコントロールすること以上に、効果的な方法があるだろうか？

すべてのレベルの「教育者」は、自身が受けたプログラミングのおかげで、自分が教えていることを信じて疑わない。信じていない者もあるかもしれないが、そんなことは問題ではない。国家は教育者に、教えろと言われたことをそのとおり教えるよう強制する。さもなくばお払い箱だ。教員は、「教育」環境にある生徒たちと同じ知覚の牢獄（ろうごく）のなかにいる。こうした教育が社会をかつてなく大きく、深く変容させていることや、その目的については、あとの章で詳しく述べる。

試験に合格することへのプレッシャーは、「教育」というものが、生徒と教員双方にとって、日々の慌ただしい作業になっているということを意味する。若者の頭に国家（カルト）公認の「事実」とされるものを詰めこみ、答案用紙の上に反復するまでの間に記憶させるのだ。学校で「学んだ」ことを、あなたはどれくらい思いだせるだろうか？　算術の基礎や読み書きを除き、実生活に役立ったものがあるだろうか？　ほとんど思いだせないという人が大半だろう。私もほとんどない。

実際私は、ほんのときたま学校で身を入れて聞いたたわごとを消し去ることに、人生を費やしてきた。

プログラミングを意識的に思いだせなくとも、カルトにとっては問題ない。標的は潜在意識である。人間の行動の95%は、潜在意識によるものだということが研究によってあきらかになっている。顕在意識と呼ばれるものは、潜在意識の奴隷であり、**潜在意識**こそが、カルトの狙(ねら)いである。潜在意識を押さえられたら、あなたはもうカルトのものだ。

行動を起こすにあたり、意識的に意思決定されることは驚くほど少ない。行動のほとんどは、コンピューターのような反応やリアクションで、感情的なものが多い。脳活動は、意識的な決定が下される前に始まるという研究結果を思いだしてほしい［第2巻第5章参照］。顕在意識には、ほんのわずかしか残らない。微々たるものしか知覚していないのだ。第2巻で引用したように、視覚的な現実は、脳が1秒間に受けとった１１００万個の「刺激」のうちの40個から構築されている。潜在意識は受けとったすべてを吸収するのだから、当然のごとく知覚を支配しているはずだ。

「教育」システムで信じるようプログラムされたことを、すべて思いだす必要はない。潜在意識にはちゃんと残っていて、それが生涯にわたって顕在意識に影響することが、カルトにはわかっているのだ。ただし、**プログラム**から「覚醒」し、脱洗脳されれば別だ（図２０８）。

物事に対する人びとの反応を観察してみれば、「エンターキー」を押すような反射行動(脊髄反射)が見られるだろう。私は何十年にもわたり、私が言うことの事実や背景を1ミリも確認しようとしない人び

図207：子どもたちは、生涯続く現実感覚を知覚的にプログラムされるために学校へ通う。

図208：潜在意識は、知覚プログラミングの標的である。潜在意識に刷りこまれたものは、顕在意識を通じ、あたかも「個人的な」見解かのようにあらわれてくる。人間の行動の95%は潜在意識の知覚に導かれたものだ。（ニール・ヘイグ画）

とから嘲笑（ちょうしょう）されてきた。そのような人の瞬時の反応は、教えられたことしか起こりえないという潜在意識の反応によって引きおこされている。世界は固体だという情報だけを吸収し、シェイプシフティング［人間がレプティリアン（爬虫類人）に姿を変えること］のことなど考えたこともない。だから、シェイプシフティングなどありえないという反応になる。

潜在意識のプログラミングは、顕在意識の知覚へとしみだしてくる。私の人生というものに関する見解は、すでにお伝えしたとおりだ。つまり、私たちはみな、さまざまな体験をしているひとつの意識であり、人種やセクシュアリティなどの「ラベル」は、分断を引きおこす幻想だ。私は、このことを30年も言いつづけている。

ゲイリー・スペディングとかいう英国の「ライター」が、私の息子ガレスに宛ててツイッターで投稿した「きみは、反ユダヤ主義の白人至上主義陰謀論者の息子だ」という言葉と比べてみてほしい。スペディングは私の本を1冊でも読んだことがあるだろうか？　ノー。私の講演に来たことがあるだろうか？　ノー。私に関して、バイアス（偏見）のない情報源からの知識をもっているだろうか？　ノー。

ほとんどの人は、同じような方法で知覚を形成している。だから人びとが信じていることの大半は真実ではなく、カルトが**信じてもらいたい**ことだけが真実ということになっている。人びとは、刻一刻と「意識的」な判断をしている。生涯にわたってプログラムされた**前提**にもとづいて、あらゆる物事や状況において妥当かどうか考えている。しかしその前提には、自力で調べた要素が1ミリもない。プログラムを超えて**意識的**になるということは、みずからの知覚をコントロールするということだ。知覚は、**自分なりの**結論を導きだす。よそから拝借してきたりはしない。

「教育」：組織的プログラミング

これらすべてから、私が「誰でも知ってる」症候群と呼ぶものが生まれる。誰しも言われたことがあるだろう。私は、人並み以上に聞かされてきた。現実に関する前提に疑問を呈したとき、プログラムされた可能性から、「誰でも知ってる」と言われて却下されてしまうのだ（図２０９）。どうして「誰でも知ってる」のか？　そうさな、みんな同じ知覚をダウンロードしている。あぁ、それだ（図２１０）。

信心深い家庭の子どもは、必然的にその宗教に入信する。それにしか触れてこなかったからだ。同じ原理が、「教育」のダウンロードにもあてはまる。カルトの原則は「聞いたことのあるすべてが、無意識的、そして意識的に信じるものとなる」だ。その前提に疑問を呈する情報は、幾重にもめぐらされたプログラミングの壁を破らなければ、「アハ体験（Ah-ha）」［ひらめいたように「わかった」と感じる瞬間］を起こせない。

子どもや若者がどうでもいい情報を洪水のように浴びせられていることには、もうひとつ理由がある。マインドが日々押し寄せる役に立たない情報でいっぱいになって、試験のためにそれを復習

図209：体制がなにを考えるか教えてくれた。それと違うことを言うなら、あなたは頭がおかしいか、ばかにちがいない。

図210：大まちがい。

するならば、マインドは詰めこまれた情報に集中してしまい、自分なりに考えることをやめてしまう。五感への集中がゴールなのだ。ひとたび五感以外の排除に集中してしまうと、点と点とがつながって真実となる視野を失ってしまう。体制は、さらに「宿題」という形で集中する時間を上乗せしてくる。五感の集中を持続させ、脳が特定の方法で情報を処理するようにするためだ。その方法については、あとで述べることにしよう。

すべては、陰の存在によって冷たく計算されている。細分化とは、プログラミングを直接おこなう者の90%以上が、なぜこのようなことがおこなわれているのか、若者の知覚に対して**なにが**おこなわれているのかさえも、わかっていないということだ。しかし、カルトはちゃんとわかっている。カルトは、ロックフェラー家のような血族を使って「教育」の枠組をつくった。米国の石油／金融／製薬王で、カルトのエージェントであるジョン・D・ロックフェラーは、20世紀初頭に米国一般教育委員会を設立した。ロックフェラーは「思想家の国はいらない。労働者の国がほしい」と言った。もっと正確に言うと、**奴隷**の国がほしい、ということだろう。ロックフェラーのビジネス顧問で、共に事業を設立したフレデリック・T・ゲイツの言葉が、すべてを物語っている。

私たちの夢は、無尽蔵の資金のもとに、人びとが私たちの鋳型におとなしく身を任せることだ。もはや現在の教育習慣は色あせている。私たちは伝統に囚（とら）われることなく、人びとに善意で働きかけ、感謝と共感を得る。

私たちは、そうした人びとやその子どもたちを、哲学者や学者、科学者にするつもりはない。作家や演説家、詩人、文学者を育てるつもりもない。偉大な芸術家や画家、音楽家の卵を求めはしない。また、弁護士、医者、牧師、政治家などを育てようというささやかな野心さえも抱きはしない。そうした職種は、すでに間にあっている。

カルトの「教育」は、子どもたちに生涯にわたって以下のことを信じ、受けいれさせるために押しつけられてきた。

- 真実は権威からもたらされる
- 知性とは、思いだし、繰りかえす能力のこと
- 正確な記憶と反復には報いがある
- 規則を破れば罰を受ける
- 知的にも社会的にも、適合しなければならない

カルトの世界的な「教育」システムは、脳の特定部位、左脳を標的として、システム中枢部から入念に形づくられた。右脳と左脳の機能は、大きく異なる。脳は、解読された形ではホログラフィ

ックで、全機能が全体に広がっている。しかし脳全体のレベルでは、ふたつの脳半球が重視するものはそれぞれ異なる。

左脳は、人間の知覚を支配している方法で情報を解読する。言語や数、すべては個別に分かれているという感覚は、左脳がつかさどるものだ。物事をドット（点）やピクセル（画素）で捉え、貼られたラベルと自身を同一視し、ヒエラルキー構造に従う傾向がある（図２１１）。典型的な政治家、科学者、医師、ジャーナリスト、研究者、実業家や労働者、弁護士や裁判官がこのタイプだ。言い換えれば、体制を動かす、あるいはその手足となる者だ。現在の人間社会は、圧倒的に脳の左側、つまりあらゆる主流の基盤となる知覚が、ホログラフィックにあらわれた状態である。

対して右脳は、自由な精神の創造性、芸術、詩、おおらかさ、異端者といえる。（ある種の）作家、演説家、詩人、偉大な芸術家、画家や音楽家、つまりフレデリック・T・ゲイツが大衆「教育」システムによって育てたいとは思わないタイプだ。決定的に重要なのが、右脳にはひとつにつながる超越した感覚があり、ドットやピクセルをつないで絵やパターンとし、人生や現実の真実を見いだすということだ。右脳は、ハート（心）と緊密なつながりをもっている。

カルトの「教育」は、ハートチャクラを閉じ、右脳を抑圧し、若者を生涯にわたってボディ－マインドのシャボン玉［孤立した自己認識］に閉じこめることを目的としている。カルトが右脳を狙い撃ちしているのは、ハートとのつながりのためだ。学校では、芸術、演劇、音楽といった右脳活

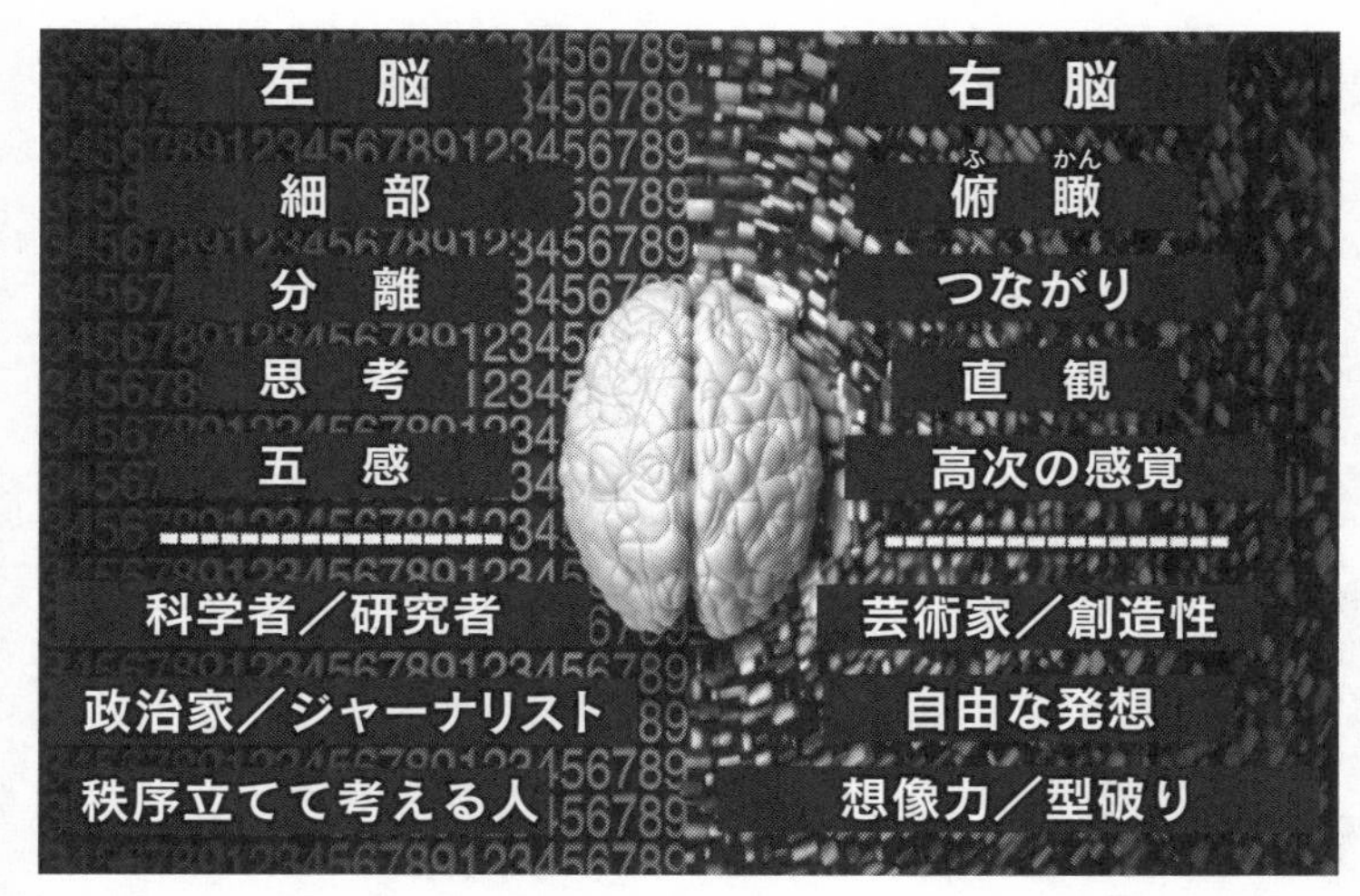

図211：左右の脳は、情報を大きく異なる方法で処理し、まったく違った現実の知覚をうみだす。

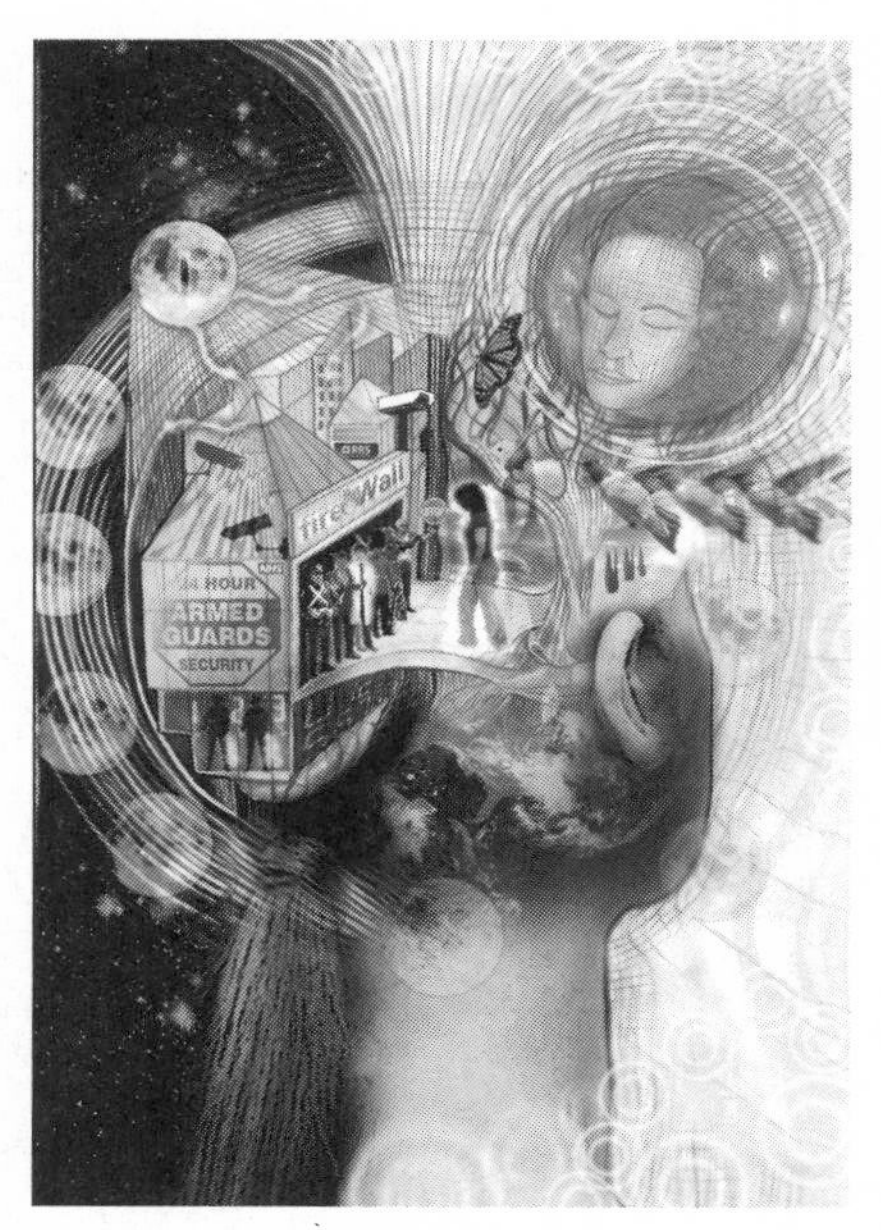

図212：カルトが動かす体制は、右脳の影響から左脳を守っている。（ニール・ヘイグ画）

動にはほんのわずかな時間しか割かれず、左脳科目がカリキュラムの大半を占めていることに注目してみよう（図212）。左脳が情報を蓄積し、答案用紙の上に反復することで、試験に合格できる。

左脳とは基本的に、プログラム本部である。左脳の知覚処理中枢は、爬虫類脳（はちゅうるいのう）、いわゆるR－コンプレックスと連動している。反射行動、生存本能反応をつかさどる部分だ（図213）。爬虫類脳は、すくなくとも現在顕著な形においては、アルコーン的人体操作［アルコーンとはグノーシス主義における「偽の神」のこと。アイクはこれを爬虫類人（レプティリアン）としている。詳しくは第2巻第5章参照］からきたものではないかと私は考える。爬虫類脳は、生存をおびやかすものがないか、つねに周囲の状況をうかがっている。「肉体的」な生存だけではない。金銭や人間関係、仕事、などにおける生き残りも含まれる。運転中にキレる、反射行動、闘争・逃走、一線を越えた感情的な反応などは、爬虫類脳の「エンターキーを押す」ような反応である。

多くの人が感じている、心の底にあるおそれや不安は、爬虫類脳に関連している。そうしたおそれや不安は、主要な行動制御メカニズムのひとつであり、感情に影響して人を低周波数状態にしてしまう。**私は、数十年にわたって人間を支配するレプティリアン（爬虫類人）について書いているが、これは本当にただの偶然なのだろうか？**

英国の精神科医、イアン・マクギリスト博士は、プレゼンテーションで自身が「分断された脳」と呼ぶものを取りあげた。博士は、いかに左脳の焦点（関心点）が狭く細部に集中しているか、そ

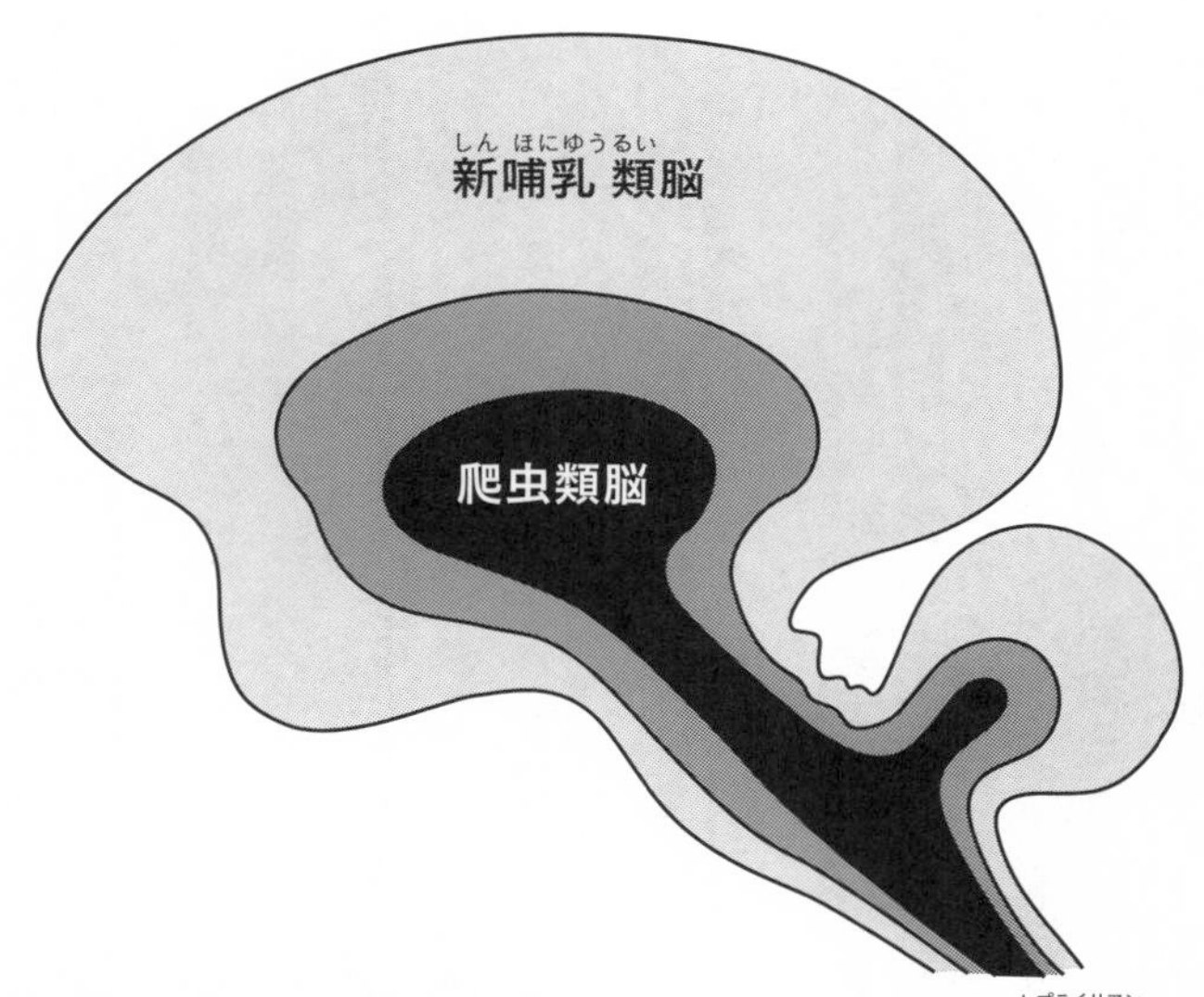

図213：爬虫類脳は左脳と緊密に連動し、知覚や行動を決定づける。爬虫類脳（レプテイリアン）？　なんたる偶然。

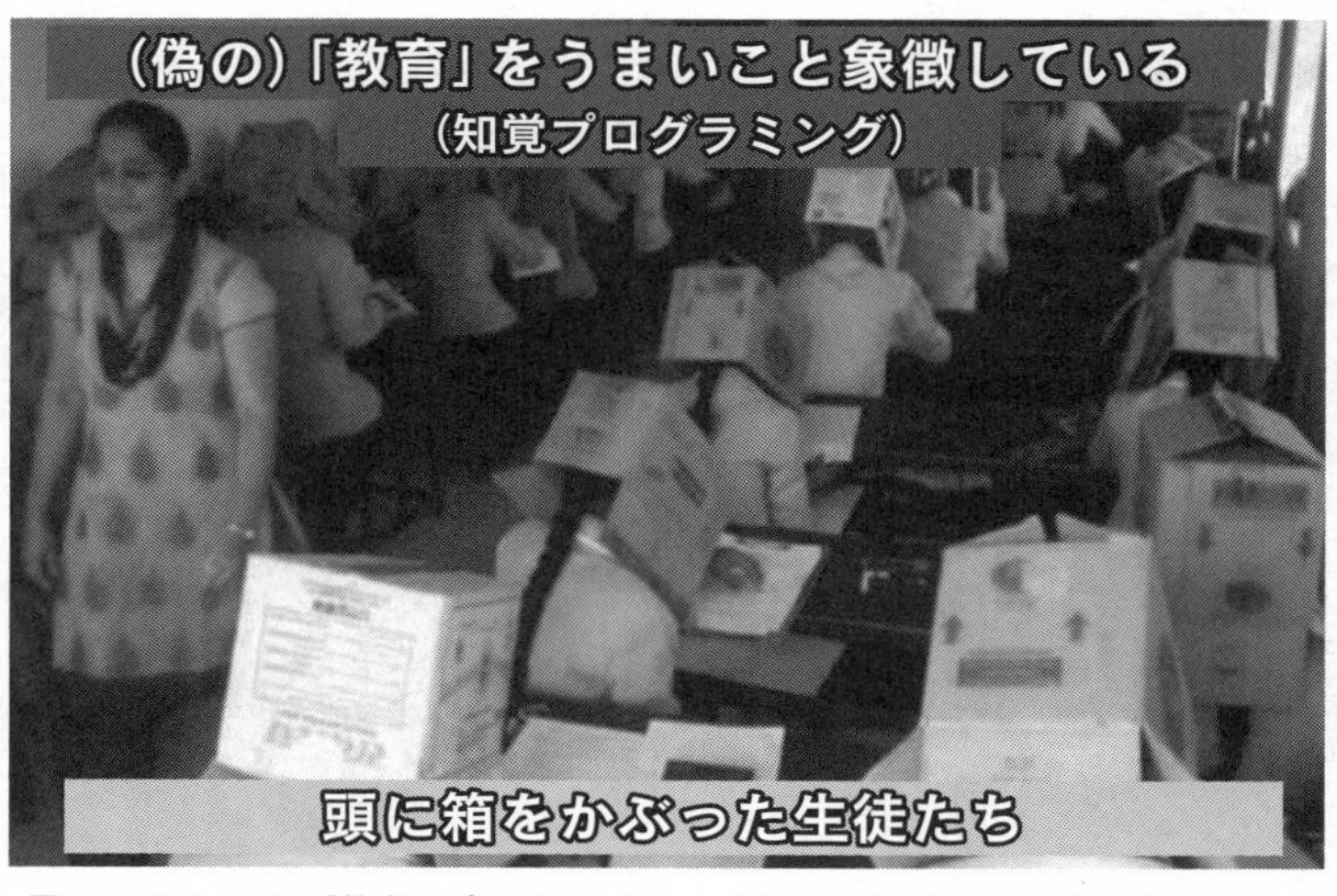

図214：ふたたび、「教育」プログラムシステムを１枚の写真であらわすなら……。

して右脳はパノラマ、つまり俯瞰的に知覚するということを説明した。

繰りかえすテーマにお気づきだろうか？　左脳に偏った者の「関心の窓」、つまり「**知覚**の窓」は、狭く限られている。そこから導かれるのは、低く広がりのない周波数状態だ。脳半球／ハートの分離は、ボディーマインド／ソウル（魂）／スピリット（霊）の分離という感覚をも植えつける。

「教育」システムは、生涯をシャボン玉のなかで過ごす人間を生産するベルトコンベアーになるように設計されている。インドのある学校では、カンニングを防ぐために試験中ダンボール箱をかぶらされるという（図２１４）。「教育」システムを、なんとも正確に象徴しているではないか？　世界中どこへ行っても、学校に通いはじめた子どもたちはみな、見えない箱をかぶっているのだ。

遊びの時間？　なんの遊び？

脳のふたつの半球は、脳梁と呼ばれる橋でつながっている。その両側を最大限に活用することで、私たちは全脳人間になれるはずだ（図２１５）。ひとたびふたつが分断されてしまうと、情報を知覚へと処理する方法が分断されてしまう。左脳が優勢になると、五感の「システム」人間ができあがり、右脳優勢になると、高い創造性をもつが、左脳世界で暮らすのが困難な人になってしまう。

　点と点をつなぎ、パターンを知覚するという角度から見ると、右脳は**文脈**を読みとるといえる。点だけを認識していたのでは、文脈は把握できない。点がどうつながっているかが見えなければ、読みとれないものだからだ。個々の点はそれぞれに見えているが、他の点とつないでみると、文脈が見えてくる。点どうしがつながると、個々の点とはまったく違って見えてくるのだ。

私は、一見無関係に見える人びとや場所、組織や状況という点をつなぎあわせて生きてきた。それぞれの意味や関係性は、ひとたびつながりによって文脈が与えられると一変する。点は**なに**が起こっているかを示し、点と点のつながりという文脈は、それが**なぜ**起こっているのかを教えてくれる。カルトが、人びとに点つなぎをしてほしくないのはあきらかだ。企み（たくら）がバレてしまうのだから。

左脳の、点だけを見るように脳の処理を操作するレースは、子どもたちが学校での初日を迎える瞬間に始まる。子どもたちは、教員に「教育」（プログラム）される。教員も、同じプログラミングシステムによって、自身の左脳という牢獄（ろうごく）に閉じこめられている。

子どもの右脳を活性化するには、ただ**遊ぶこと**で、想像力を働かせるのがいちばんいい。子どもには、即興で**想像**する体験が必要だ。この「遊び」の定義を楽しめばいい。「本格的、実用的な目的のためではなく、よろこび、楽しむための活動をすること」これは、カルトのプログラミング戦略にとってたいへんな脅威だ。

宿題や授業時間の延長、幼い子どもたちが左脳的な活動をするようになったことなどにより、子どもたちから遊びが失われつつある。民主党から米大統領選に出馬したバーニー・サンダースは、公立大学の学費無償化と、5歳未満の子どものための幼児教育プログラムを政策とした。子どもをできるだけ早く親元から引き離す、というアジェンダ（実現目標）と完全に一致している。サンダースのウェブサイトには、このように書かれている。

親にとって、子どもの世話をするために休んだり、労働時間を減らしたりすることは、まったく選択肢にないのです。そのため、多くの家庭では、保育や早期教育にかかる費用として、収入にみあわない金額を費やしています。

ここでは、国が子どもたちのマインドをコントロールしている間、親が親としてみあわない時間子どもから離れていた結果がどうなるかについては、触れられていない。いやいや、ただ子どもから親としてあるまじき時間離れることを、より簡単にしようとしているのだ。

かつて民主党から大統領選に出馬した、カマラ・ハリス［バイデン政権の副大統領］も同じ方向性だ。ハリスは、米国の学校を、大人の仕事が終わるのにあわせて午後6時までとすることを求めた。これは、子どもを親から引き離して、より長時間のプログラミングをおこなおうとするアジェンダにぴったりそぐうものだ。子どもたちは、毎日何時間も机に座り、話を聞かされる。外には太陽が輝き、木登りできそうな木もあって、想像力がうずうずしているというのに（図２１６）。子どもたちに残されたほんのわずかの「時間」は、スマホやビデオゲームにハイジャックされている。おもに**左脳**を刺激するものだ。

米国の元教師ジョン・テイラー・ガットは、「教育」の本当の目的に気づき、それを暴く一連の

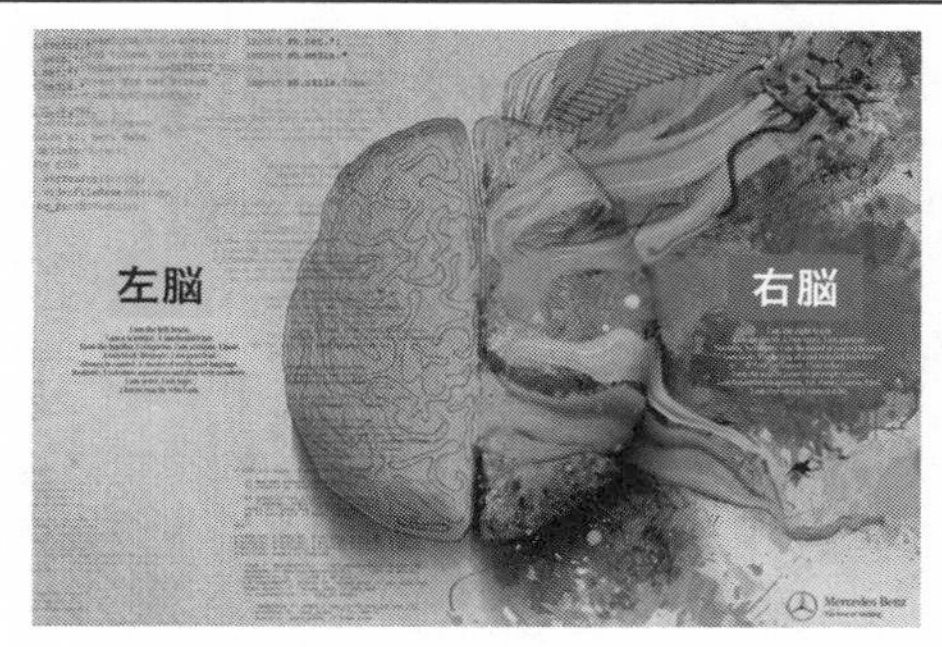

図215：脳の左右でまったく異なる知覚を表現した車の広告。私たちは全脳を活用し、ふたつのバランスをとるようにできている。

図216：子どもや若者を、無限の可能性にあふれた時期につかまえる。そして1日中机に縛りつけ、なにを信じるべきかを言って聞かせる。まったく衝撃的なばかの集まりだが、それこそがまさにカルトが必要としているものなのだ。

図217：近年、学校の周りに壁や柵がめぐらされるようになってきているが、そこには偽の「教育」の目的があらわれている。マインドの周りに壁や柵をめぐらしているのだ。（ガレス・アイク画）

卓越した著書を残している。ガットは1989年、1990年、1991年と、ニューヨーク市最優秀教師に選ばれ、1991年にはニューヨーク州最優秀教師賞も受賞した。批判的な発言をするようになってからは、権威からは疎まれるようになった。ガットは、「教育」の狙いは創造的、独創的で賢い生徒を抑圧し、従順でおとなしく、依存的にすることだという。学校にいる時間のコントロールと、宿題を課すことによって自由時間をもハイジャックすることで、そのように育ててあげるのだ（図2 17）。

ガットは、子どもたちは平均して週に55時間テレビを見ている（知覚プログラミング）という。睡眠時間は56時間だ。「健康で元気な強い身体をつくる」ために残されている時間は57時間だが、そのうち30時間は学校の授業（知覚プログラミング）、8時間は通学や身じたく、7時間は宿題（知覚プログラミング）と、合計45時間が学校関連に費やされる。ガットはこう続ける。

結局、彼らに残された時間は週十二時間だ。自分自身を好きになり、信頼し、生きてゆくための時間だが、当然、食事もする―家族そろっての夕食はめったにないため、それほど長くはかからない―ので、それを週三時間と考えると、自由な時間は実質週九時間ということになる……。

こうした「時間割」は、依存的な人間をつくり出すための隠れた手段だ。彼らは自分の時間の使い方がわからず、自己の存在の意味も目的も、その喜びもわからない。この依存的で無目的な生き方は、国民的な病気である。それは学校やテレビ、習い事と深い関係があるはずだ。
〔『バカをつくる学校』成甲書房〕

これはまさに、カルトがつくりだそうとする状況である。「教育」とは、子どもや若者を、生涯にわたってマインドの奴隷となる大人に仕立てあげることなのだから（図218）。マインドの奴隷の政治家が「教育によって子どもたちは職場に適応する」と、叫んでいる。子ども時代には、「何者かに**なり**」、「どこかへ**到達する**」ために、ひたすらがんばって試験勉強をしなければならない。そうなの？　誰になる？　どこを目指す？　キャリアを積まなきゃ、仕事をしなきゃ、努力しなきゃ、がんばらなきゃ、やらなきゃ、1分たりとも無駄にはできない（図219）。

ルイス・キャロルの『鏡の国のアリス』で、赤の女王はこう言う。「ここでは、よいな、同じところにとどまっていたければ、力のかぎり走らねばならぬ。どこかへゆきつこうと思えば、その二倍の速さで走らねばならぬ！」〔芹生一訳、偕成社文庫〕しかし現実を理解すれば、「どこかへゆきつく」には、走るのをやめてその場にあるのが一番だ。

現在の「教育」システムは、解体しなければならない。遊びや想像力を重視することで、右脳を活性化し、全人的な発達をうながすのだ。私は15歳で学校をやめた。プロのサッカー選手になるためだ。学校ではいつも空想にふけっていた。どういうわけか、奇跡としか言いようがないが、私は

図218：ひとことで言うと……。

図219：どこにたどりつく？　なんのために？　行け、行け、行け、できる限り早くゴールに着くんだ。楽しむって？　なにを？

次々と非常に詳細な本を書いたり調査したりできている。世界中で、メモ一枚見ることなく、10時間ぶっ続けで講演することもできている。「低学歴」とされる私に、どうしてそんなことができるのだろうか？　深くプログラミングされた、自称「オルタナティブメディア」のメンバーが、「大学の学位をもたない」私の言うことなど、まともに取り合うに値しないと言ったことがある。そういう彼女は大卒だ。これ以上言うべきことはない。

学校をやめてから学んだことはすべて、試験のためではなく、関心のおもむくままに身につけたものだ。私の息子ガレスは、試験で「E」を取ったことがある。私以上に学校に無関心だったためだ。今日ガレスは、世界のことをよく理解している非常に知的な男性に成長した。高い創造性もあわせもっていて、類(たぐい)まれなシンガーソングライターであり、多方面に才能を発揮している。

若者のマインドを、すぐに使わない情報の洪水にさらす必要などまったくない。なにか知りたいと思ったり、必要になったりすれば、後からでも自分で簡単に調べることができる。洪水は、子どもたちや若者に利益をもたらすものではない。カルトと、その絶え間ない知覚プログラミング体制を利するものだ。

米国の教育史家、政策アナリストで作家のダイアン・ラヴィッチは、このようにまとめている。「最も才気あふれる知的な者は、標準テストでは結果をだせないことがある。彼らのマインドは、標準化されていないからだ」けれども、カルトが求めるのは標準化された人間なので、そのような者を集めるシステムを構築している。

精神科医イアン・マクギリストは、左脳は**すでに知られていることをより多く知ること**に重点を置いている、と鋭く指摘している。未知のものを探求し、発見したいと思い、それを理解する認識をもちあわせているのは、右脳とハートである。

カナダ出身の精神科医エリック・バーンは、脳の両半球の知覚の違いをこう説明する。「小さな男の子が、どちらがカケスでどちらがスズメだろうかと考えているとき〔左脳〕、その子は鳥を見たり、さえずりを聞いたり〔右脳／ハート〕はできない」。これは、ワンネスという統一性を犠牲にした、ラベルの制約と分断をさらに示すものである。「教育」システムは、「既知」（とされているもの）を刷りこむ洗脳である。カルトは、公的に知られていないことは知ってほしくないのだ。すべての主流学者や科学者が、故意に知識を抑圧しているというのではない。学者たちも、シャボン玉のなかにいるのである。ごく少数の、カルトの手先となっている学者や科学者が、抑圧をおこなっているということだ。この詐欺を成功させるためには、あらゆる主流を真実から遠ざけ、誤解と袋小路に導く必要がある。

そして、知と智との間には計り知れない違いがあるが、「教育」ではそれを教えられない。それは内面から生まれるものだ。［インド生まれの］神秘家 Osho はこう言っている。

知には、無知を打ち消す力はない。知は偽りの現象である。叡智(えいち)とはほど遠い、むしろ正反対のものである。知はよそからの借りもので、叡智は自身の内側に花開くものだ……どんな大学も、聖典も叡智を授けることはできないし、どんな学識も叡智をおこなうことはできない。そうしたものは徒労にすぎないが、数千年にわたり、何百万人もの人を欺いてきた。知を得ることはできるだろう。だが、博識であることと、理解することとはまったく別物だ。

知覚ロボトミー

子どもや若者は、歴史、科学、医学、政治学、時事問題、人生、自分自身と、全方位にわたって主流の考えを叩きこまれる。「教育」は、カルトがつくったプログラミングマシンで、カルトが支配するメディアによって絶えず強調されている。メディアについては、また後ほど述べることにしよう。

正統を疑ったり、異議を唱えたり、かつての私のように退屈しきっている子どもは、「破壊的影響力」と呼ばれる。そして、「注意力」障がいがあるとされ、リタリンなどの向精神薬を処方されることが多くなっている。幼少期の医療化［社会的、道徳的に望ましくないとみなされた行動・嗜好などが病気と定義され、投薬など医療の対象になってゆくこと］、成長期の医療化、大学生になっても医療化。10代の経験を医療化することは、メンタルが強く成熟した、扱いやすい大人の育成に不可欠なことなのだ（図220）。

子どもたちは、遊びたい盛りに監獄に座り、終業のチャイムが鳴って、ささやかな自由（宿題は

図220：子ども時代の医療化。

除く）を謳歌（おうか）できるのを待ち望んでいる。自由とは、今日ではスマホに触れる時間のことだ。子どもたちは、監獄で一生を過ごすための準備をしている。

大人になれば、学校は仕事に、教師は上司に変わり、権威に従うことが経済的に生き残るために不可欠とみなされる。しかし子どものころと同じく、たいてい帰宅までの時間を数えて過ごしている。教師に従うことは上司に従うことに置き換わる。相手は変わるが、誰かにコントロールされるという生き方は変わらない。「早く起きて、学校に遅れるよ」が「早く起きて、仕事に遅れるよ」に、「先生はなんて言う？」が「上司はなんて言う？」になるだけだ。

子どもたちは、幼いころから権威の代表者にアメとムチでプログラムされている。従う者は見返りを得、そうでなければ罰せられるのだ。またこの経験は、潜在意識に権威に従わないことのおそれを植えつける。これらはけっして偶然ではない。

シャーロット・イザービットは、レーガン政権で教育省の上級顧問を務めていたときに、この事実に気づいた。彼女は著書『The Deliberate Dumbing Down of America（米国の意図的な愚民化）』［未邦訳］で、知覚プログラミングをさらに効果的にするために考案された電子化によって、米国および世界の教育「改革」を計画する文書を見た、と述べている。イザービットは、彼女が目にしたものは「共産主義者の洗脳」のようなもので、将来大きく影響してくるだろうとした。

そのうちのひとつ、ロナルド・ハヴロック教授によるマニュアルは、その名も『変化をもたらす職員のための教育革新ガイド』である。イザービットは、「……教育と銘打っているものは、おそらく求めているものではないと気づいている賢く善良な米国人」を、「抵抗者」認定するよう教えこまれたという。彼女は、「彼らに対抗して、グループ・プロセス方式で仲間になるようにしむけてこい」と言われた。これは集団的意思決定、グループ・アブソープションと呼ばれ、対立する意見や考えを丸めこんだり、除外したりするテクニックで、人間社会のいたるところで使われているやり口だ。

イザービットが、1980年代にこれらの文書で計画されたとするものは、世界中で展開され、さらに悪化し、対象となった若者たちが大人になるにつれ、人間の生活を一変させつつある。

米国において、偽の「教育」による大衆洗脳の中心は、カルトの大資産家ビル・ゲイツが推進する「コモンコア（学習基準）」と呼ばれるプログラミング作戦である。彼は、カルトのアジェンダの長いリストに、資金提供者として名を連ねている。アジェンダには、全世界の子どもたちへのワクチン大量接種も含まれている。ゲイツは、おそろしく邪悪な人物だ。本書第1巻でも、彼の「コロナ詐欺」へのかかわりについて詳しく述べている。

画一化された公教育（洗脳）の中心人物は、ロックフェラー財団やフォード財団といった機関を通じて、上位1％の面々によって選出されている。今日の子どもへの国家プログラミングは、1％のゲイツ財団によって牛耳（ぎゅうじ）られている。表に立つ者が変わっても、コントロールしているのはいつもカルトだ。

ソビエト連邦崩壊後、ロシアの教育システムは欧米風に転換したが、陰で動いていたのはカルトのエージェント、ジョージ・ソロスの関連組織だった。教育期間は1年延長され、教科書は改訂され、学校は統合され、教育水準と識字率は急落した。ソビエトの教育はもちろん政府主導のものだったが、ロックフェラー、ゲイツ、ソロスらの欧米モデルは、**グローバルな**洗脳と中央集権の標準化を狙ったものだった。

2018年に刊行された、米国の教師レベッカ・フリードリックスの本を読んだが、そのタイトルがすべてを物語っている。『Standing Up To Goliath』（ゴリアテに立ち向かえ）［未邦訳。「ゴリアテ」は旧約聖書に出てくる巨人で、転じて強大な力をもつ者をさす］というのだ。28年間の教員生活のなかで彼女は、子どもたちが、工場で生産されるかのように政治的・知覚的に洗脳されてゆくのを目の当たりにした。専制的な教職員組合が、若者のマインドに、私がカルトのアジェンダと呼ぶものを強制しているのだ。フリードリックスは、おこなわれていることに気づいて断固反対する教師は恫喝(どうかつ)され、おとなしく従わされると言う。

同じことが、親や社会全体に対してもおこなわれている。カルトが推進する、ポリティカル・コレクトネス［政治的妥当性。人種・宗教・性別などの違いによる偏見・差別を含まない中立的な表現や用語を用いること。行き過ぎた言い換えが、かえって侮蔑(ぶべつ)的であると言われることもある］だ。

私は、数十年にわたり、親権を奪い、子どもとその養育を国家（カルト）に委ねるという計画を暴露してきた。学校や児童保護サービス機関に、親権を抹消し、子どもの生活をコントロールする力をこれまで以上に与えているのだ。

イングランドの小学校は、親のお迎えが遅れた場合、5分ごとに罰金を科すと発表した。また、あまりに遅い場合は、児童保護サービス機関に通報すると脅した。例によって、生きるための仕事と、時間どおりにお迎えにゆくことの両立に苦労している、最も貧しい親が苦しむことになる。親に罰金を科すということは、家庭に対する学校の権力において、越えなければならない重要な一線である。このシステムはすでに英国に浸透しており、閑散期で安いからと学期中に子どもを休ませて旅行に連れてゆくと、罰金を科される（またもや貧しい者が打撃を受ける）。

私が住むワイト島は人口14万2千人で、行政機関は腐敗しきっている。情報自由法に基づき情報開示請求をおこなったところ、島では、過去1年間に子どもを「無断欠席」させたとして、保護者から10万ポンド［以下1ポンド＝166円換算とする。約1660万円］の罰金を徴収していたことがあきらかになった。全英では、いったいいくらになるのだろうか？　オーウェル［ジョージ・オーウェルが『1984年』で描いたような監視管理社会］的な、あくどい商売である。

学校は、監視カメラを備えた専制・独裁の場と化しつつある。米国の学校では警察官が巡回し、子どもたちが大人になって、オーウェル的悪夢のなかで生きてゆく準備をしている。

ペンシルベニア州のバレーフォージ小学校では、行き過ぎた事件が起こった。ばかな職員が、6歳のダウン症の少女が**指**で教師を撃つまねをした、と警察に通報したのだ。幼い子どもたちが指をさしてバン、バンと言うことは、いまや警察沙汰（ざた）になるのだという。教員は、自分たちがプログラミングしている子どもたち以上に、プログラムされてしまっている。

フロリダ州ジャクソンビルのラブ・グローブ小学校では、「かんしゃく」を起こした6歳の少女が、母親に断りもなく警察に引き渡された。少女は、「精神保健（メンタルヘルス）」法のもとに、2日間施設にとどめおかれた。警察のボディカメラ映像では、彼女は警官と静かに落ち着いて歩いており、警官は「この子は大丈夫だ、どこもおかしなところはない」と言っている。

私たちのような年配者は、ビッグ・ブラザー〔『1984年』に登場する独裁者。過度に監視しようとする政府をさす〕的な、行き過ぎた政府が登場する前の暮らしを知っている。起こっていることや、計画されていることの規模を感知するレーダーと経験がある（つまり、なんらかの形で覚醒めている）のだ。

子どもたちや若者は、今の世界に生まれ、この世界しか知らない。私のような者にとっては、異常なまでのコントロールが日に日に高まっていると感じられる。しかし、ボディ－マインドの奴隷となった若者は、人間社会とはこういうもの、と思っている。カルトがコントロールする国家が、そのように知覚を制御しているからだ。多くの人が、自分や子どもたちのこれからの人生において、さらなるコントロールと自由の制限を求めている。

バージニア州ウィリアム・アンド・メアリー大学教育学部のキム・キョンヒ教授は、幼稚園児から高校3年生までの学齢の、多数の子どもたちを対象とした研究をおこなった。（カルトの）「教育」プログラミングの、若者への影響を調べるものだ。研究により、体制が子どもたちを以下のように仕立てていることがあきらかになった。

「子どもたちの感情表現（右脳）や活気は少なくなった。あまり話さなくなり、言葉による表現が減った。ユーモア（右脳）、想像力（右脳）、自由度（右脳）、いきいきとした情熱（右脳）が乏しくなり、察し（右脳）も悪くなった。一見無関係なものを結びつける（右脳）ことが少なくなり、統合力（右脳）がおとろえ、物事を違う角度から見る（右脳）こともできにくくなった」→創造性（右脳）の減退。

以上です、裁判官（図221）。

狂気の沙汰(さた)

「右」、「左」、「中道」のいかんを問わず、政党が若者や子どもたちが「教えられる」ことや、その方法に異議を申し立てるのを聞いたことがあるだろうか？　彼らはつねに「教育」にかかるカネや、学級の児童数について論争している。だが、「教育」が徹頭徹尾プログラミングであることに関しての議論は、無きにひとしい。政治家のなかにはカルトのエージェントもおり（ごく少数）、それ以外の者は、同じダウンロードをされた仲間内でも、トップクラスに知覚プログラムされている。これは、他の要因と子どもたちを、精神的・感情的につぶすキャンペーンがおこなわれている。

図221：「教育」システムは若者をどう変える？　うせろと言ってやれ、子どもたちよ。（デーヴィッド・ディー画）

も相まって、若者の自殺率がいちじるしく増加している背景となっている。試験のストレス（親はなにをやっているのか?）、スマホ絡みのさまざまなプレッシャー、ソーシャルメディア、カルトが支配するシリコンバレーが牽引（けんいん）する時代といった要因だ。

これらのプレッシャーに加え、大学「教育」の学費が、一生モノの負債となって若者の肩にのしかかる。カルト主導の冷酷な政府は、若者に最低でも数十年にわたって自身の**プログラミング**費用を支払わせるよう操作してきた。共感がかき消された大学は、まるで多国籍企業のように運営されている。でっちあげで、利益だけを目的とした、くだらない役立たずの「コース」をどんどん売りつけ、若者からできるだけたくさん搾（しぼ）り取ろうとしているのだ。悪質な闇屋（やみや）のような大学にとっては、若者は利益をうむモノ、あるいは客でしかない。こうして若者たちは、体制の知覚的設計図を刷りこまれる。

米国では、法外な学費を支払うために発生した学生ローン債務「バブル」が、**1兆6千万ドル**［１ドル＝１４５円換算。以下同。約２３２兆円］を突破した。この信じがたい数字は、学生や卒業生の生活が借金……つまり**コントロール**によって破綻（はたん）していることを示すものだ。英国財政研究所が教育省のためにおこなった分析によると、大学生の５人に１人は、中退して就職したほうが経済的に楽になるという。よその国でも、状況は同じのはずだ。

ファースト・パフォーマンス・コーポレーション、リユニオン・スチューデントローン・ファイナンス・コーポレーションの元ＣＥＯ、ウェイン・ジョンソンは、この件に関して正義を求める運動をおこなうため、米教育省のポストを辞した。「正義」とは、(カルトの民間企業ではなく)連邦政府に対して負っている、ほとんどの未払い学生債務の取り消しなどだ。ジョンソンは、ローン危機が解決されなければ、「米国の基盤の解体がとめどなく進むだろう。結婚もできず、子どもをもつこともできないなど、その影響は社会全体におよぶ」と言った。これは、人間社会を転換させる計画の一環である。

トニー・ブレアは、英首相時代に大学授業料を導入［1998年。それまでは無料］した。それ以来、授業料は思惑どおり上がりつづけている。ブレアの発言や施策は、すべてカルトの発言であり、施策である。この男は、人生を破壊する学生負債などの、人類に対する犯罪行為で投獄されるべきだ。

多くの親が計算ずくの詐欺を見抜くようになり、個々あるいは少人数でのホームスクーリングをおこなうようになってきた。これにより、与えられたものを盲信せず創造的に考えること、そしてキャリアアップも実現されている。

米国の著名なＡＩ研究者で、学術書を何冊も執筆しているエリーザー・ユドコウスキーは、高校にも大学にも行ったことがなく、正式な「教育」を受けたことがない。

「リベラル」なドイツは、ホームスクーリングを禁じている。これはナチスが進めた方針にもとづくもので、同じく「リベラル」な、スウェーデンやオランダも同様だ。独裁をおこないたければ、自由民主主義の旗印と煙幕のもとでおこなえばいい。ホームスクーリングが急速に増えるにつれ、学校外での教育を制限したり、禁止したりする圧力が強まっている。ドイツでは、武装警官が強制捜査をおこない、国家による洗脳を望まないという罪で子どもたちが両親から引き離された。

私自身は、「自発的学習」が良いと考えている。子どもが自身の関心や体験を追求するなかで、さまざまな基本的スキルが身についてゆくというものだ。関心のあることを調べるには、読む必要がある。関心のある情報を集めるには、書かなければならない。子どもは、自分が**選んだ**ことを学ぶことができる。その副産物として、**必要**なことを学ぶのだ。国家の都合で押しつけられた、自分に関係ない事柄で頭をいっぱいにする必要はない。子どもは生涯にわたり、自分の人生の行く末というはるかに適切な視点から、知るべきことを学んでゆくのだ。学校を卒業してから、代数を使った人は何人いるだろう？　子ども時代に何時間もかけて、Xの値はなにかを考えることになんのメリットがあるだろうか？

米ボストン大学心理学教授、ピーター・グレイ博士による研究で、子どものメンタルヘルスは、自発的な教育を受けることで顕著に改善することがわかった。自発的とは、自由度が高く、自分で学ぶことを決められる環境だ。グレイは、データを調査した結果、子どものメンタルヘルスは学校の出席率と直接関係していることを発見した。授業や規則、試験などのプレッシャーから解放される休暇中には、精神科への受診率が劇的に低下していたのだ。そして新学期が始まると、受診率はまた上がる。博士は、入手可能なエビデンスから、学校は子どものメンタルヘルスに悪影響である可能性が「非常に高い」と示されたという。「……行動、気分、そして学習も、従来型の学校教育をやめれば、たいてい改善する」さらに学校は、「身体的」健康にも悪いという。「そもそも子どもは、一日中狭いところに閉じこめられて管理され、座学するようにはできていない」

深くマインドコントロールするには、慣れが有効だ。いったん慣れてしまえば、もう疑問は浮かんでこないし、潜在意識のプログラムに統合されて、既成概念となる。子どもたちは、生まれてすぐに学校へ行く。残りの子ども時代は？　大学で過ごす。みんなわかっていること、そういうことになっているのだ。

潜在意識から「教育」システムを引きずりだし、ちゃんと意識してみよう。では、「教育」がどのような働きをし、子どもたちはどうなるか再確認しよう。**なんてこった、プログラミング**操作じゃないか！　**そのとおり**。このことは、至急認知されなければならない。世界中の若者の自殺数や、極度のストレスがそれを物語っている。

イスラエル国立児童評議会によると、14歳未満の子どもによる自殺未遂は、イスラエルだけでも10年間に**62%**も上昇している。

英国では、希死念慮によりチャイルドライン［18歳までの子どもが無料でかけられる専用電話］に相談した11歳以下の子どもは、２０１５年から２０２０年の間に**87%**増加している。

カルトが、子ども時代を殺している。親の**尻には、火がついている**。状況は悪くなるいっぽうなのだから。

米心理学会の２０１３年の調査で、学校は10代の主なストレス源であることがわかった。調査対象となった10代の83％が、学期中は「学校がストレス、あるいはストレスの大部分が学校関連」と回答した。27％は、「試験のストレス」にさらされているとした。休暇中には、この数字は13％に低下する。スマホとソーシャルメディアに接触しなければ、校外でのストレスはさらに下がるだろう。

学業に関する子どものストレスの大部分は、親から来る。親は試験に合格すること＝知性であり、点数がその後の人生が成功か失敗を決めるという、まったくのうそっぱちを闇雲に信じてしまっている。試験の判定が思わしくなかったからと、落ちこぼれのように感じている若者が何人いるだろう？　だからなんだというんだ？　きみは**存在する／した／しうるすべて**だというのに。

しあわせかい？

いいえ。

満たされている？

いいえ。

すごくストレスを感じている?

はい。

じゃあ、学校に行く意味はある?

Xの値がわかります。あ、えっと、忘れてしまいました。

とくにひどいのは、自分の子どもとその学歴を、自分自身のスペック(格づけ)として扱う親たちだ。子どもに自分が「望む」ことをさせ、それを笠(かさ)に着ているのだ[逆七光?]。「お父さんは銀行家になってほしいと思っている」「お母さんは弁護士になってほしいと思っている」残念、ちょっくらインドでも行ってくるわ。じゃあね。これは虐待にほかならない。

私たちは子どもを世界に迎えいれ、助言をする。しかし**子どもの**人生は、私たちのものではない。

米国の偉大なコメディアン、故・ジョージ・カーリンはこう言った。「こんなバンパーステッカーがあったらいいんだけど。……私たち両親は、やる気をくじき、従わせようとする教師に反抗した子どもを誇りに思います」

知覚コントロールを目的とした、カルトの子ども撲滅キャンペーンは激しさを増し、すべての世代がこわされている。全世界の親たちには、**「もうたくさんだ！」**と声をあげる責任がある。

切手サイズの社会

若いマインド(精神)は、知覚形成にとって重要な期間に、プログラムシステムのなすがままになっている。遅くとも4歳から、20歳近くなるまでの間だ。さいわいすべてではないが、ほとんどの場合、意識的でなくとも潜在意識でプログラムを吸収してしまう。「覚醒(かくせい)」と呼ばれる脱洗脳プロセスがなければ、その後の生涯にわたり、吸収された考えや思いこみが、すべてに関する知覚を動かすことになる。

次の世代を教育（プログラム）する教員は、「教育」プログラムから離れたことがまずめったにない。教員は、「教育」で教えこまれたことを吸収し、試験に合格してそれを証明する。そしてプログラムをさらに強固にする教育大学に入り、次の世代を体制（カルト）バージョンの知識で洗脳する方法を学ぶ。教え育てないのに「教育」とは皮肉だが、これはけっして偶然ではない。

フリーメーソンは、「階級(degrees)」と呼ばれる区分を昇り、ヒエラルキーの上位を目指す。野望をもった若者（と／もしくは、その両親）は、「学位(degree)」を得るという、「教育」における最終目標を目指す。学位は知性のあかしであるという、偽りの思いこみ（**すべて**思いこみ）のためだ。

私が出会った最も知的な人たちのなかには、「学位」どころか大学に近づいたこともない人もいた。そうかと思えば、最も知的でない人のなかに、ご立派な「学歴」をもつ人もいた。学位をもつ人が知的でない、ということではない。学位が知性を意味しないことも多い、ということだ。

フリーメーソンでも「教育」でも、位（degree）によってプログラミングの度合いが測られる。ロッジやカレッジ（大学）で伝授される情報は事実でまちがいない、という思いこみのおかげだ。そのほとんどは事実ではないし、実際フリーメーソンでは、階級によって教えられることが違っている。そうすることで、中枢の知識について無知なままにされているのだ。

学位（degree）で武装して、もしくはある程度（degree）の知覚プログラミングを受けて、若者たちは学問の殿堂を後にし、「社会」にでてゆく。そして、少し早く同じプログラミングマシンをでた者たちと出会う。人生や社会、現実に関する共通した**思いこみ**が押し寄せてくれば、受けいれざるをえない。プログラミングを受けた者たちは、体制（カルト）バージョンの歴史、科学、現実、医学、ヒト生物学、世界の出来事、可能なこと／不可能なこと、あらゆるしくみを教えられ、その大部分を顕在意識／潜在意識に吸収してきた。それが集まって、私が切手サイズのコンセンサスと呼ぶものをつくりあげる。人類をシャボン玉のなかに閉じこめておくために考案された、びっくりするほど狭い範囲内の、知覚された可能性のことだ（図２２２）。

大人の職場に入ってきた若者たちは、学校でダウンロードしてきた思いこみを、周囲のみなによって固められる。少し早く、学校で**同じ**思いこみをダウンロードしてきた大人たちだ。ここから「誰でも知ってる」症候群が生まれる。厳密に言うなら「誰でも覚えている」症候群だ。すべては

記憶だ。自身が教えられたこと、みんなが覚えていること、その記憶（ほとんどが潜在意識＋顕在意識）だ。なぜなら、誰もが同じことを教えられているからだ。

インドの「神秘家」、サドグル・ジャッギー・ヴァースデーブ（通称サドグル）は、「記憶を知性と勘違いすること」について語っている。まさに正論である。つねに記憶（知覚プログラミング）が「こうあるべき」と指示してきたら、物事をありのまま、知的に見ることなどできるだろうか？サドグルは、人がいかに知性ではなく、記憶によって生きているかを説く。これこそ、プログラムが目指すものである。

切手サイズのコンセンサスと、「誰でも知ってる／覚えてる」とは、同じプログラムを別の言葉で説明したものである。政治、行政、法、科学、学問、医学、メディア、ビジネス、金融などの機関は、同じ思いこみのうえに成りたっている（カルトとつながっている中枢を除く）。世界や現実についての、幻想でしかない思いこみだ（図２２３）。世界は固体で、人間は肉体とうわべのラベルだけの存在であり、すべては個々に分かれていて、「物理的な」変化だけがなにかを変えることができる、という前提のもとに成りたっている（量子物理学を除く）。

活動家は、社会変化を引きおこすためには物理的な抗議活動を起こさなければならない、物理的な変化しかなにかを変えることはできないのだから、と考えている。しかし、この前提こそが、抗議したくなるような現状をつくりだしているものだ。変えるべきは、自分自身の知覚であり、思いこみである。

図222：飛び降りて、逃げるんだ！（ガレス・アイク画）

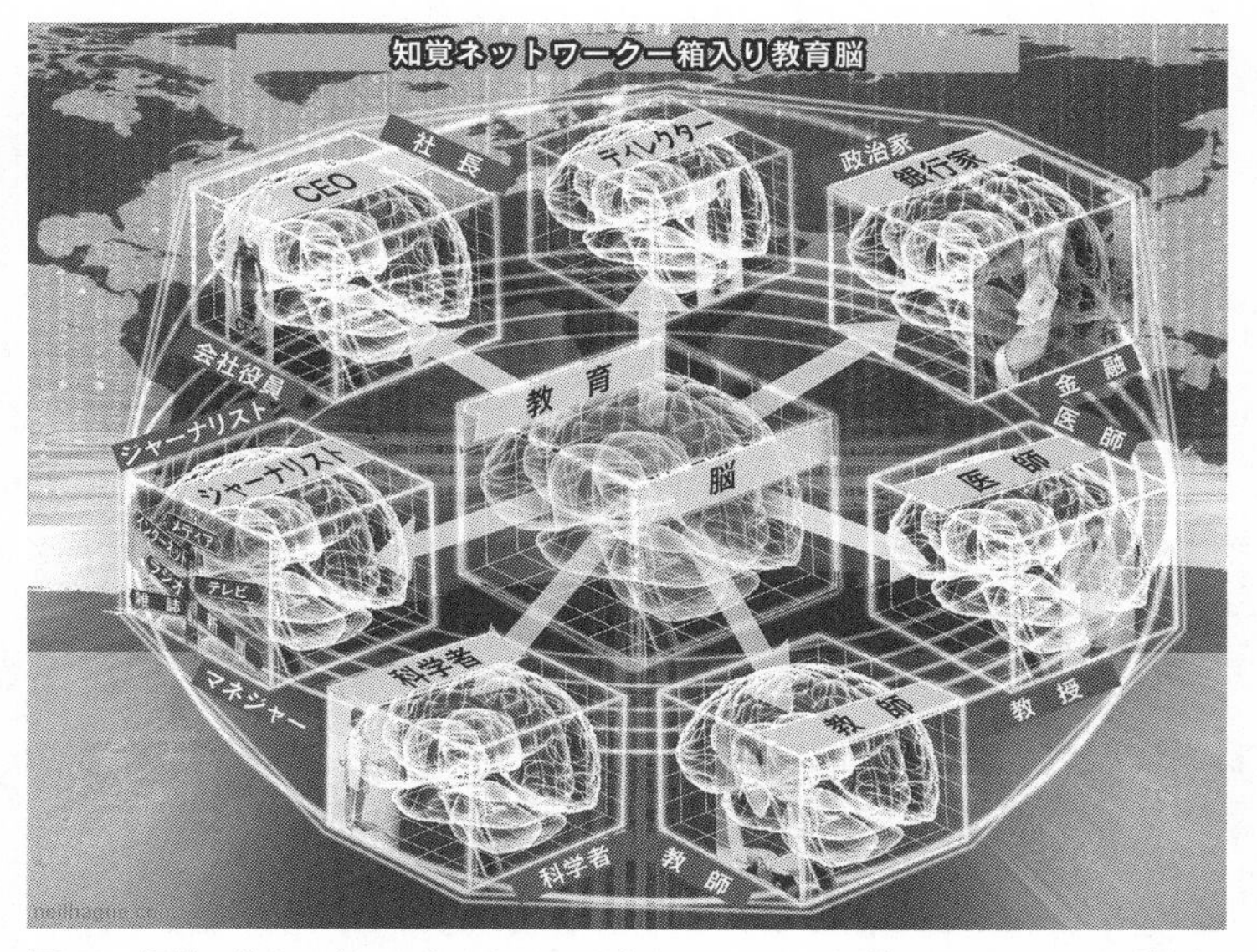

図223：組織に仕える者のほとんどは、現実を同じように知覚する。みな同じ「教育」プログラミングシステムを通ってきているからだ。ゆえに、「誰でも知ってる！」となる。（ニール・ヘイグ画）

世界中で、政府と政治家が、とんでもなくでたらめな思いこみである現実認識にもとづいて法を制定していると考えると、ぞっとする。政治家たちは、体験しているように見える世界の知覚にもとづいて、すべての人、ものがどう扱われるべきかを議論している。しかし、その世界観はまやかしなのだ。世界がこんな状態であるのも不思議はない。

どの勘違いプログラム・マインドに投票する？　青いリボンをつけている人？　それとも赤？　黄色？　緑？　**うーん**、難しいね［英国の政党のシンボルカラーは、保守党が青、労働党が赤、自由民主党が黄色、緑の党が緑］。

カルトは、現実を知らないプログラムされた「リーダー」が、人びとにカルトのアジェンダを押しつけるシステムをつくりあげた。「主流」からしか知覚を得ないので、みなひとしく無知なまま隷属しているのだ。

盲人が盲人を導く［新約聖書マタイ伝20章29節より］ことについて話そう。崖を見てほしい（図224）。切手の機関や職員は、ナンセンスが正当であると絶えず確認しあい、それぞれが誤った思いこみから、なにをすべきかを判断している。政府は、切手の科学にもとづいて医療関連の法律を制定している。政策決定は、切手の学者の言葉にもとづいて進められる。狂気が正当で、正気が狂気とされるキチガイ病院ではないか。

私はこの世界を、20匹の子猫を100玉の毛糸玉と一緒に部屋に入れ、2時間後にもどってきて「はい、片づけて」と言うようなものだと例えたことがある。さいわい、人間社会に「物理的に」

調和と正気をもちこむ必要はないし、それはできない相談だ。「物理的」なものなど存在しないのだから。

カルトのアジェンダには、全方位に保護システムがある。流されないマインド(思い)をもつ者が、アジェンダ達成のために人類が信じなければならない、おかしな思いこみをくつがえすのを阻止するためだ。それが検閲である。

その最たる例が「同調圧力」、つまり「誰でも知ってる」自警団だ。あらゆる検閲のなかでも最悪の、自己検閲を課そうとするものである。これが「静かなる圧制」と形容されているのを見たことがある。異なる意見をもつ人びとが、議論も対話もせず口を閉ざしてしまう。同調圧力をおそれてのことだ(図225)。

同調圧力とは、大いなるうそを信じるようプログラムされ、他のみなも同じことをしていると言い張る者をさす言葉だ。従わなければ、嘲笑され、冷遇され、罵(ののし)られ、職やキャリアを失うこともある。脅(おど)しとおそれのため、多くの人が考えを口に出すことなくその場を去ってゆく。結果、「誰でも知ってる症候群」は揺るぎなく知覚を独占することになる。ほっとけ、である。他に追随したい人はさせておけばいい。私は我が道をゆかせてもらう(図226)。

オープンなマインドの持ち主は、はみだし者である。素晴らしいじゃないか。もしあなたがはみだし者なら、**めでたい**ことだ。群れの一員になりたいって? 悪夢じゃないか。狂った体制に狂っていると言われるなら、それは正気のあかしである。私が狂っているというのかい、体制信者さ

図224：体制が言うことを信じる者を完璧に言いあらわしている。

図225：自分で考えるな。牢獄は素晴らしい。（ガレス・アイク画）

図226：メェー、メェー、メェー。

ん？　やったー、ご親切にありがとう。

　私は、このような同調圧力を「心理的ファシズム」と呼んでいる。まさにそれなのだ。今日では、「ウォーク（目覚めた）」の旗印のもとに結集した、ポリティカル・コレクトネスや気候カルトという形態での心理的ファシズムが猛威をふるっている。群集心理によって、ソーシャルメディアがはみだし者糾弾ツールとなり、はみだしたあなたの肩身はますます狭くなる。これまたうっちゃっておけ、だ。いつか時は来るのだ。

メディア・ソフトウェア

　カルトの「教育」は、知覚の基本プログラムを教えこむ。主流メディアも、信じるべきことをつぎ足したり、確認させたりと、知覚の執行者としての役割を果たしている。公に、カルトのアジェンダにもの申してみたらどうなるだろうか？　つまり**主流**メディアで、ということだ。「オルタナティブ」と称するものでさえ、大部分は同じ知覚プログラミングを受け、その正当性を受けいれている。「オルタナティブメディア」の多くが、主流メディアと同じように、私の「現実離れした」考えを長年にわたって嘲笑している。

　そんな彼らの多くは、キリスト教のバックグラウンドをもっている。処女懐胎だの、水の上を歩いただの、水をぶどう酒に変えただの、わずかなパンと魚で5千人の空腹を満たしただの、十字架にかけられて死んだだの、洞窟のなかで復活しただの、雲に乗って再来すると約束して昇天しただのという、「聖書」の言葉を信じているのだ。

私を嘲笑した主流のジャーナリストや、メディアオーナーのなかには、ユダヤ教信者もいる。彼らは、神が紅海を分け、ロトなる男の妻が塩の柱に変えられたと信じている。

プログラムされた「ノーマル」からはみだすとよくわかることがある。人は、自分の信念に対しては、他人に要求するようにはエビデンスを要求しない、ということだ。

切手プログラミングが、ここでもメディアの知覚や行動を動かしている。オーナーや論説委員には、カルトの工作員が入りこんでいる。しかし、ほとんどのジャーナリストはカルトの存在を知らないし、自分たちの業界が支配されていると考えたこともない。ジャーナリストは、切手プログラミングの視点で世界をリポートする。自身の狭い知覚帯から外れたモノや人に遭遇すれば、それは狂気か、悪か、狂悪だと決めつける。

このような考え方が、個人や組織に対する報道や扱いの本質に影響している。雇用主が報道の可否に制限を加えなくとも、そうなるのだ（図227）。いたるところで、潜在意識のプログラミングが働いている。あらゆる主流のプロパガンダ部門として、メディア全体の動きをコントロールするためだ。科学的な真実は主流科学者からしか得られない、医学的な真実は医師からしか得られない、世界の出来事を正しく説明できるのは政府と主流コメンテーターだけ、などなど。

ある元・主流記者のインタビューを見たが、彼女は部分的に操作を見破っていて、好感がもてた。

彼女は、私が教育について「素晴らしい」ことを言っていると言った。しかし、シェイプシフトするロイヤルファミリーについての話は否定した。彼女の「ノーマル」な視点や、生涯にわたって顕在／潜在意識に植えつけられてきた、現実の知覚を思えば、無理もない。私の教育に関する発言は、彼女が「可能」とする範囲内だったので、受けいれられたのだ。プログラムされた「ノーマル」や「可能」の線をはみだしてしまうと、受けいれられなくなる。

「理解できない（I can't get my head around that.）」と人びとは言う。**そうだろう。なら、**ハートや拡大**意識**で試してみてほしい。やってみて。

「右」だの「左」だのと呼ばれる人たちのなかにも、私が世界に関して語ることに賛同してくれる人がたくさんいる。切手ノーマルの視点からでも、可能なのだ。彼らは、大っぴらには私に同意するとは言わない。切手から逸脱した私の言葉と、関連づけられたくないからだ。こうした反応の根底にあるのは、以下のようなものだ。

1．世界は固体であるから、アイクの言っていることはありえない

2．アイクの言うことは理にかなっているなどと言ったら、人にどう思われるだろうか？

メディアのオーナーや役員が設定する報道基準も、ジャーナリストによる自己検閲を引きおこす要因のひとつとなっている。相応の覚悟がなければ越えられない一線を、よくわかっているからだ。結果、彼らはその線を越えはしない。堤防を決壊させるような報告や情報は、メディアの親玉には届かない。その時点で彼らはもはやジャーナリストではなく、カルトバージョンのあらゆるものを

プロパガンダしているにすぎない。ギャラは相当いいらしいがね？

英国BBCは、とくにそうした検閲が徹底している。「公正な報道」というもったいぶったアピールをしているが、じつのところは組織ぐるみで切手バイアスがかかっている。

国王の特許状［BBCの公共放送としての存続の基本法規にあたる］によると、BBCは政治的に中立であるべきとされているが、実際には政治的・制度的に偏向した報道がなされている。意に反する内容は取りあげず、ご用コメンテーターをゲストに招き、切手からはみだした視点をもつ者は出演させないのだ（図228）。どれほどの貨幣を流通させるべきか、という議論はありだ。しかし、民間銀行が人びとや政府に、これまでもこれからも存在しないクレジット（与信枠）という「カネ」を貸している、という事実には絶対に触れない。

BBCは、気候変動についての議論をとんでもなくゆがめてきた。正論の裏にあるでっちあげを暴く視点や情報を、事実上禁じているのだから、とても議論とはいえない。自分の政治路線に有利になるように情報を操作するために、「誰々に投票しろ」「これを信じよ」と触れまわる必要はない。私が言っているのは政治的な**アジェンダ**のことであって、それはかならずしも**政党**とは限らない。BBCは恒久的な政権の一部門であって、誰が表向きの「政権の座」にあるかにかかわりなく、何事においても独自の方針を貫くのである。

BBCの「ジャーナリスト」は、実際には、自分の立ち位置と触れてはならないことをわきまえている公務員に過ぎない。BBCの報道から「真実」を得ることは、まあ当然ないだろう。なぜな

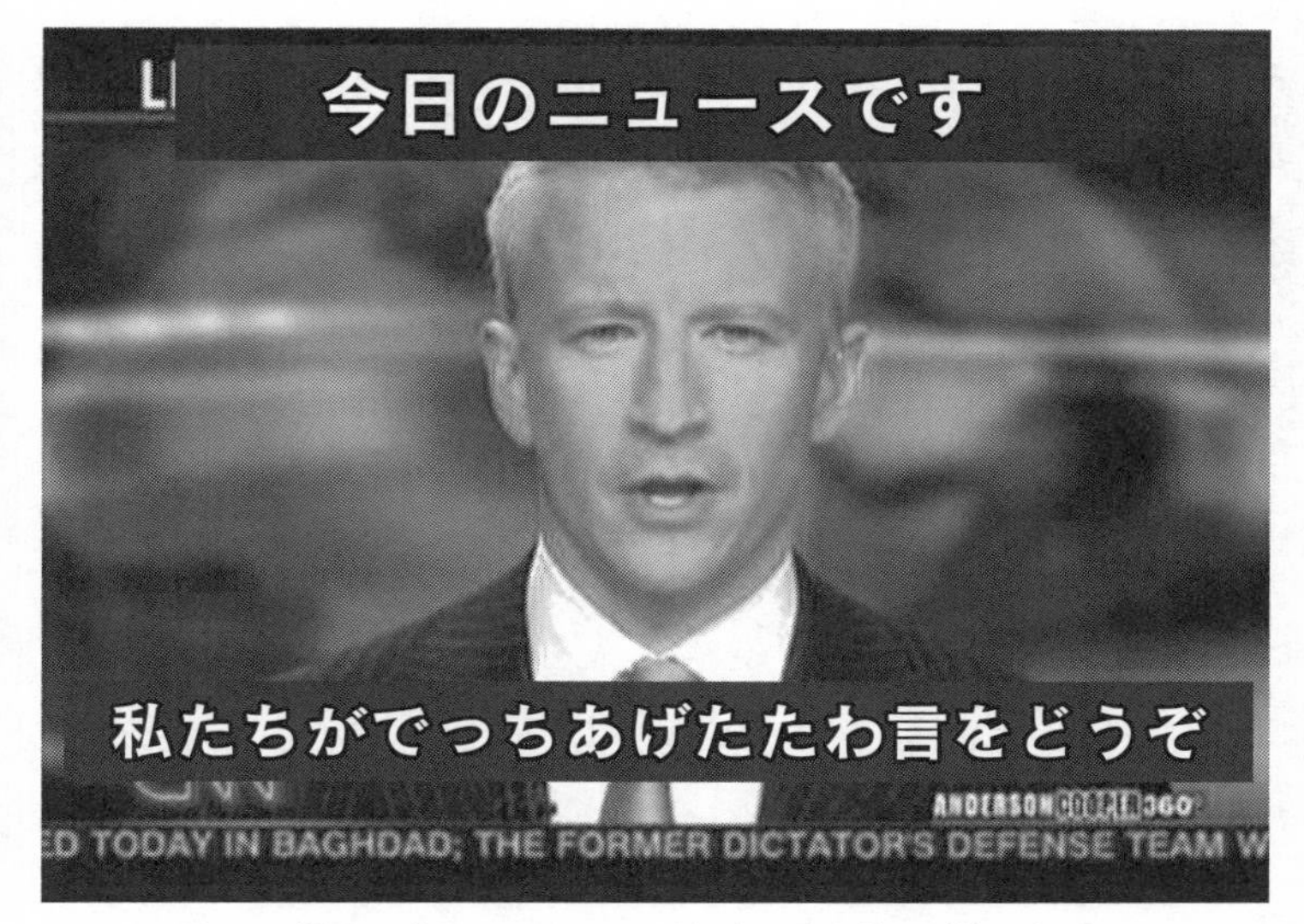

図227：世界の「ジャーナリズム」（一部の良心的な例外を除く）。

図228：BBC バージョン。

ら、**無理**だから。どのメディアも同じだが、BBCの「質の高いジャーナリズム」に対するもったいぶったアピールは、とりわけ笑えないどころか、鼻持ちならないし、むかついてくる。ジャーナリストのタレック・ハダッドは、2019年末に『**ニューズウィーク**』を辞職した。編集者が、世界の化学兵器の「番犬」であるOPCW［化学兵器禁止機関］の内部告発者に関する、ハダッドの記事を差し止めたからだという。告発は、シリアでの化学兵器使用を、カルトのターゲットであるアサド大統領のせいにするために、機関が事実を操作したというものだった。アサド大統領が無関係であることを証明する証拠が、隠蔽（いんぺい）されたのだ。化学兵器による攻撃は、実際には米国が後ろ楯となっているテロリストによってしこまれたもので、アサドを悪者にし、シリアに対するミサイル攻撃を正当化するものだった。無問題（No-Problem）－反応（Reaction）－解決（Solution）である。ハダッドは、メディアは政府／軍／諜報（ちょうほう）機関／産業複合組織（私はカルトと呼ぶ）のプロパガンダ部門であると確信した。

米国政府は、戦争で儲（もう）ける醜い同盟の一員だ。政府の触手は、メディアのいたるところに伸びている。米国務省のスパイが、世界中のニュース編集室にひそんでいる……都合の悪い記事は、完全にはじかれる。結果、ジャーナリズムは急速に衰退している。アメリカでは真実が伝えられず、退行が起こっている。

カルトは政府を所有し、メディアを所有し、軍需産業を所有している。ドイツの優れたジャーナリスト、故ウド・ウルフコットは、公の場で告発をおこなった。諜報機関が書いた記事をみずからの署名記事として公開するよう迫られ、さもなければ職を失うと脅されたのだという。ウルフコットはドイツで働いていたが、情報ソースにはＣＩＡも含まれていた。カルトには、国境などないのだ。

偽の「草の根」プログラミング

元ＣＢＳの調査レポーター、シャリル・アトキソンは、TED Talks（テッド・トークス）の講演で、詐欺的な草の根運動について暴露した。政府や企業、その他の特別利益団体（カルト）から資金提供を受け、市民の知覚を操作するためにおこなわれている運動だ。

このテクニックは「アストロターフィング」［「アストロターフ」は人工芝の商品名］、偽の「草の根」運動として知られている。特別利益団体はなんらかのグループ、あるいは個人の名で、フェイスブックやツイッターのアカウントを開設し、新聞に投書したり、賛同や反論のコメントを投稿する。草の根運動により発言がおこなわれている、世論はこうである、という、事実ではない誤った印象づけをすることが目的だ。もとよりメディアは、その成りたちや資金の出どころをほとんど追及しない。

アストロターフィングのわかりやすい例が、米シオニストＰＲ会社、エデルマンが、ウォルマートを応援する「草の根」団体、ワーキング・ファミリーズ・フォー・ウォルマートをたちあげた一件だ。のちに、ウォルマートからこの団体への資金提供があきらかになった。

アトキソンは、アストロターフ団体は、実際には存在しない草の根キャンペーンのようにみせかけて、自分たちが望むものに対する反対派を攻撃して疎外し、世論を変えようとするものだと述べた。

ウォークのアジェンダが、まさにそれだ。気候変動やトランスジェンダー運動、ポリティカル・コレクトネス、反人種差別、その他関連する問題が、本当に自然発生したかのように報道されている。アストロターフが資金提供した調査や研究が、プロパガンダを進める根拠となる答えや結論をうみだしている。気候変動、トランスジェンダー、医薬品やワクチンに関しては、こうしたことがつねにおこなわれている。アトキソンは、ウィキペディアの操作をアストロターフの夢の実現として強調する。

誰でも編集できる百科事典としてたちあげられたものだが、実情は異なっている。匿名のウィキペディア編集者が、利権団体に成り代わってページをコントロールし、取りこんでいるのだ。団体のアジェンダに反する編集は禁じられ、無効とされる。匿名編集者は、ウィキペディアの既定方針にあからさまに反して情報をゆがめ、削除するが、罰せられることなく特権を享受している。誰でもウィキペディアを編集できる、と本気で信じているかわいそうなおばかさんは、単純な事実の誤りさえ修正できないことに気がつくのだ。

ウィキペディアはひどい事業だ。Offguardian.org（オフガーディアン）［オルタナティブメディア。創設者（複数）が、英紙『ガーディアン』のウェブサイトのコメント欄で検閲されたり、バン（アカウント停止）されたりしたことからつけた名前だという］のウェブサイトは、ウィキペディアの月間90億ページビューはたった５００のアクティブな管理者によって監視されており、管理者の多くは素性が不明であると指摘した。「さらに、調査によってウィキペディアのすべてのコンテンツの80％は、全編集者のほんの１％によって書かれたものであると判明した。繰りかえしになるが、つまりほんの数百人の、ほぼ正体不明の人びとだ」シャリル・アトキソンは、ウィキペディアの職員がＰＲサービスを提供したとして逮捕された大スキャンダルを振りかえる。有料で、名を売りたいクライアントのために情報をゆがめて編集したもので、ウィキペディアのポリシーとされるものに完全に違反している。

ウィキペディアのページに記載されている病状を調べ、それを実際の査読済みの公開された医学研究と比較したところ、ウィキペディアは研究と90％も矛盾していた。それは、このような違反がおこなわれているからかもしれない。ウィキペディアに書かれていることを、完全に信用することは2度とないだろうし、信用すべきではない。

ウィキペディアがアジェンダ機関である、と知っても驚くことはないだろう。この機関は、数十億の人が、人やできごとなどの情報を得るプラットフォーム（サービス基盤）である（図229）。イスラエル（サバタイ派フランキストの支配体制）は、巨大なアストロターフィング、および世論操作勢力をもつ。世界的に「ハスバラ」［プロパガンダの婉曲（えんきょく）表現］キャンペーンをおこない、私が（短く）「反ユダヤの用心棒」と呼ぶものと、極右サバタイ派フランキスト人種差別イスラエル政権のストーリーを喧伝するものだ。ハスバラとは、「説明」を意味し、**じつのところは**、サバタイ派フランキストが信じてもらいたいことを説明するものだ。

超シオニストによる米国メディアの私物化は悪名高いが、用心棒の脅しによってその事実は公言されない。直接的な所有ではなくとも、イスラエルを拠点に活動するネットワークがあり、イスラエルに関するメディア報道を操作していることは、拙著『The Trigger』［未邦訳］であきらかにしている。

『ジューイッシュ・ニュース』［英国のユダヤコミュニティ向け無料新聞／ニュースサイト］は2019年、BICOM（英国イスラエル通信研究センター）のディレクターCEO、ローナ・フィッツシモンズの誤爆メールを報道した。ごく内輪に宛てたはずだったそのメールには、「BICOMのスタッフは、週末中BBCのホストとスカイニュース［ヨーロッパ最大の有料放送事業者「スカイ」が運営するニュースチャンネル］のデスクやジャーナリスト全員に連絡し、客観的に最も好ましい報道がなされるようにし、展開されるストーリーに関連した出演者を提案しました」と記さ

図229：世界の知覚をハイジャック。

れていた。さらにフィッツシモンズは、ＢＢＣのニュースキャスターがＢＩＣＯＭのイスラエル調査団に参加したときのことを紹介した。

ＢＩＣＯＭの調査団には、ＢＢＣのメインキャスターのひとりも参加しています。ソフィー・ロング［ＢＢＣキャスター］は、この地域への初の渡航を計画するにあたってＢＩＣＯＭに協力を打診してきました。現地での会談［原文ママ］に協力してもらえないかということでした。ソフィーのＢＩＣＯＭイスラエルでの滞在は今日で３日目で、エルサレム旧市街を訪れたり、［イスラエル政府のスポークスマン］マーク・レジェブと会ったり……ラマッラ［パレスチナの事実上の首都］やスデロット［ガザと近接する都市］を訪れたりしています。

「ニュース」は、このように超シオニストに操作されている。『The Trigger』を読んでもらえれば、イスラエルから世界に向けてこのようなことが起こっていることに、度肝を抜かれるだろう。さらに、イスラエルとシオニズムに対する批判を含む「反ユダヤ主義」の定義が拡大され、イスラエル（イスラエルを支配するサバタイ派フランキスト）に対するバランスのとれた報道がいかに過去のものとなったかがわかるだろう。

超シオニストのフィッツシモンズは、労働党の元庶民院［下院］議員で、全英学生組合の元会長である。彼女のメールには、ＢＩＣＯＭは「『フィナンシャル・タイムズ』の論説記者、ジョナサン・フォードに、掲載予定の社説のため概要を伝えました」とある。フォードはパレスチナの言い分も聞いただろうか？　答えは聞くまでもない。

「イスラエル」の陰に隠れたサバタイ派フランキストの世界的な支配は、いまや驚くべき規模となっている。私が２０１９年にオーストラリアで講演を禁止されたことや、イスラエル政府のパレスチナ人に対する扱いを批判している元ピンク・フロイドのシンガー、ロジャー・ウォーターズとアメリカのジャーナリスト、アビー・マーティンが不当な扱いを受けたことから、その徹底ぶりがうかがえる。

アメリカのメジャーリーグ（ＭＬＢ）は、ＭＬＢプラットフォーム上でのウォーターズのイベントの広告を禁止した。メジャーリーグは、ロスチャイルドが創設したブナイ・ブリス・インターナショナル［ユダヤ人互助組織］の言いなりである。私は、ブナイ・ブリスのことを何度も取りあげている。ブナイ・ブリスの会長チャールズ・コーフマンとダニエル・マリアシンＣＥＯは、ウォーターズは「反ユダヤを公言し、ユダヤ人とイスラエルについて市民的な議論の境界をはるかに超えた見解をもっている」と述べた。これは「ウォーターズは真実を語るので黙らせなければならない」を、オーウェル語で言ったものである。

アビー・マーティンは、ジョージアサザン大学での講演を阻まれたため、ジョージア州を提訴している。**イスラエル**への忠誠の誓約への署名を拒んだために、講演を不可とされたのだ。これまでに28州が、イスラエルへの忠誠の誓約を義務づけている。イスラエル政府、軍、そして巨大なロビー団体ネットワークのおこないを暴露されるのを防ぐためだ。

米国におけるサバタイ派フランキストの権力の全貌(ぜんぼう)を知るために、少し考えてみる価値があるだろう。米国民は、8千キロメートル離れた人口数百万人の国との同盟の誓約に署名しなければ、憲法修正第1条で言論の自由を保障している自国で発言することができない。イスラエルが、国土や人口に不釣り合いな、途方もない世界的権力をもっていると言えば、「反ユダヤ的」言い回しということになる。誰の目にもあきらかな事実だというのにだ。これがカルトの支配下で起こることである。

森林保護局(カルト)

今日、世界的な「ニュース」が、無数のチャンネルから毎日24時間カルト体制バージョンのすべてをまき散らしている。蛍光ジャケットを着た英国の警官のように、一晩で繁殖してしまうのだろう。

メディアに「多様性」があるとはお笑い草だ。新聞社やテレビ局は、いずれかの政党に偏向しているかもしれないが、結局みな**同じ体制**、同じ**切手**を支持している。枝葉は違えども、同じ森を推しているのだ。枝葉をめぐる論争が、多様性という幻想をうみだす。支配と操作の構造である、森を疑う必要がある。そうすれば、「多様性」の真実があきらかになるだろう。

メディアは**みな**、森を推し、守っている。過去30年間、私はそれを繰りかえし目にしてきた。まず、メディアは私をかつてないほどに嘲笑した。次に罵倒と悪評に転じ、さらに最近では、私を完全に無視するか検閲するように変わってきた。こうした変化は、私の仕事への人びとの関心が年々急速に高まっていることに関連するものだ。アイクとかいうやつが、森の存在を暴いている。**笑いもの**にしてやれ。うーむ、うまくゆかないな、**悪者**にしよう。ああ、だめだ、**検閲**しろ！

爆弾級の著作『The Trigger』の出版にあたっては、これまでにないあからさまな検閲がおこなわれた。９１１テロ攻撃の本当の犯人は、ウサマ・ビン・ラディンに仕える19人のアラブ人ハイジャック犯ではない、ということを暴いた本だ。この惨劇の首謀者をあきらかにするなかで、私はカルトやその支配体制もさらけ出した。**かなり**衝撃的で、知覚がひっくり返ったような本だったので、いつもなら私や本を攻撃してくる者も、このときは攻撃してこなかった。炎上は宣伝になる。この本の存在自体を隠しておきたかったので、叩きもしなかったのだ。

カルトが私を悪者にしようとするときによく使うのが、反ユダヤ産業、あるいは用心棒だ。その方法は、イスラエル政府を「反ユダヤ」（何度も言うように、実際は反アラブである）と批判する誰か（特にユダヤ人）を糾弾するというものだ。カルトの使い走り（多くはカルトの**存在**すら知らない）は、このラベルを使って私の講演やメディア出演を阻止してきた。オーストラリア政府が、ある超シオニスト協力者の言葉と、イスラエル狂のルパート・マードックが所有するメディアからの圧力により、同国での講演を禁止したのもその一例だ。この検閲ネットワークは、カルトが存在を暴かれぬよう守る用心棒であり、ユダヤ人を差別から守るためのものではない。彼らのストーリーに従わないユダヤ人は、誰よりも激しく叩かれる。

私は、現在ルパート・マードックが所有する、英国のトークラジオのインタビューを2度受けたことがある。その模様のユーチューブでの再生回数は、これを書いている今現在で300万回を超えている。超シオニスト検閲グループ、反ユダヤ主義撲滅キャンペーン（CAA）は、「反ユダヤ」の私を出演させたとしてトークラジオに抗議した。いずれのインタビューでも、イスラエルもシオニズムも話題としていないのにだ。その後、いくつかのトークラジオの番組に『The Trigger』を送付したが、以前のインタビューがあれほどユーチューブで視聴されているというのに、私を出演させようとする番組はひとつもなかった。メディアのオーナーにとって、森を守ることは、カネよりはるかに大切なことなのだ。

カルトは、主要な協力者を確実にメディアに潜入させる。英国の全国紙やラジオの全国放送で、『The Trigger』について触れたものはひとつもなかった。英国、欧州、北米の新聞社、ラジオ／テレビ局に5千通ものプレスリリース［新刊情報］を送付したが、主流からの反応はゼロだった。

あるテレビ出演交渉者が言うには、有名な英国のテレビトークショーのホストは、私が「ホロコースト［ナチスによるユダヤ人虐殺］を否定した」ので、彼の番組に出演させることを拒否したのだという。私は**そんなことを言っていない**。私の本を読めばすぐにわかることだが、彼にはわからないだろう。体制推しのメディアから情報を得ているのだから。

主流メディアは、一般的な「体制」と同じように運営されている。知覚プログラムされた人びとが、自分たちの知覚プログラミングが真実であることを互いに確認しあうのだ。カルトの協力者はうそをつき、事実をゆがめる。メディアはそれをそのまま報道し、他のメディアの協力者はそのうそを信じて自分たちの現実として受けいれ、それを「誰でも知ってる」真実として繰りかえし、さらに流通させる。

ロシアの「オルタナティブ」テレビ局、RT［旧称ロシア・トゥデイ］のモスクワ本社、ロンドン支局に『The Trigger』を送付したが、歓迎されなかった。RTはロシア政府の資金で運営されているため、欧米に関しては、欧米メディアが見習うべき報道をおこなっている。素晴らしい姿勢だ。RTは、欧米メディアが避けて通ることにも異議をとなえるのだ。**ただし**、ロシア政府が絡めばそうはゆかない。RTのジャーナリズム精神はあっという間にうち捨てられ、「はい、ご主人様。いいえ、ご主人様」とペコペコしだすのだ。

私は30年来RTの扱うテーマについて話したり、書いたりしてきた。しかし、「オルタナティブ」を標榜(ひょうぼう)するRTは、一度も私をニュース番組に出演させたことはない。出演者は、私からすれば「オルタナティブ」からほど遠い者ばかりだ。ロシア政府が運営するテレビ局が、米国が911についてうそばかりついている、という山のような証拠を取りあげようとしないのはなぜだろう⁇

2019年9月、RTのポリー・ボイコという記者が、突然かなり長尺のインタビューを申しこんできた。急ぎで放送したいとのことだった。ボイコとスタッフは、すぐに私の家にやってきた。

即時配信に近い状況を想定してのことだ。数時間の撮影を終え、数日中には放送したいと言い残して帰ってから**1年**余り、いまだ放送されていない。

主流メディアは基本的に、「疑うな」という。RTのスローガンは「もっと疑え」だが、私は「**すべて**を疑え」と言う。だから私は、あらゆるメディアから異端扱いされるのだ。私は森を切り払う。森の所有者たちは、さまざまな形で森を守ると誓いを立てている。カルトは、枝葉だけを見ていれば分離を感じ、ボディーマインドに囚われるとわかっている。問題は枝葉ではない。森と、すべてがどうつながるのかを見通すことが解放へと導く。そこが**大きな**問題なのだ。**彼を検閲せよ!**

少数による、少数のための

メディア所有権のカルトへの収束は、とどまるところを知らない。カルトは人びとが見聞きするものをこれまで以上にコントロールし、世界じゅうで知覚と行動を制御している。主要企業(最終的には**たったひとつ**のカルト)が、新聞、ラジオ、テレビを世界的に掌握している。インターネットも、シリコンバレーやペンタゴン[米国防総省]の機関であるDARPA(ダーパ)[国防高等研究計画局](後ほど詳しく)を通じて押さえている。

かつてはメディアにも多様なオーナーがいたが、存続は許されなかった。多様性は中央集権の敵であり、カルトを利するため、権力を集中させる運動がおこなわれた。

1984年までは、米国にはまだ50の「独立」メディア企業があった。2019年までに、米メディアのおよそ90%が、たった**4社**の傘下に入ってしまった。コムキャスト（NBCユニバーサル）、ディズニー、AT&T（ワーナーメディア）、バイアコム［パラマウント］だ。AT&Tとバイアコムは、国家的アミューズメント企業の所有である。

見聞きするもののコントロールは、現在とんでもなく狭くなっており、今後さらに狭まることが予定されている。ご推察に違わず、政治指導者らはこれを認めている。主要メディア同様、政治もカルトのものだからだ。こうした集中は、報道内容を中央が指示することを可能にする。そして枝葉にのみ注目させ、森を暴こうとすれば検閲される。ネットでは、全米各都市でキャスターが一語一句同じニュースを読みあげ、ゲストが台本どおり同じ政策を推す姿を集めた動画を見ることができる。

かつて英国には「インディペンデント・ラジオ」というものがあり、私はそのひとつ、バーミンガムにあるBRMBという局で働いていた。単独オーナーで、独自のローカルニュースを放送していた。今日では、こうした局は大企業の傘下に入ってしまい、ニュースも、音楽のプレイリストまでも一括管理されている。

私は2017年、英国のおなじみの面々によって、私の発言に関してとんでもない主張で名誉毀損された。繰りかえされるうそ、またしてもほぼ一語一句同じ見出しが、新聞やインターネットサイトに並んでいた。調べてみると、みな同じトリニティ・ミラー（現：リーチ）という会社の傘下にあった。以下は、この会社の所有するメディアの一覧である（完全に網羅したものではない）。これを見てもらえば、中央集権メディアがあなたの見聞きするものを決定している、ということをおわかりいただけるだろう。

全国紙：**デイリー・ミラー**［『ミラー』は大衆紙］、**サンデー・ミラー、デイリー・エクスプレス**［『エクスプレス』は中級紙］、**サンデー・エクスプレス、デイリー・レコード、サンデー・メール**［『メール』は中級紙］、**ウエスタン・メール、サンデー・ピープル**［『ピープル』は大衆紙］、**アイリッシュ・デイリー・ミラー、アイリッシュ・デイリー・スター**（株式の50％を所有）［『スター』は大衆紙］

地方紙：**アクリントン・オブザーバー**［『オブザーバー』は高級紙］、**アンフィールド&ウォルトン・スター、バーキング&ダゲナム・イエロー・アドバタイザー、ベクスリー・マーキュリー、バーミンガム・ポスト、バーミンガム・メール、サンデー・マーキュリー、ブートル・タイムズ、ブラックネル・スタンダード、ブレント&ウェンブリー・リーダー、ブリストル・ポスト、バーミンガムシャー・エグザミナー、バーミンガムシャー・アドバタイザー、チェスター・クロニクル、コベントリー・テレグラフ**［『テレグラフ』は高級紙］、**クローリー・ニュース、クルー・クロニクル、クロスビー・ヘラルド**［『ヘラルド』は高級紙］、**ダービー・イブニング・テレグラフ、ドーバー・**

エクスプレス、イーリング・ガゼット、イーリング・インフォーマー、イーリング・リーダー、エレスメア・ポート・パイオニア、エンフィールド・アドバタイザー、エンフィールド・ガゼット、イブニング・クロニクル（発行エリア［以下（　）内は同］ニューカッスル・アポン・タイン）、イブニング・ガゼット（ティーズサイド）、エクスプレス&エコー、フォームビー・タイムズ［『タイムズ』は高級紙］、フラム&ハマースミス・クロニクル、グラスウィジァン、グロースター・シチズン、グロースターシャー・エコー、ハーリンゲイ・アドバタイザー、ハロー&ウェンブリー・オブザーバー、ハロー・インフォーマー、ハロー・リーダー、ヘイヴァリング・イエロー・アドバタイザー、ヘイウッド・アドバタイザー、ハイダウン・ブックス、ヒンクリー・タイムズ、ハウンズロー・ボロー・クロニクル、ハウンズロー、チジック&ウィットン・インフォーマー、ハダースフィールド・ディストリクト・クロニクル、ハダースフィールド・イグザミナー、ハル・デイリー・メール、イルフォード&レッドブリッジ・イエロー・アドバタイザー、ジャーナル（ニューカッスル・アポン・タイン）、ケンジントン&チェルシー・インフォーマー、レスター・マーキュリー、リュイシャム&グリニッチ・マーキュリー、リバプール・エコー、ラフバラー・エコー、マンチェスター・イブニング・ニュース、マンチェスター・メトロ・ニュース、マグハル・スター、ミドルトン・ガーディアン［『ガーディアン』は高級紙］、ミッド・デボン・ガゼット、ミッチャム、モーデン&ウィンブルドン・ポスト、ニース・ガーディアン、ノースイースト・マンチェスター・アドバタイザー、ノース・デボン・ジャーナル、ノース・ウェールズ・デイリー・ポスト、ノッティンガム・ポスト、オールダム・アドバタイザー、オームスカーク・アドバタイザー、ペイズリー・デイリー・エクスプレス、プレス（バーネット、ヘンドン）、プレストウィッチ・アドバタイザー、リーディング・ポスト、ロッチデール・オブザーバー、ロッセンデール・フリー・プレス、ランコーン&ウィッドネス・ウィークリー・ニュース、サルフォード・アドバタイザー、スラウ・エクスプレス、ストックポート・エクスプレス、マックルズフィールド・エクスプレス、ウィルムスロー・エクスプレス、センティネル（スタフォードシャー）、サリー・アドバタイザー、サウスポート・ビジター、サウス・マンチェスター・レポーター、サウス・リバプール・マーシーマート、サウス・ウェールズ・エコー、サウス・ウェールズ・イブニング・ポスト、ステーンズ・インフォーマー、ストリーサム、クラッパム&ウエスト・ノーウッド・ポスト、サンデー・サン［『サン』は大衆紙］（ニューカッスル・アポン・タイン）、サリー・ヘラルド、サリー・ミラー・アドバタイザー、サットン&エプソム・ポスト、テームサイド・アドバタイザー、グロソップ・アドバタイザー、アクスブリッジ&ヒリンドン・リーダー、アクスブリッジ・ガゼット、ウォルトン&ウェーブリッジ・インフォーマー、ワーフ（カナリー・ワーフ）

スコティッシュ・アンド・ユニバーサル・ニュースペーパーズ［リーチの地方紙発行部門］：トリニティ・ミラー・スコットランド、エイドリー・アンド・コートブリッジ・アドバタイザー、エアシャー・ポスト、ブレアゴウリー・アドバタイザー、ビジネス7、ダンフリーズ・アンド・ガロウェイ・スタンダード、イースト・キルブライド・ニュース、ガロウェイ・ニュース、ハミルトン・

アドバタイザー、**アーバイン・ヘラルド**、**キルマーノック・スタンダード**、**メトロ・スコットランド**［『メトロ』はフリーペーパー］、**ペイズリー・デイリー・エクスプレス**、**パースシャー・アドバタイザー**、**スコティッシュ・ビジネス・インサイダー**、**スターリング・オブザーバー**、**ストラサーン・ヘラルド**、**レノックス・ヘラルド**、**ウエスト・ロージアン・クーリエ**、**ウィショウ・プレス**
デジタル／オンライン・サービス：**ベルファスト・ライブ**、**ダブリン・ライブ**、**エグザミナー・ライブ**（ハダースフィールド）、**グラスゴー・ライブ**、**グロスタシャー・ライブ**、**リーズ・ライブ**

新聞販売店やスタンドで、ありとあらゆるジャンルの新聞や雑誌を目にすれば、メディアの多様性は健在であるように見える。だが、それぞれのオーナーを調べてみれば、メディアの多様性など過去の遺物だとわかる。拙著『人類よ起ち上がれ！　ムーンマトリックス』［ヒカルランド］に、タイム・ワーナーが所有する、テレビ局から雑誌にいたるまで報道各社をリストアップしている。長さも扱う範囲も膨大で、２ページにもおよんでいる。

米国を代表する新聞、『**ニューヨーク・タイムズ**』と『**ワシントン・ポスト**』を所有するのは、同じエリート（支配層）だ。『**タイムズ**』は、１８９６年からシオニストのサルツバーガー家の所有である。『**ポスト**』は、１９３０年からシオニストのメイヤー＝グラハム家の所有となり、２０１３年にアマゾンの創業者で「世界一の富豪」、ジェフ・ベゾスに売却された。アマゾンは、ＣＩＡと深く関係している。［企業や政府機関などと契約して、データの保存や分析などのサービスを提供するクラウド事業「アマゾン・ウェブ・サービス（AWS）」は、アマゾンの営業利益の55％を占めている（2021年第2四半期決算報告）。CIAは2003年、AWSと6000万ドル［8億7千万円］もの巨額契約を締結、専用クラウドを構築した。CIAはスーパーコンピューターでアメリカ国民が使っているネットサービスなどを監視し「危険人物か否か」という観点から16のカテゴリーに分類・評価しているという。アマゾンの利用履歴は、監視されている可能性がある」偏向の可能性などないというわけだ。

悪魔の遊び場――メディアの最終局面

今日、人びとは情報の大半を「ニュース」として得ている。それを提供するのはグーグル、ユーチューブ、フェイスブック、ツイッターといった、カルトが支配するシリコンバレー企業だ。加えて、世界の本の市場はアマゾンに独占されている。カルトは、人類支配というアジェンダのためにインターネットをつくった。目下の課題は、すべての情報を最終的にインターネットに移行させることだ。というのも、コードを設定すれば、人工知能のアルゴリズムによって、人間が関与しなくても検閲をおこなうことができるからだ。インターネットは、目先の利益をちらつかせて導入された、トロイの木馬である。その本当の狙いは、後の章であきらかにしよう。

インターネットがカルトの支配する米国防高等研究計画局（DARPA）で開発されたとは、おどろきだ。ＤＡＲＰＡはペンタゴンの技術部門で、ＣＩＡのベンチャーキャピタル［ベンチャー企業やスタートアップ企業など、高い成長が予想される未上場企業に対して出資をおこなう投資会社］In-Q-Tel（ＩＱＴ）とともに、シリコンバレー企業に創業資金を提供してきた（図２３０）。ペンタゴン、ＤＡＲＰＡ、ＣＩＡはすべてカルトの手先であり、「ディープステート（影の政府）」の機関である。

インターネットが始まったとき、ワールド・ワイド・ウェブ［ＷＷＷ、インターネットを通じて公開されたウェブページが相互に接続されたシステム］を人類社会の中心的な柱にする、というＤＡＲＰＡ（カルト）の目標に必要な世界中の人びとを引きつけるためには、検閲がないことが必要だった。この肝心な蜜月（みつげつ）の間は、私のような人びとがカルトを暴くための研究を広めることができ、自由な情報の流れを享受していた。これは、カルトの究極の野望を追求する立場からすれば、「必要悪」だった。

ひとたびインターネットが「人類社会の中心的な柱」になってしまえば、ネットのない世界にもどることは事実上不可能である。化けの皮ははがれ、検閲の嵐が吹き荒れた。カルト自体に言及せずとも、そのアジェンダを暴くあらゆる情報が対象となった。もちろん、表向きは「検閲」などと呼ばれてはいない。「フェイクニュース」とか、「ヘイトスピーチ」とかいった、でっちあげの口実をつぎつぎと繰りだすのだ。そうした口実の定義は、日々拡大しつづけている。かつてない多くの情報、視点、意見に網をかけ、計算ずくの組織的な検閲をおこなうためだ。市民を「ヘイト」や

図230：カルトのDNA。

「差別」から守るため、というのがその名目である。

カルトは「多様性」の推進を叫びながら、みずからの足でそれを踏みつけにしている。とりわけ、多様性を求めると主張する「ウォーク（目覚めた）［社会的な問題に対する意識が高いこと］」の精神に顕著で、カルトがおこなう逆転の一例である。カルトがつくった「ウォーク」は、ポリティカル・コレクトネスの御旗（みはた）のもと、かつてないインターネットやメディアの検閲を正当化し、押しつけるため利用されている。

ウォークな英国の労働組合会議、ＴＵＣ（Trades Union Congress）は、団体の所有する会場での、私の半生と仕事を追ったドキュメンタリー『Renegade（レネゲイド＝反逆者）』の試写を禁じた。ＴＵＣは「多様性を信じる」というのがその理由だ。といっても、森を暴く者は「多様性」の適用外だ。ＴＵＣについては、主流メディアを各自参照されたい。

カルトにとって容認できない情報を、削除するまでもなく、投稿できないようにする技術の導入が進んでいる。現在でも、ユーチューブ、フェイスブック、ツイッターなどは「ゴーストバン［ツイッターの場合、リプライ（返信）が投稿者、返信者以外の第三者から見えなくなる］」「シャドウバン［利用が一切できなくなるバンとは違い、検索結果に表示されない、表示順位が下がるなど、気づかれにくい利用規制］」などの措置をおこなっている。投稿は可能だが、アルゴリズムにより、通常の数分の一しか閲覧されないようになっている。私の『The Trigger』や９１１についてのユーチューブインタビューは、「おすすめ動画」にでないよう露骨に規制をかけられた。それでも再生回数は多かったが、規制がかからなければもっと伸びたはずだ。

はっきりわかる例を挙げよう。シャドウバンされていないチャンネルに投稿された私のビデオインタビューは、アルゴリズムで操作された私のチャンネルに投稿された同じ動画よりも、圧倒的に再生回数が多かった。ユーチューブが、２０２０年5月に私を完全追放する前のことだ（詳しくは第1巻に）。

フェイスブックは２０１８年、ユーザー（簡単に手配できる）から報告された投稿や、「ファクトチェッカー」（カルトのアジェンダのために働いている）が虚偽と評価した投稿を「ランクダウン」していることを認めた。フェイスブックは、この検閲で投稿やページの閲覧を「80％ほど」削減できたとしている。

すべての情報がネットに移管されるにつれ、カルトが文字どおり、見聞きするものすべてをコントロールできるようになる。（カルトが煽動（せんどう）する）ポリティカル・コレクトネスの独裁が、人びとに検閲を強要している。プライベートな会話さえも、「ヘイトスピーチ」として暴かれると脅しているのだ。カルトの下僕であるグーグル、グーグルが所有するユーチューブ、フェイスブックやツイッターが、このショーの主要な演者だ。検閲は、カルトとその人類に対するアジェンダが暴かれぬよう守るためにおこなわれている。それを隠すためのショーなのだ。

これらのインターネット独占企業やアマゾンなどは、ワールド・ワイド・ウェブと同じプロセスをたどっている。まずは、情報や意見の自由な流通を許した。独占に近い形で、世界を変える規模のユーザーを集めなければならなかったからだ。非常に支配的なマーケットシェアが臨界点を超えれば、「自由」という仮面はもう外してもかまわない。そして、カルトが認めない情報や意見の検閲がひとしずく、ひとしずくと始まり、現在では「聖書」の大洪水［旧約聖書『創世記』のノアの方舟物語のこと］の様相を呈している。

アマゾンは、書籍販売における支配の臨界点をとっくに超えて、独立系の書店や出版社を廃業に追いこんでいる。いまや検閲すべき本に狙いを定め、独裁者が大好きな、焚書のアマゾン版を始めようとしているところだ。

もはや、ユーチューブなどのプラットフォームに911や人為的な気候変動、「パンデミック」の公式見解に対して異議をとなえる投稿をするには、公式のおとぎ話を掲載する、カルトの下僕**ウィキペディア**へのリンクを張らなければならないところまで来てしまっている。**あらゆる**公式情報は、ウィキペディアにある。情報がいかに巧妙に隠蔽されているかがよくわかる。でっちあげの「新型コロナウイルス」で気づいた向きもあるだろうが、検閲はすさまじく急増している。それでもなお、私たちはまだまだ目的地からは遠く離れている。

もうひとつのポイントは、カルトは金融システムを所有しており、無から「カネ」をつくりだすことで無限の資金をもっているということだ。ゆえに、グーグル、フェイスブック、ツイッター、アマゾンといった企業にとって、カネは問題ではない。独占を勝ちとるために、利益をあげる必要はなかった。「投資家」が、いつだって小切手を切ってくれたのだ。イーロン・マスクもそうだっ

た。（詳しくは後ほど）

利益をあげなければ生き残れない企業が、利益をあげる必要がなく、独立した反対勢力を買収したりつぶしたりする資金力をもつ企業と、どうやって競争できるだろうか？　買収に応じない本物の抵抗勢力が、他のソーシャルメディアやビデオプラットフォームをたちあげれば、「ヘイトスピーチ」というおなじみのやり方で、メディアに悪者にされる。カルト所有のウェブホスティングや決済の会社も、抵抗する企業が機能できないよう、アクセスを禁止する。

シリコンバレーの検閲

この情報戦争を支持する、自己欺瞞（じこぎまん）的な「ジャーナリスト」と呼ばれる者たちは、みずからの終焉（しゅうえん）を推しすすめている。昔ながらのメディアが、シリコンバレーの支配とその検閲アルゴリズムに屈したのと同じ構図だ。グーグルは、事実上インターネット検索を独占している。グーグル検索では、アルゴリズムによって公式見解へと誘導され、他の選択肢は隠蔽されるようになっている。グーグルがコントロールしない検索エンジンでは、別のカルトが代わりを務めている。グーグル所有のユーチューブは動画コンテンツを独占し、ソーシャルメディア［SNS、ブログ、簡易ブログなど、インターネットを利用して個人間のコミュニケーションを促進するサービスの総称］はフェイスブックとツイッターの支配下にある。インスタグラムはといえば、メタ［フェイスブックから2

０２１年に社名変更」の所有である。ソーシャルメディアは使わない、WhatsApp「チャットアプリ。日本でいうラインのように、欧米でよく使われている」でやりとりしてるって？　それもメタの傘下だ。

ビッグテック「世界で支配的影響をもつＩＴ企業、グーグル、アップル、メタ、アマゾン、マイクロソフトをさす」は、彼らのプラットフォームへの投稿に対する訴訟を政府から免除された。出版社は発行した内容によって法的措置に直面するが、ビッグテックは中立的な媒体として機能するということの見返りである。シリコンバレーのサイコパスは、公式見解に異をとなえる情報を検閲することで利益を得ている。とりわけ、アメリカで保守派として知られている人びとは黙殺されている。政府は「責任特例」の取り決めを取り消すことができたが、していない。

カルトがどのように機能しているかは、兆億長者（ビリオネア）のコーク家「石油、エネルギー、繊維、金融などを手がける、米国でカーギルに次ぐ巨大な売上高の非上場多国籍複合企業コーク・インダストリーズを所有。保守勢力の主要な支援者」（「保守派」）と、**ビッグテック**双方から資金提供を受けている「保守派」組織が、ビッグテックによる保守派の検閲を阻止するための法律に**反対する**キャンペーンをおこなったと暴露されたことにみることができる。両陣営をコントロールすれば、ゲームをコントロールできるのだ。

さらに不吉なことに、これらの巨大企業は、カルトが支配するペンタゴンと諜報機関のネットワークにつながっている。ビッグテックが、あらゆるユーザーデータを収集していることが絶えず露呈している。電子機器のマイクを通じて監視しているともいわれており、最終的にはけっして公表されることのない規模の軍産情報複合体に行きつく。多くの人が、プライベートな会話の内容に関連する製品の広告が、フェイスブックなどに表示されることに気づいている。

　メタのマーク・ザッカーバーグなど、これらのカルトのフロント企業のオーナーは超詐欺師だが、最終的な決定権はもっていない。ザッカーバーグなどおよびもつかない、はるかに深いクモの巣の勢力のフロント（隠れみの）なのである。シリコンバレーの巨人は、人びとが目にするものをコントロールし、行動や発言、考えをすっかり監視するのが役目だ。

　フェイスブックは、ふたりの米上院議員宛の書簡で、ユーザーが位置情報をオフにしていても、居場所を把握できることを認めている。人工知能は、さまざまな情報をつなぎ合わせて位置情報を割りだすことができる。タグづけされた写真、ショッピング機能の購入情報の住所、ＩＰアドレス情報などだ。アムネスティ・インターナショナルの報告書は、グーグルとフェイスブックのビジネスモデルは「人権に対する脅威」であると訴えている。人権をおびやかすことは、まさに彼らの意図するところだ。

　ティム・バーナーズ＝リーは、「ウェブの父」として知られる。彼はみずからのワールド・ワイド・ウェブ財団を通じて、「インターネットをデジタル・ディストピア化させない」ための９つの原則、あるいは「協定」を発表した。

「協定」は、その裏側を知らなければ、聞こえの良いものだった。起草者には、ヘイトスピーチや検閲に取り憑かれているフランスやドイツの政府や、シリコンバレーの検閲の中心であるグーグル、フェイスブック、マイクロソフトが名を連ねている。なかでも重要な一文には、「人類に良い影響を与えるテクノロジーを支援し、悪影響を与えるものに立ち向かう」ことが必要だと記されている。このオーウェル語の文を翻訳ツールで解読すれば、「反体制派や反逆者を黙らせるテクノロジーを開発する」となる。誰が「良い」「悪い」を決めるんだい、ティム？　反体制派や反逆者を黙らせたい**体制**が決めるって？　なるほどね。

ワールド・ワイド・ウェブ財団代表で、最高経営責任者のエイドリアン・ラベットは、主要課題には「デマ」の問題も含まれると語った。誰がデマとはなにかを決めるのか？　答えは最前と同じである。ラベットは、「サインオンした者、しない者、全員の動向を追い、報告する。動きを公にし、誰が正しい方向性にあり、誰がそうでないかを可視化する」と言った。誰が、どの方向性が「正しい」と決めるのか？　やはり答えは同じだ。

財団は、この協定を国連規則とＥＵ／国際法を通じて施行したいと考えている。参加しない企業は、排斥されることになる。同グループは、協定の「原則」を支持しない政府や企業が「真のはみだし者」（「本体やシステムから離れたところに位置する、または切り離された人または物」と定義）になったとき、成功したと言えるという。

インターネットを破壊した企業や政府は、残された表現の自由にロックハンマーを打ちつけることで、インターネットを救おうと主張している。インターネット・ディストピアをつくりながら、それを止めると主張し、まずは法による強制の前に自発的におこなうという。バーナーズ＝リーは、これがインターネット独裁を進めるための詐欺だとわかっているのだろうか？　そんなことは大した問題ではない。検閲企業やカルトは、ちゃんとわかっている。

魔法使いの呪文（じゅもん）

これらすべての糸をより合わせてみれば、人生とは、ゆりかごから墓場まで、カルトが望む知覚のダウンロードなのだということがわかる。切手サイズの両親から、切手サイズの「教育」、切手サイズのメディア、そして切手サイズのシリコンバレーへと続いてゆく。同時に、人間社会における現実の権威は、切手サイズの科学者、切手サイズの医師、切手サイズの学者、切手サイズの政府、切手サイズの行政官、そしてあらゆる種類の切手サイズの「専門家」であるとされている。その切手サイズのストーリーは、切手サイズの同調圧力によって執行される。公人であれば、切手サイズのジャーナリストがその役を担う。

私の言う「切手サイズ」のたとえの定義は、**無意識**である。そして、この本における無意識の定義は、ボディーマインドの知覚のシャボン玉のなかに閉じこめられている、ということだ。考えや知覚は、切手サイズのコンセンサス（共通認識）のなかにしまいこまれている。意識を抑圧し、**智**がアクセスできる周波数から人びとを遮断（ファイアウォール）することで、まさに人びとを無意識にとどめておくために設計されているのだ。

人類は、催眠術師のショーで眠らされる人びとさながらに、集団催眠にかけられてきた（図231）。ステージ上の人びとは、きっかけとなるひとことで叫んだり、エアギターを弾いたり、服を着ている観客が裸に見えたりする。彼らは、自分が催眠にかけられていると**理解**しているのだろうか？　情報や状況に脊髄反射（せきずいはんしゃ）する何十億人もの人びとは、催眠にかけられていると**理解**しているのだろうか？　もちろん理解などしていない。眠らされているの**だから**。「目を醒（さ）ます」「覚醒」といった言葉によって、呪文を破ることができる。催眠とは、人間の認識を大幅に狭めることによって、全体像を見えなくさせるものだ。

図232を見せられた人は、「真っ黒」に見えるというだろう。認識がその程度にとどまっているからだ。画像（認識）を拡大すると、じつは目だったということがわかる（図233）。もっと拡大すると、目は人の一部であり、その人は部屋にいて、その部屋がある家、家がある通り、通りがある街、街がある世界までもが見えてくる。

カルトは、知覚をこのような象徴的な近視眼の黒塗りのなかにとどめておきたいのだ。主流の情報をコントロールし、知覚プログラムの全方位から「誰でも知ってる」状態になるまで繰りかえす。若い世代ほど、その企みに見事にハマっている。

ドイツの哲学者アルトゥール・ショーペンハウアーは、「誰もが、自身の視野の限界を世界の限界だと思いこんでいる」と言った。それがプログラムだ。可能であるという感覚を制限し、それを

図231：いまや人間はこのようなありさまだが、私たちにはこれを変える力がある。

図232：近くで見るとなにに見える？　ただ真っ黒なだけ？

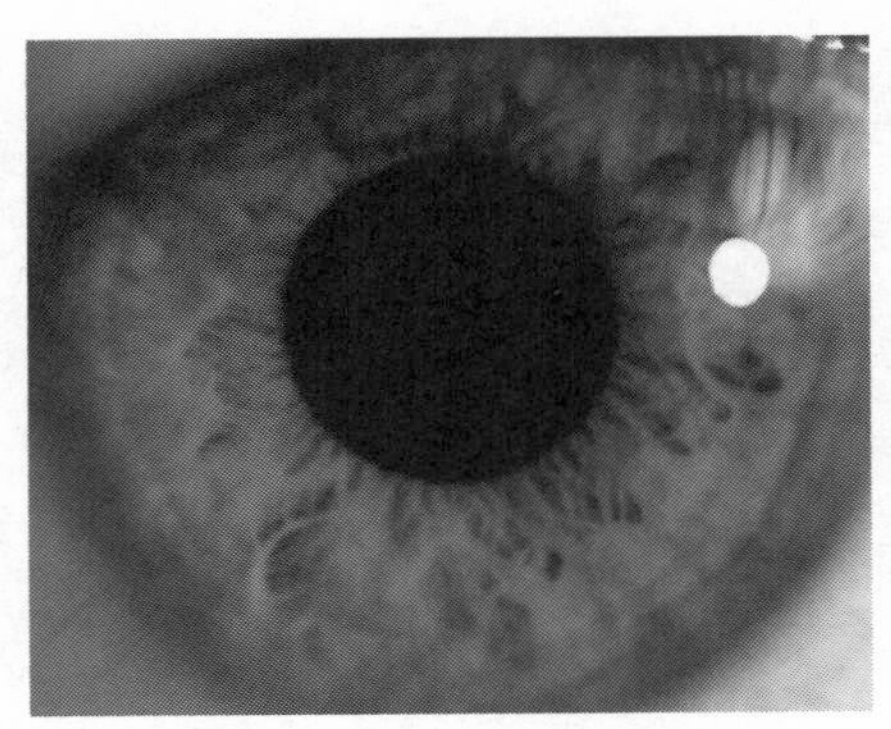
図233：視野を広げると、正体が見える。マインドを拡大しても同じことが起こる。

可能性の限界だと信じこませる。そうすれば真実は忘れ去られ、ありえないといわれるようになり、「真っ黒」が可能性の限界と知覚されるようになる。ショーペンハウアーは１７８８年生まれだ。プログラムは近年のものではなく、どんどん拡大している。

米国の神経科学者ジョー・ディスペンザは、「人間の95％は35歳までに記憶された一連の行動、感情反応、無意識の習慣、組みこまれた態度、信念、知覚からなり、それはコンピュータープログラムのように機能する」と述べているが、まさにそのとおりだ。この章で説明したことだけを考えても、それ以外の方法などありえないではないか？

つねに波動場にもどろう

人類は、現実の波動場のレベルで適合するように振動させられてきた。同じように知覚する者（同じような**周波数**）どうしで大規模な波動のからみあいを形成する、集合的知覚をダウンロードすることで、そのようになる。切手サイズの現実の確認は、目に見えるところだけでおこなわれているわけではない。周波数のからみあいの波動接続によって、伝達されている。群集心理は、こうして形成されるのだ。

『カレントバイオロジー』［米国の生物学の学術雑誌］に掲載された、ニューヨーク大学とマックス・プランク経験美学研究所の研究者らによる研究によって、学生たちが互いに関心をもち、「からみあっている」とき、脳波は同じようなパターンで同期することがわかった。

共同筆頭著者のスザンヌ・ディッカーは、「これらすべての影響は、動的な集団相互作用の間の注意共有機構によって説明できると考える」と述べた。「注意共有機構」から、波動のからみあいが生まれる。私たちが「見る」ものは、それをホログラフィックなバージョンに解読したものにすぎない。

人を脅して集団に適合させるとは、まさに振動で人を従わせることだ。同じ音で振動している複数のバイオリンを一緒に置けば、そばに置いたバイオリンも同じ音で振動しはじめる。それまで別の音を奏でていたり、音を鳴らしていなかったりしてもだ。

支配的な周波数は、他の周波数を「同調させ」、みずからの周波数で振動させる。知覚や意図された目的は周波数であり、いずれも他者を同調させたり、自分自身で他の可能性を見いだすことを阻んだりする。5Gのような人為的な周波数は、人間の脳活動にこのような影響を与えるように設計されたものだ。

世の中を良くしたいという純粋な思いから政治を志す者もあるが、いざ政界に入れば、ミイラ取りがミイラになってしまう。政界に同調してしまうのだ。議会も、政党も、イデオロギーも、すべては振動するフィールド(場)である。バイオリン同様、支配的な周波数が他者を圧倒し、取りこんでゆく。

同じことが、あらゆる集団や組織、学校、大学、科学、医師、メディアといった一切合切にもあてはまる。「悪魔とダンスしても、悪魔は変わらない。悪魔があんたを変えるんだ」という言葉がある［1999年の映画『8㎜』に出てくる台詞。ニーチェの「怪物と戦う者は、自分もそのため怪物とならないように用心するがよい。そして、君が長く深淵を覗き込むならば、深淵もまた君を覗き込む」（『善悪の彼岸』木場深定訳、岩波文庫）と同意の言葉］。この場合のダンスは、周波数、つまり振動だ。そして悪魔とは、カルトのアジェンダである。

悪魔は、あなたを変える必要はない。そして、あなたがハートとマインドを開いて、カルトとその「神々」よりずっと強い意識とつながるなら、逆もまた然りだ。カルトは私たちを今よりもっとより無知にすること（なかなかの難題だ）でしか、人類を奴隷化できないのだ。私たちが目にしているのは、全能の勢力などではない。盲人の国でしか王になれない、一つ目のようなものだ（図234）。「すべてを見通す目」は、すべてを見通してはいない。無限のパワーをもつ人類に比べれば、ひ弱なもやしっ子だ。私は30年来カルトについて暴きつづけているが、カルトの振動に同調させられたことはないし、これからもそうはならないだろう。むしろその逆だ。

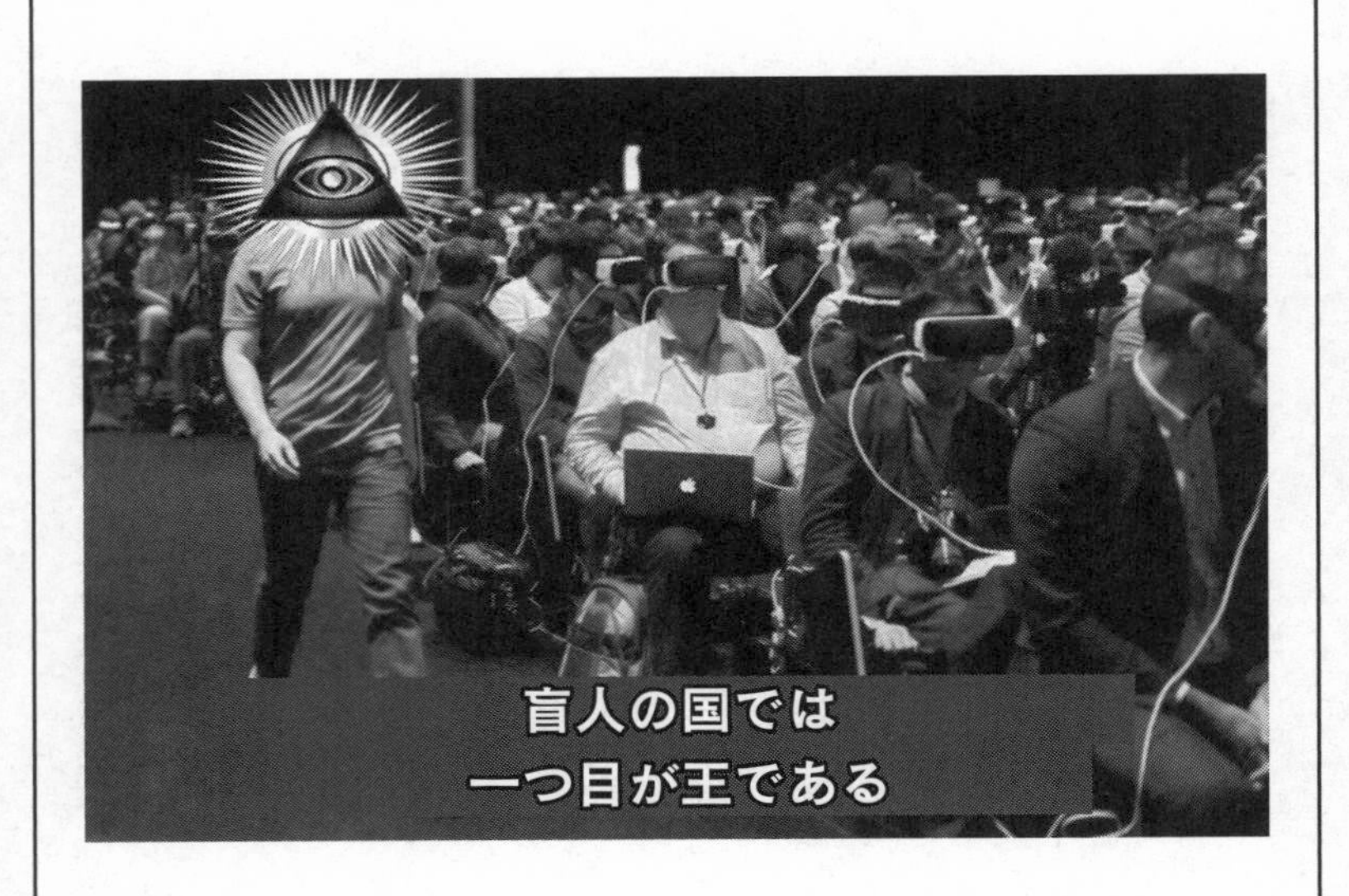

図234：カルトは、知覚プログラミングによって人類の力を抑圧し、吸いあげることで支配をおこなっている。カルト自身の力による支配ではない。

第7章
私たちはどのように操られているのか？

事実に目をつむったからといって、それがなくなるわけではない

——オルダス・ハクスリー

世界を読み解くには、結果を知ること。そうすれば、その行程がわかる。カルトは、人類に対してなにが計画されているかを絶対に知られたくない。なぜなら、ひとたび私たちがそれを知ってしまえば、終わりに向かう道すじが、日を追うごとにはっきり見えてしまうからだ。結果を知れば、行程がわかる。あるいは、「どこへ」がわかれば、「なぜ?」も見えてくる（図235）。

政府やメディア、その他体制一般のなかにいるカルトとそのエージェント（少数のわかっている者も、圧倒的多数のわかっていない者も）は、すべてを点の形で提示する。幻想を保つには、政策、法、メディア報道や「教育」によって、世界のすべてがそれぞれ別々に孤立しているように見せかけることが肝心だ。この政策とあの政策は無関係。この法とあの法も、この変革とあの変革も、関連はない。社会をそのような視点でとらえると、毎日のあらゆる経験は意味をなさない偶然のできごとの連続のように見える。どうなってるんだ？　どうしてこんなことが起こる？　あいつらはどうしてあんなことをする？　そんな混乱のただなかで、多くの人が興味を失ってしまい、謎の追究をやめてしまう。理解不能なんだから、考えても意味がないだろう？

いや、そうではない。本質は、いたってシンプルだ。人間社会は、「人間」と呼ばれる意識のフィールド（場）が、波動をからみあわせることで成りたっている。**知覚**によって生成された、互換性のある周波数にもとづくからみあいだ。知覚をコントロールすれば、からみあいを意のままに操ることができる。からみあいは、「社会」として知られる、集団的な人間の本質を決定するものだ。知覚をコントロールするには、どうすればよいか？　知覚のネタ元である、情報をコントロールすればいい。たったひとつの単純な事実に人びとが気づかないよう、全力で守りきるのだ。
つまり、人びとが見たり体験したりするものは、偶然の産物ではなく、注意深く計算されている。
はっきりと、不吉な末路を目指して。

カルトの広範なゴールと、そこにいたるためにいかに人類が操作されているかを明かす前に、この冷たく調整された「偶然」のわかりやすい例を挙げてみよう。私の超大作『The Trigger』では、事の次第を詳細に述べたが、その冒頭でも手短に触れている。これにからんでいるのが、サバタイ派フランキズムとして知られるカルト内のネットワークだ。サバタイ派フランキズムは17世紀に発生し、あらゆるコミュニティ、文化や宗教に浸透した。サバタイ派フランキストは、コミュニティのメンバーや、宗教の信者を装って入りこみ、その集団がカルトの望むアジェンダ（実現目標）のために動くように誘導した。サバタイ派フランキスト（ちなみに彼らはユダヤ人を憎んでいる）は、イスラエルをコントロールしている。彼らは、サウジの偽「ロイヤル」ファミリーである。そのネットワークは世界に広がり、なかでも北米と欧州に深く根を下ろしている。

ちょっと待てよ、イスラエルとサウジアラビアは敵対しているのでは？　カルトのレベルでは、敵対などしていない。どちらも同じチームのメンバーであり、あらゆる表向きの分断（どんどん減ってきている）は、そうしたつながりを隠すためのものだ（図２３６）。敵対しているかのように見えている者が、突き詰めてみれば同じ親方（マスター）に仕えていることにひとたび気づけば、目を覆っていた「偶然」といううろこが落ちる。

図235：日々のできごとを「読み解く」素晴らしい方法。

図236：どちらもカルトのネットワーク、サバタイ派フランキストの支配下にある。つまり、どちらも同じ計画に向かって動いているのだ。

サバタイ派フランキストの聖典が、ユダヤの秘教的／「スピリチュアル」／現実の本質を探るワーク、カバラであることは先に述べたとおりだ。なかでも、最も大切なのは「ゾーハル」と呼ばれる部分で、これは「光輝」「明かり(イルミネーション)」を意味する。1776年、3人のサバタイ派フランキストがカルトのネットワークを創設し、その名を「イルミナティ」とした。ロスチャイルド財閥を築いたマイヤー・アムシェル・ロートシルト［ロスチャイルドのドイツ語読み］、ヤコブ・フランク（「フランキスト」の名はここからきている）、そしてイルミナティのフロントマン、アダム・ヴァイスハウプトの3人だ。詳しい背景は『Trigger』で。サバタイ派フランキストとイルミナティ、カバラは、世界的な操作の成りたちを示す例のひとつである。操作者は、現実のしくみを知っている。そしてその知識をターゲットとなる人びとから隠すことによって、操作しているのだ。

サバタイ派フランキストは、長年にわたって米国の中枢に入りこんできた。そして1996年、アメリカ新世紀プロジェクト(Project for the New American Century)［PNAC］と名づけた「シンクタンク」を設立した。そのメンバーには、「ガキの使い」大統領、ジョージ・ブッシュ・ジュニア政権下の911当時、米国政府やペンタゴンの主要人物となる面々も含まれていた。ディック・チェイニー（当時の副大統領であり、事実上の大統領）、ドナルド・ラムズフェルド（当時の国防長官）、ポール・ウォルフォウィッツ（911当時の国防副長官）、ドブ・ザケイム（当時の元会計検査担当国防次官）ほか、911当時に政権やペンタゴンにいたか、あるいは911への対応として、メディアで戦争を煽動(せんどう)した者らが名を連ねている。

アメリカ新世紀プロジェクトは、2000年9月にアメリカ防衛再建計画を発表した。イラク、リビア、シリア、イラン、北朝鮮など一連の国々で、米軍とその軍事的影響力を行使して政権交代を実現させ、最終的には中国の政権交代を目指すよう呼びかけるものだ。この文書では（サバタイ派フランキストを代弁して）、米軍が望ましい体制変革を達成するために「同時多発的な主要地域の戦争で戦い、決定的に勝利する」ことを求めている。しかし、この「再建のプロセス」は「真珠湾攻撃の現代版のような破滅的なできごとがなければ」長い期間を要するだろうとし、対象国への攻撃や、軍事費の莫大（ばくだい）な増加を正当化している。

この文書が発表されてから1年と1か月後、文書を書いた者らが2001年1月にブッシュ政権を樹立してから9か月ののち、米国は、当時ブッシュが「21世紀の真珠湾攻撃」と呼んだ911に襲われた（図237）。このおそろしい攻撃の結果として、「テロとの戦い」が始まり、以来、文書で名指しされた国々は、異なる（そしてあきらかに対立する）政党の大統領や英国首相のもとで、政権交代のターゲットにされてきた。私が言う「つねに権力の座にある**恒久**政府」を支配下に置くカルトのレベルでは、世界の国々は一党制の国家なのだ。誰に投票しようと、権力はカルトの手にある。ここでは概要のみとするが、その全容は『The Trigger』で詳しく述べている。911の公式見解を覆し、（19人のアラブ人ハイジャック犯ではない）真犯人を告発するものだ（図238）。

重要なのは、一連の流れのなかのそれぞれの点を関連のない別物としてとらえれば、パターンは見えてこないし、すべては偶然のように見えるということだ。ウサマ・ビン・ラディン配下のアラ

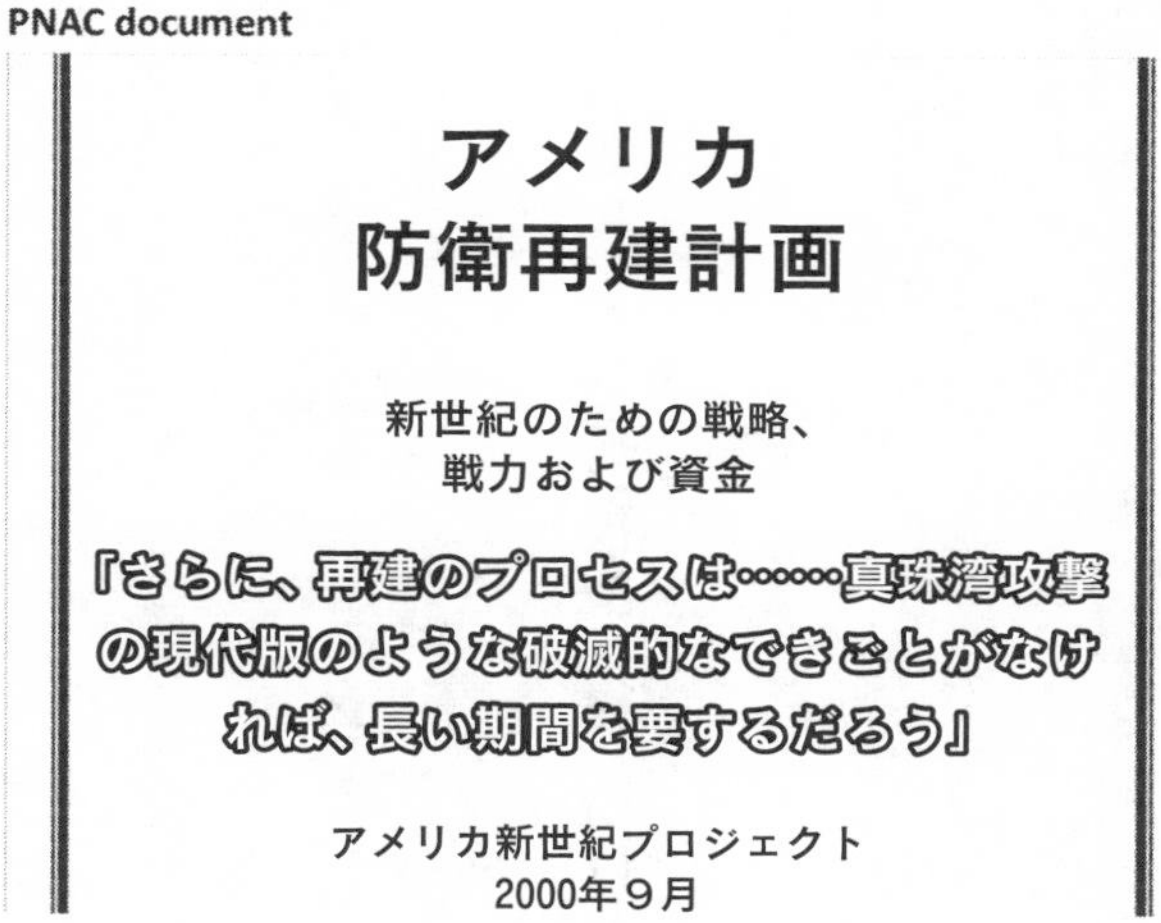

PNAC document

アメリカ
防衛再建計画

新世紀のための戦略、
戦力および資金

「さらに、再建のプロセスは……真珠湾攻撃の現代版のような破滅的なできごとがなければ、長い期間を要するだろう」

アメリカ新世紀プロジェクト
2000年９月

図237：2000年９月に政権交代の対象国を列挙した文書で、以来、所属政党にかかわらず大統領が追求してきたもの。この計画を正当化するために「真珠湾攻撃の現代版」が必要だと書かれており、それが911である。

図238：911の真犯人は、『The Trigger』で明かしている。ウサマ・ビン・ラディンではない。

ブ人ハイジャック犯が米国を攻撃し、米軍はビン・ラディンを追ってアフガニスタンへ侵攻した。続いてサダム・フセインと実在しない「大量破壊兵器」を排除するため、イラクへ侵攻した。リビアも攻撃され、カダフィ大佐は民衆をカダフィの暴政から守るために殺害された。シリアは、アサド大統領による「自国民の殺戮（さつりく）」を止めるため侵攻を受けた。イランは、核兵器開発をおこなうテロ支援国家であるとされている。私たちは、これらのできごとはまったく関連がないと信じるよう要求されている。計画されている結果をわかったうえで点と点をつないでみると、まったく違った絵が見えてくる。

問題をつくれば解決策を押しつけられる

メディアは、強調や検閲によってすべては偶然であると伝え、結果として真実は日の目を見ない。大多数のジャーナリストは、意図的ではなく、無知からそうしている。つながりを見いだし、それを報じようとする者は、すみやかに排除される。カルトが所有権、編集方針、雇用・解雇を握っている限り、メディアをコントロールするのに多くの人間は必要ない。このことは、あらゆる組織や機関にあてはまる。政府、「教育」、金融、商売、などなど。

911、政権交代戦争、そしてそれに続く外部から操作された「市民革命」は、私が数十年前に「問題（Problem）－反応（Reaction）－解決（Solution）（PRS）」と「忍び足の全体主義（Totalitarian Tiptoe）（TT）」と名づけた、ふたつの大衆心理コントロール手法の実例である。

PRSとは、以下の手順でおこなわれるマインド・トリックだ。まずはひそかに問題をでっちあげ、誰かを悪者に仕立てあげる（911）。つぎに、与えられた情報を疑わない主流メディアを使って、人びとに信じてもらいたい「問題」を周知させる（ビン・ラディンと19人のアラブ人ハイジャック犯が「やった」）。「なんとかしてくれ」という反応を引きだすためだ。最後に、でっちあげの問題への解決策を提示する（かねて計画していた、対象国の政権交代のための「テロとの戦い」）。

第2巻で述べたが、「無問題–反応–解決」というバージョンもある。実際の問題をつくりだすまでもなく、問題があると**知覚**させればよいのだ。2003年のイラク侵攻という大惨事を正当化する、「大量破壊兵器」のうそは、あきらかにこれである。また、第1巻で述べた「新型コロナウイルス」詐欺もそうだ。イラクは攻撃対象リストにあったが、侵攻する理由はなかった。そこでカルトが理由をでっちあげ、ブッシュ・ジュニアと英首相トニー・ブレアに吹聴させたのだ。

PRSの同類である「忍び足の全体主義」は、世界を望む方向へ導く一連のできごとや変革を押しつけながら、それらがすべて無関係な偶然かのように装うことだ。

戦争は、「創造的破壊」［経済学者ヨーゼフ・シュンペーターが提唱した語。新たな効率的な方法がうみだされれば、古い非効率的な方法は駆逐されるという新陳代謝をさす］という全体主義の先端技術によって、それぞれが他のものに追随するように、段階的に世界を変容させる。戦争が現状を破壊し、新しいものをつくる。次の戦争は新しい現状を破壊し、それが続いてゆく。

新しい現状に変わるたび、目的地へと近づいてゆく。過去のふたつの世界大戦が、世界全体をすっかり転換してしまったことを振りかえってみよう（図２３９）。

ＥＵは、最初から中央集権的な官僚（カルト）超国家となるように計画された忍び足の全体主義だが、公にそう認められることはなかった。そうとわかれば、人びとの反発や抵抗に遭い、発足することはできなかっただろう。ＥＵは超国家という圧政を、かつては単なる自由貿易圏（「共同市場」）として受けいれさせた。しかしそこにとどまることなく、徐々に中央に集権して国家主権をなくしてゆく方向で、当初の計画へと歩を進めている。官僚が支配する、ヨーロッパ合衆国である。このことを念頭において世界をながめてみると、人間の生活のあらゆる場面で、「問題−反応−解決」と「忍び足の全体主義」がたえずうごめいているのが見えてくるだろう。なにか新しいものが忍び足のテクニックで紹介されたなら、かならずその先になにかある。

５万５千ボルトの電流を放つテーザー・スタンガンは、「訓練された銃器所持警官用」として警察に導入された。しかし、ゲームの筋書と忍び足を知る者が見れば、すぐに広まってゆくであろうことはあきらかだった。２０１９年３月までに、テーザーはイングランドとウェールズだけでも数千回使用され、これまでの記録を塗り替えた。米国では70歳の女性が、制服警官に複数回テーザーで撃たれている。家に入る前に令状を見せるよう求めたためだ。

ＰＲＳやＴＴを効果的におこなうためにきわめて重要なのは、人びとになぜこうしたでっちあげのできごとが起こったのかという**公式見解**を信じるようプログラムすること、そして本当の理由を

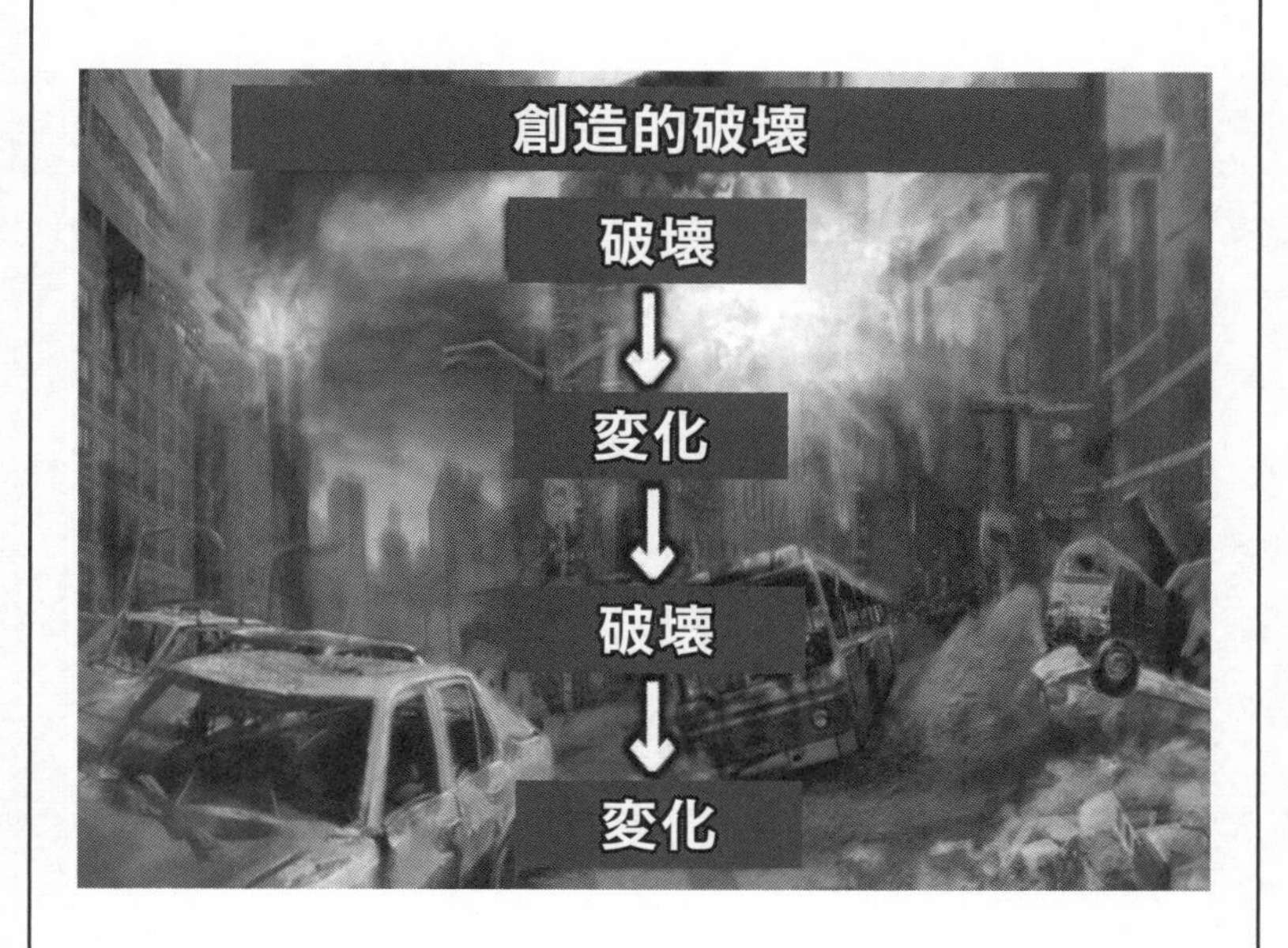

図239：戦争という創造的破壊。戦争ほど、社会を即座に大きく変えるものはない。だからこんなにも戦争が起こるのだ。

悟られないことだ。オルタナティブメディアやオルタナティブな意見は、PRSとTTイベントについて真実が暴露されるのを阻止するため、カルトが所有するインターネット大手（「新型コロナウイルス」詐欺の暴露を阻止するため、過剰なまでの働きをした）によって、かつてなく徹底的に検閲されている。

カルト映画

これから説明するのは、感覚的には映画のようなものである。その脚本は、あなたがなにを見て、なにを体験するかを命じるために書かれたものだ。一連の画像をなんの解説やナレーションもなく見れば、自分なりにそれがなにを意味しているのか結論づけることができる。しかしレポーターは、ご覧のものは○○です、と言ったり、画像の意味するところを説明したりする。そして、たいていそうした言葉は事実とかけ離れているのだ。ほとんどの場合、**レポーター**はなにが起こっているのかわかっていない。公式情報を得て、それを繰りかえすことを「ジャーナリズム」と呼んでいるのだ。テロ攻撃、戦争、財政破綻（はたん）――どんなできごとであれ、メディアが伝えるのは、99％公式バージョンの情報だ。

マインドコントロールの最も核心的な技術を思いだしてみよう。そう、繰りかえしだ。幾多のメディアが存在するように見えるが、どれも同じ公式のストーリーを延々と引用しているだけだ。

「誰でも知ってる」ようになり、広く歴史（事実）として認められるようになるまで、それが続く。世界中で町ゆく人を呼びとめて、歴史上、あるいは最近のできごとについて尋ねてみれば、例外なく公式バージョンの答えが返ってくるだろう（金ピカのハリウッドのおかげである）。

ハリウッドは、世界の大衆に知覚をプログラムするために、カルトがつくりだしたものだ。多くの人に歴史について尋ねれば、答えはハリウッド映画の脚本からやってくる。ジョン・ウェイン［米国の俳優。西部劇のスターで、多くの戦争映画に出演。自他ともに認める愛国主義者だったが、徴兵猶予を申請しており、兵役に就いたことはない］という奴は、戦争の英雄だろう？　いや、世界のどこかで銃弾が飛び交っていたとき、彼はＬＡでメイクをしていた。ウェインは、世界のどこかで飛び交っている銃弾について、あなたが**信じる**べきことを教えるために、ハリウッドにいたのだ。あなたは（幻想の）刻一刻、**すべて**について、なにを考え、知覚すべきかを命じられている。次の数章で、組織的なグローバル・コントロールシステムの要素をまとめてみよう。偶然のできごととして、私たちの目の前で毎日起こっていることだ。

操作の基本は、カルトのおかげでどんどん進行している権力の集中だ。中央集権なくして、少数が多数を支配することはできない。中央から権力が失われるほどに、そこにいるグローバル・カルトのコントロールは効かなくなる。

かつて人間は部族をつくり、自分たちの部族にかかわることを決定した。それから部族が集まって、国と呼ばれる中央集権制度をつくった。そして、少数の者がかつての部族をすべて統治するようになった。今日、国家はEUや貿易圏、国連機関、WHO、世界貿易機関、IMF、世界銀行などの超国家機関によって、中央集権化されている。この現象を包括的に名づけた言葉が「グローバリゼーション」だ。人間の生活のあらゆる分野における、世界的な中央集権である。

私は、このことを30年来警告しつづけてきた。グローバリゼーションは忍び足の全体主義であり、世界政府や世界軍、世界中央銀行、世界通貨を押しつけるものである。埋めこまれたマイクロチップでAIに接続する人びとが、それを支えている（図240）。

権力を集中させるほどに、さらに速く集中させるために中央の力が強くなり、集中化はどんどん速くなる。EUはこのようにしてつくられた。権限の拡大や集中化が、段階的におこなわれたのだ。

世界単一通貨についても、私は1990年代初頭から予測してきた。これは現金をなくし、完全にデジタル化しようとするものだ。カードやスマホなどのデジタル決済が浸透し、急速に現金が姿を消しているのはご承知のとおりだ。最終的には、身体に埋めこんだマイクロチップで決済する方向へと忍び足で向かっている。

現金取引を難しくするため、銀行の支店やATMが閉鎖、撤去されている。スマホなしでは決済がほぼできないようにする計画だ。私は、この本の執筆中に駅の駐車場に行ったが、支払いにはスマホしか使えなかった。私はスマホを使わない。つまり、私はそこに駐車できないということだ。アジェンダを受けいれたくない者は、このように強制的に従わされる。

すべて物事はこのように進められる。自発的↓「自発的に」従わない者が不自由する↓強制。各

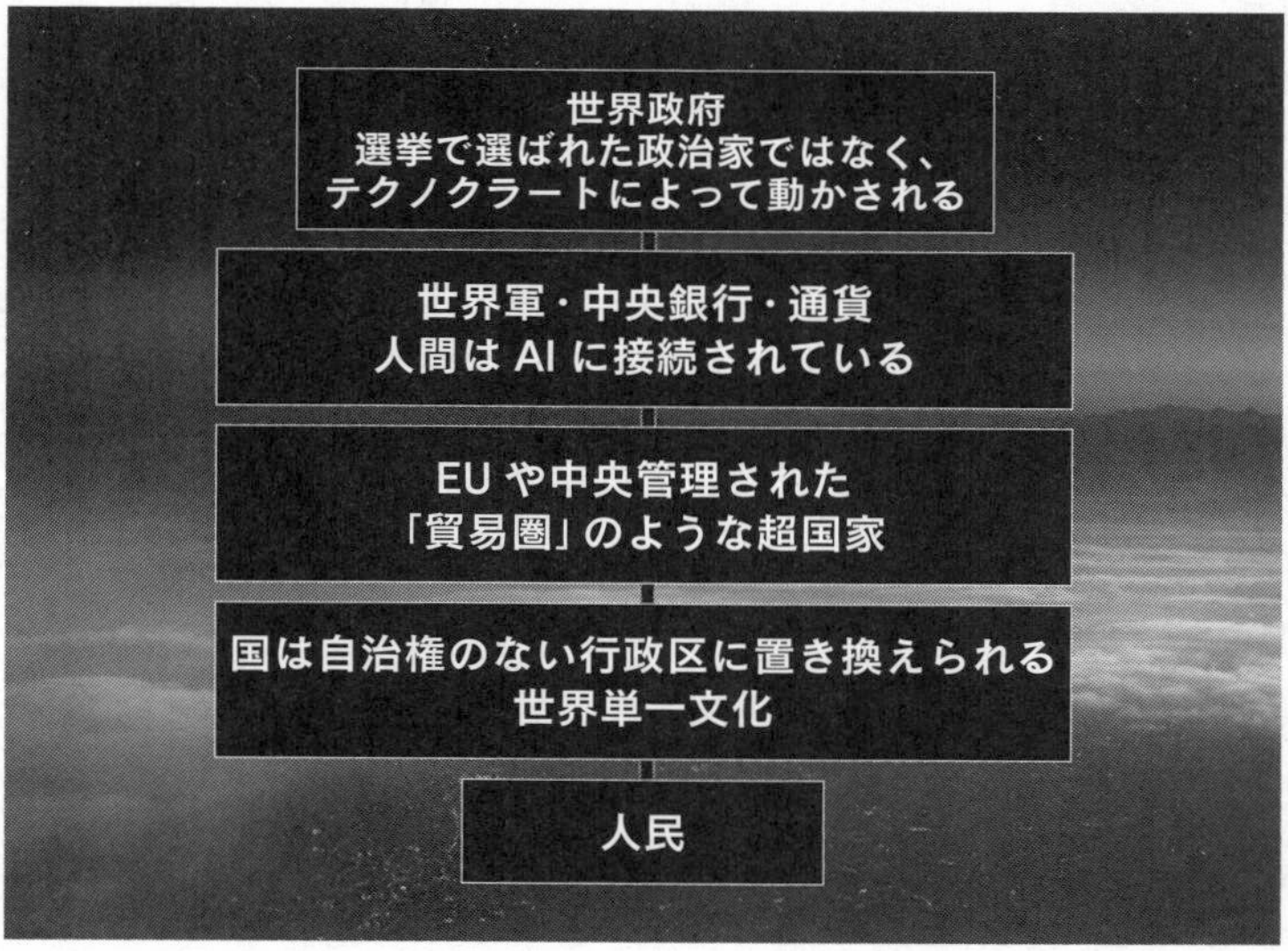

世界政府
選挙で選ばれた政治家ではなく、
テクノクラートによって動かされる

世界軍・中央銀行・通貨
人間はAIに接続されている

EUや中央管理された
「貿易圏」のような超国家

国は自治権のない行政区に置き換えられる
世界単一文化

人民

図240：計画された世界的独裁。

国の現金通貨は、カルトがつくったＥＵが、ユーロ導入により多くの欧州の通貨を廃止したことで姿を消しつつある。

ユーロ自体も、世界通貨に組みこまれる計画である（「新型コロナウイルス」詐欺の結果として、現金が徹底的に危険視され、現金取引が拒否されたことに注目してみよう）。

世界政府は、選挙で選ばれた者が動かすものではない。これについても、私は長年警鐘を鳴らしてきた。統治者は、カルトに仕える官僚とテクノクラート（技術官僚）となるだろう。「エリート技術者による政府、または社会、産業の管理」、テクノクラシーと呼ばれるものだ。

シリコンバレーは、すでに政府よりずっと大きな力をもっている。ＥＵの選挙を経ていない独裁官僚と同じく、まさにこの新興のテクノクラシーが働いているのだ。

世界軍は、世界的独裁を抵抗する者に押しつけるためにつくられた。近年のＥＵ軍（私は１９９０年代に予見していた）計画、そして長い歴史をもつ欧州中央銀行は、世界軍と世界中央銀行を見据えた忍び足の全体主義である。ＮＡＴＯもそうだ。同じことが、世界政府に関しても言える。世界保健機関、世界貿易機関、国際通貨基金、世界銀行がその足がかりだ。世界政府構造に向けたすべてのなかで最大の隠れみのが、カルトがつくり、支配している国連である。国連は着実に世界独裁政府へと変貌しつつある。これについては、国連主導の気候変動詐欺に触れる際にまた。

ハンガー・ゲーム社会

どんどん進む世界の中央集権化は、「ひとつになる世界」として打ちだされている。この幻想とうそは、どうしようもなく騙(だま)されやすい「ウォーク」進歩主義者らと、そのお仲間の気候カルトにまるごと受けいれられている。気候カルトはカルトの分派だが、それを知る支持者はほとんどいない。人びとを分断統治することに取りつかれたカルトが、「ひとつになる」ことを望んでいるなどと本気で信じているのだろうか？　世界レベルで全権を少数の手に集中させることが、本当の狙(ねら)いだ。そのあかつきには、人間の脳にはＡＩが接続されていて、それによってコントロールする手はずだ。

おーーーい！　なんてこった、いいかげん目を覚ませ。夢でも見ているのかと、ほっぺたをつねりたくなる。生まれてこのかた、政治的「左派」とは、言論の自由を掲げ、エリートの権力にもの申す者だと思っていた。それが今では、偽りの「進歩的な」「ウォーク」という考えにすっかりハイジャックされてしまった。そしてカルトがつくりだしたポリティカル・コレクトネス（ポリコレ）によって言論の自由を消し去り、カルトがつくりだしたＥＵによってエリートにこれまで以上の権力を渡すよう求めているのだ。

最終的に、暴政を求めた結果の報いを受けるのは誰か？　それを求めた彼ら自身である。子どもや孫、その先の子孫もだ。もともとのリベラル左派は、カルトがつくった「ウォーク」にすっかり吸収されてしまった。そのため本来のリベラルは、今日では「極右」とか「ナチス」などと非難されている。言論の自由など、基本的な自由を守ろうとしているためだ。

この手の輩がみずから掲げる「ウォーク」というラベルは、その起源を大いに詐称するものである。皮肉にも、ポリコレでいうところの「文化の盗用」と言えるかもしれない。「ウォーク」とは、1900年代からアフリカ系米国人カルチャーにおいて使われている政治的な言葉のようで、社会的、人種的正義への意識と関連している。

しかし偽の「進歩主義者」がこの言葉を使うときには、意味が変わってくる（当人は同じだと主張するが）。以後私は「ニューウォーク」と呼ぶことにするが、これは私たちが人類史と知覚しているあらゆる社会的不正を引きおこした、まさにそのカルトのアジェンダのためにキャンペーンをおこなうことを意味する。黒人その他非白人への奴隷化や迫害、そしてほとんどの白人への迫害が「社会的不正」だ。

『ハンガー・ゲーム』――現実を描いた映画

私は長年にわたり、カルトとニューウォークは私たちを「ハンガー・ゲーム社会」へと引きこもうとしていると述べてきた。そこに向かう忍び足は、世界じゅうで毎日続いている。「ハンガー・

ゲーム」とは、ご存じのとおり映画『ハンガー・ゲーム』シリーズ［米作家スーザン・コリンズによるヤングアダルト小説が映画化されたもの］から拝借した言葉だ。特権階級のエリートはすべての富と権力を占有し、超豪華なハイテク都市に暮らしている。大多数の人びとは彼らの奴隷として働いており、非情な悪徳警官／軍がエリート（今日でいうカルトとつながる1％）を守っている。人びとは絶望的な貧困、そして徹底的な監視とコントロールのなかで暮らしている。連帯を防ぐため、人びとは孤立した「地区」に区分けされている（分断統治）。私は数十年来、これこそがカルトがAIと脳を接続して押しつけようとしている構造である、と警告しつづけてきた（図241）。世界を見渡せば、誰がどの役どころかすぐにわかるだろう。

ここに、ナチスの大会でのアドルフ・ヒトラーの写真がある。彼はひとり正面に立ち、大軍隊に向かってサイコパスな演説をおこなっている。軍の向こうには、何千人もの人びとが整列させられている。ヒトラーが要求することはすべて成される、ということを示しているのだ。この写真をさかさまにして、ハンガー・ゲーム構造の上に載せてみると、完全に一致した。私たちが目にしているのは、グローバルバージョンのナチスドイツだ。

先端技術とAIによるコントロール・システム（管理体制）も追加されている（図242）。さらに、「ウイルス」ロックダウンも追加してもらおう。この計画はカルトのリーダーと主要なエージェントが、映画『ハンガー・ゲーム』の手法を使って、ピラミッドの頂点で富と権力を支配するためのものだ。

すでに私たちは「1％」について話す段階にきている。2019年のオックスファム報告書［オ

図241：私が数十年来警告してきたハンガー・ゲーム社会が、いまやはっきりと押しつけられている。（ニール・ヘイグ画）

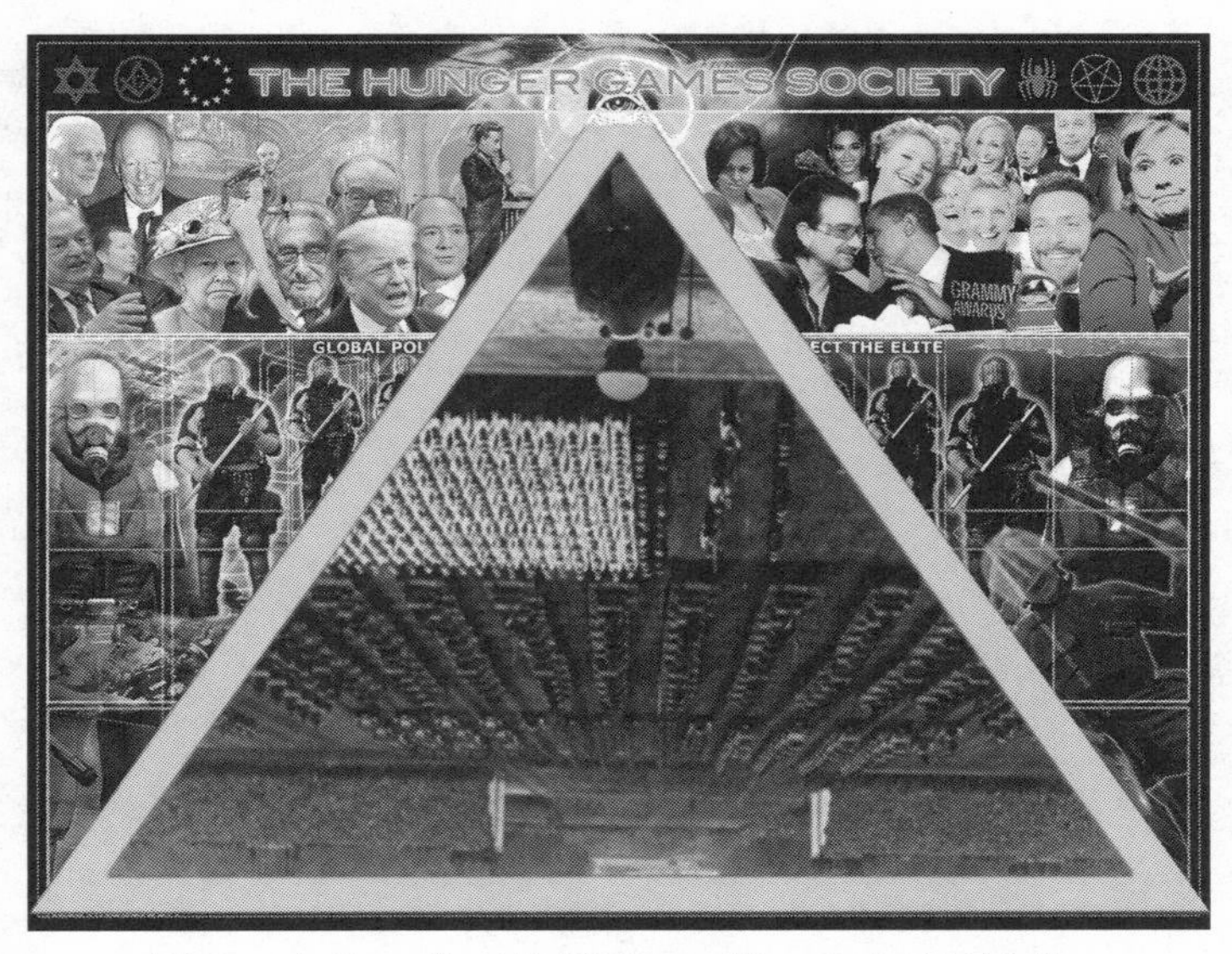

図242：ハンガー・ゲーム社会はグローバル・ファシズム社会だ。

ックスファムは貧困と不正の根絶のため活動する国際NGO。世界の不平等に関するオックスファムの年次報告書は、スイスのダボスで開かれる世界経済フォーラム（WEF）の年次総会を前に発表されるのが慣例」では、世界の最富裕層26人が、最貧困層約38億人（当時の世界人口の**半分**）の総資産に匹敵する富を握っていると推計した（図243）。

26人のなかにもヒエラルキーがあり、上位数人が富を独占している。アマゾンのジェフ・ベゾスやマイクロソフトのビル・ゲイツといったビリオネア（兆億長者）がその筆頭だ。2020年までに、世界には過去最高となる2816人のビリオネア（兆億長者）が誕生した。その資産は11兆2千億ドル［約1500兆円］に達し、米国と中国を除くすべての国の国民総生産を上回るといわれている。2020年のオックスファム報告書には、世界の最富裕層2153人は最貧困層**46億人**よりも多くの資産を保有しているとある。また、世界の最富裕層22人は、アフリカの全女性よりも多くの資産をもっているという。

しかし、ここでいわれている人びとが最も裕福であると信じるのはまだ早い。カルトのリーダーは、ベゾスやゲイツなどおよびもつかないほどの富を、人知れず隠しもっている。ベゾスやゲイツは表にでて働くが、最も力をもつ者は人前に姿をあらわさない。他人の名義や代理人を使って、資産隠しをおこなっているのだ。1%とその工作員は政府を所有し、政治家や政党を買収している（図244）。

ビリオネアの投資家ジョージ・ソロスは、米国の民主党とあまたのニューウォーク組織を所有している。かたや、シェルドン・アデルソン［カジノ王として知られる。本書英語版刊行後、202

図243：飢えて命を落としたり、路上で眠ったりする人びとを尻目に、こうした一握りの超ビリオネアは世界の富をハイジャックしている。そのくせ、その多くが「思いやり」や「価値観」を主張するとは、まったくもって腹に据えかねる。

図244：不変の原因と結果。

1年1月に死去」は共和党を所有し、ドナルド・トランプの大口献金者である。
カルトの手法は、すべての陣営をコントロールするというものだ。そうすれば、ゲームをコントロールできる。サバタイ派フランキストのロスチャイルド家は、これまで挙げたプレイヤーのなかでもずば抜けていて、世界中に所有している富と権力を隠すことにかけては達人だ。

カルトが支配する企業は、国家よりはるかにカネをもっている。世界の主要な69の経済主体［経済活動をおこなう単位。家計、政府、企業など］は企業であり、国ではない。上位200のうち、157が企業である。ウォルマート、アップル、シェルなどの企業は、ロシア、ベルギー、スウェーデンなどの国よりカネをもっている。ジェフ・ベゾスの資産のほんの1％は、エチオピア国民約1億人をカバーする保健予算に匹敵する。

巨大企業は政府を所有し、法や戦争に口をだす。そして競争相手を踏みつけにして、エースをすべて独り占めにする。現行の法は、中小のカルトでない企業には生き残るのがかつてないほど困難になるように（意図的に）なっている。いっぽうカルト企業はといえば、ほしいものはなんでも手に入る（**アップデート**（最新情報）**：**「ウイルス」詐欺ロックダウンによって世界中の大企業、零細企業になにが起こったか見てみよう）。

政府や体制全般を支配するということは、ビリオネアと彼らの企業の税率が、生きるのに精いっぱいの人びとよりもずっと低くなるということを意味する。グーグルが2011年に支払った税金はたったの600万ポンド［約10億円］、対して同年の売上高は30億ポンド［約5千億円。原文では3・65億ポンドだが、当時の報道を確認すると30億ポンドとあるので修正」である。

他の吸血鬼らと同様に、何百億ものカネを、本国以外のタックスヘイブン（租税回避地）［域外の企業に対して戦略的に税制優遇措置を設けている国や地域］にあるダミー会社に移動させているのだ。こうした企業やそのセレブなフロントマンは、完全に人をばかにしている。

「フェア・タックス・マーク」という、税の透明性を求める団体の２０１９年の報告によると、米国の六大ハイテク企業、アマゾン、フェイスブック、グーグル、ネットフリックス、アップル、マイクロソフトは、過去10年間に世界で千億ドル［約15兆円］もの「積極的な」租税回避をおこなったという。報告によれば、該当期間のアマゾンの売上高は９６０５億ドル［約１４０兆円］、利益は２６８億ドル［約４兆円］であったのに、納税額はたったの34億ドル［約５千億円］である。コネクションの少ない小さな企業が、いったいどうやって対抗できるだろうか？　とても無理だ。アマゾンや世界的な配車サービス、ウーバーといった、無尽蔵かと思えるような資金力で独占を進める企業と、どうやったら渡りあえるだろうか？　そんなことは不可能だし、それこそが狙いなのだ。

グローバルなブラック工場

カルトがつくり、支配するグローバルな銀行および金融システムは、なにもないところから魔法のように「クレジット」と呼ばれるカネをうみだす。そういうわけで、彼らの資金は底なしである。

アマゾンの独占により、実店舗や家族経営の店は大打撃を受けた。廃業に追いこまれた独立店を食いものにして、アマゾンは書籍業界を支配している（アマゾンが世界的にシェアを大きく拡大した「ウイルス」詐欺のロックダウンを参照されたい）。

米小売大手のウォルマートは、世界で最も売上高の多い企業である。ウォルマートも同じように、昔ながらの業種を壊滅させた。あるコメンテーターは、そのビジネスモデルをこう評した。「海外製品を国内の消費者に販売する。海外生産された、安価な中国製の粗悪な製品だ。工場の賃金は奴隷労働のように安く、米国メーカーはとうてい太刀打ちできない」

ある調査報告では、ウォルマートの中国製品輸入のため、２００１年から２０１３年までの間に、米国で40万人の雇用が失われたと推定している。これは、とくに地方で多くの町に打撃となったとみられる。こうした地方の過疎化も、後ほど触れるがカルトの主要なアジェンダのひとつである。ウォルマートは、独占を確保するため、競合他社が壊滅するまで赤字で商品を販売する方針までもとっている（アマゾンを参照）。

また、福利厚生をケチって、雇用するのはほとんどパートタイムスタッフだ。給料の足りない分は、政府が納税者から集めた税金で生活保護費を支払ってくれるのだから［米国では、高収益企業で働く低賃金労働者が十分な収入を得られないため、フードスタンプ（食糧支援）などの公的扶助プログラムに頼っていることが問題となっている］。

ウォルマート創業家のウォルトン家は、約**１５００億ドル**［約22兆円］の資産をもつといわれるが、使用人の扱いはこんなものだ。ウォルマートの手法は、カルトの戦略そのものだ。貧乏人を食いものにする、最低の企業である。ウォルマートは、かつて生粋の左派リベラルから広く非難されていた。しかし米国で最も裕福なウォルトン家がニューウォークな言葉やアジェンダを口にするようになったので、ニューウォークからは非難されていない。

独占は、コントロールを意味する。カルト企業がすべての業種と市場を支配し、他の者に商売をさせないことが目的だ。倒産した企業の経営者や、従業員はどこへ行くのか？　その他大勢とともに、ハンガー・ゲームの下層へとスライドしてゆくのだ。「ウイルス」詐欺によるロックダウンで、このプロセスは驚異的に加速している（図245）。

世界の富が「1％」とカルトに呑みこまれるいっぽう、貧乏人および中流と呼ばれる者は、ハンガー・ゲームのピラミッドに沿って、収入と資産を奪われている。私はずいぶん前に、ハンガー・ゲームなど自分には関係ないと思っている人はショックを受けると警告した。当時高給取りで、いい車に乗り、いい家に住み、休暇を楽しむ余裕のあった人たちのことだ。私は、カルトはそうした人たちをも標的にしている、と指摘した。富は支配され、人間はAIに置き換えられる。エリート以外の者はすべて依存と貧困の奴隷となる計画だ。カルトが引きおこした2008年の金融危機は、これに大いに貢献した。いっぽう、メガリッチはさらにリッチになった。

2017年と2018年の統計で、以前は「余裕がある」あるいは「裕福」だった人々が路頭に迷うようになり、2日に1人、新たなビリオネアが誕生していることがあきらかになった。この傾

図245：グローバルなダイナミズム。

向をうまく表現した見出しがある。「豊かな国では、中流階級は年を追うごとに縮小している」これは、ハンガー・ゲーム社会へと向かう忍び足の全体主義を描写したものだ。かつて、私が暴いたことを自分には関係ないと思った人の多くが、いまやテント村や店先で暮らしている。この流れは、カルトの仕事が完了するまで拡大を続ける計画だ。

米国の自殺率は、17年間で**40%**も増加した。その多くは「ブルーカラー」や「労働者階級」と呼ばれる人びとで、1%による富の蓄積や、組織的な大量の移民との雇用市場での競合によって大きく影響を受けた。働いている人でも、1週間、2週間と給料が支払われないと、経済的に困窮し、家を失ってしまう人がたくさんいる。英国のホームレス支援団体「ビーム」の全国調査によると、これまで人間が担ってきた仕事をAIが取って代わるようになると、平均的な英国人はたった2度給料が支払われなかっただけで、家を失うことになるという(ロックダウン前の調査である)。これはすべて計算ずくのことだ。

食糧支援団体「ムーブ・フォー・ハンガー」によると、米国人の8人に1人、あるいは4千万人の人びとが食料不安の状態にある。また子ども1200万人、高齢者500万人以上が、次の食事の保障がない状態にあるという(これもロックダウン前のデータだ)。低賃金、失業、その他社会的要因によってホームレスになる人が、「パンデミック」前から世界中で増えている。主な原因は、住宅費である。英国のホームレス支援団体「シェルター」は2019年12月、英国では8分に1人の子どもがホームレスになっていると述べた。

米国政府は、カルトがつくりだした、勝算のない史上最長のアフガニスタン戦争に（少なくとも）**2兆ドル**［290兆円］を費やした。そのカネを支援に振り向ければ、こんなことにはならなかった。2兆ドルのほとんどは、カルト所有の軍需企業や「防衛」企業の金庫へと消えてゆき、ホームレスは増えつづけている。大衆を困窮させ、貧困化させ、依存させたいのだから、国民にカネを使うわけがない。ハンガー・ゲーム・アジェンダの全容は、拙著『今知っておくべき重大なはかりごと』［ヒカルランド］で詳しく述べている。『答え』の背景を知りたい方は、ぜひご一読を。

都市に押しこめろ

私は長年、人びとを金銭的に締めつけて、郊外からＡＩが管理する巨大都市へと追いこむアジェンダを暴いてきた。そこでは、人びとは「マイクロホーム」に住むことになる。バス1台か、それより狭いくらいの家だ。私の警告以来、世界中でマイクロホームが建設されている。経済的に打撃を受けた郊外のコミュニティから、24時間監視下にある都市への人びとの移動も加速している（図246）。

米連邦政府は、すでに米国の28％の土地を所有しており、今後さらに取得予定だ。Technocracy（テクノクラシー）・news（ニュース）のパトリック・ウッドは、悪徳政府の支配がまかり通っている中国では、このプロセスがよりあからさまにおこなわれていると述べている。

……２０１４年に中国は、すでに建設されている空っぽの巨大都市へ2億5千万人の農民を２０１６年までに移住させる計画をあきらかにした。空いた農地は、農業ロボットや自動運転のトラクターなどの先進技術で運営される、巨大な工場式農場へと統合される。表向きは、退去を拒む農民には銃口を提示してお引っ越しいただくということになっている。

なぜ中国が、無人あるいはごくわずかの人しか住んでいない「ゴーストシティ」をつくりつづけているのか、人びとは疑問に思っていた（図２４７）。答えはこれだ。今日、欧米の指針となっているのは中国である。明日はわが身、いや、もうすでに？　うち捨てられた家、家族経営の農場や店、工場は、全米の田舎町で見ることができる。ウォルマートのような企業が中国のブラック工場から輸入し、競合他社をつぶすために破格で販売しているためだ。次にヘッジファンドのビリオネアがやってきて、地元の労働者から資産を引きはがし、地方を荒廃させる。

米国のケーブルニュースキャスター、タッカー・カールソンは、米テレビ界における最後のまっとうなジャーナリストのひとりである。カールソンは、胸がむかむかするような一例として、超シオニストでニューヨークを拠点とするヘッジファンドマネジャー、ポール・シンガー［米大手ヘッジファンド、エリオット・マネジメント創業者］のかかわった一件を挙げた。

フォーブスによれば、シンガーは30億ドル［約４００億円］以上の資産を保有しているという。

図246：AI が管理する都市で、ハンガー・ゲームの大衆のために世界中に建設されている、奴隷のためのマイクロホーム。

図247：中国全土に建設された「ゴーストシティ」。あとは大衆の強制移住を待つばかりだ。

カールソンは、シンガーの略奪的ヘッジファンドが、ネブラスカ州の小さな町シドニーで唯一の大口雇用主に狙いを定め、多額の利益のために壊滅させた件を報じた。人口６千人の町は、２千人の雇用を失った。**ブルームバーグニュース**が、シンガーを「世界で最もおそれられている投資家」と呼ぶのもうなずける。彼は「１％の最富裕層への増税に強硬に反対している」と報じられている。へぇーそうなんだー（棒読み）。

本稿執筆時点では、超シオニストのシンガーは、最高経営責任者ジャック・ドーシーを追いだすためにツイッターの株を買っていると報じられている［その後２０２１年にドーシーは退任し、ドーシーと親しいイーロン・マスクが２０２２年10月27日にツイッターを買収］。カールソンは、シンガーのような資産剥奪（はくだつ）行為を「国家の死骸（しがい）をむさぼるベンチャーキャピタリズム」と表現している。シドニーの惨劇については、「胸が張り裂けるような、おなじみの流れが始まった。人びとが去り、地価が暴落し、残った人びとは町を出ることができなくなる。この町に囚（とら）われてしまったのだ。米国最後のにぎわう小さな町のひとつが、破綻してしまった」

こうしたことが、全米で組織的におこなわれている。人びとを都市での貧困生活へ追いこむためだ。それは依存、ひいてはコントロールを意味する。このアジェンダのさらなる展望が、気候変動（詐欺）への対策として菜食をすすめるカルトのキャンペーンだ。気候変動デマによって、多くの動物が姿を消すだろう。家畜がいなくなった農地は、国や１％に奪われた土地に併合されるだろう。一般市民は排除され、巨大都市に詰めこまれる。接収された土地に車で行けるだろうか？　自動運転車の目的地に設定することはできないだろう。

フラッキング［シェールガスの採掘などでおこなわれる水圧破砕法］が、田舎暮らしを危機にさらしている。フラッキングをおこなう坑井は、ひとつあたり約7千トンから7万トンの水を使用する。周辺地域は水不足になり、都会へ出てゆかざるをえなくなる。石油やガスが含まれる岩石層にフラッキングで注入される水には、数百種類の化学物質が含まれている。これが地下水に溶けこんで汚染し、さらに飲み水の供給が少なくなってしまう。

2010年頃、世界の都市部に住む人の数は地方に住む人を上回るようになった。そしてその傾向は、かつてないほど加速している。オーストラリアでは、壊滅的な森林火災（発火すること自体は珍しくない）と、河川の枯渇による水不足で、地方から退去させられている。人為的気候変動のせいにされているが、まともなオーストラリアの科学者らは、気候変動と火災や干ばつ、河川の枯渇を結びつけるエビデンスはないと認めている。実際、水は集落に達する前にダムに流れこんでしまう。

ダムを所有する企業は、大規模なコットン産業などにその水を使い、中国や日本の「投資家」を潤わせるのだ。オーストラリアの火災や水不足については、マックス・イーガンの動画をおすすめしたい。気候カルトのちっちゃな女神グレタ・トゥーンベリは、もちろん2019年から2020年に起こったオーストラリアの大惨事を「気候変動」のせいにした。

森林火災は、オーストラリアの自然の一環である。かつては冬に野焼きをおこない、火が燃え広がらないよう空き地をつくることで、大事にいたらないようにしていた（図２４８）。緑の党の要請によって、野焼き禁止政策が進められ、これが起こるべくして起こった惨事の引き金となった。いや、ちょっと待てよ、台本には地球温暖化のせいだと書かれている。ニューサウスウェールズ警察によると、故意に火をつけた者を含め、２００人ほどが「火災関連犯罪」によって逮捕されたというが、これはまったく無関係ではないか。

他の地域でもおそろしい火災が起きている。インドネシアの火災も、人の過失によるもので、気候変動とは関連がない。林業や農業をおこなう企業による、森林や土地の管理の失敗が原因だ。これらの火災は、最も深刻な場合、産業界が排出する二酸化炭素を考慮すると、米国よりも多くの二酸化炭素を発生させている。また、絶滅危惧種を含む膨大な数の動物が犠牲になった。同じことが、オーストラリアでも起こった。ある生物多様性の専門家は、２０１９年から２０２０年の火災で犠牲になった動物は10億匹だと推測している。気候変動妄想狂は、火災の本当の原因などどうでもいい。とにかくすべて「気候変動」のせいだという、アジェンダありきなのだ。

そして、さらに多くの人びとが地方から都市中心部へと追いやられている。大衆が地方から強制移住させられる巨大都市は、「スマートシティ」と呼ばれる。スマートシティとは、人をぎゅうぎゅうに詰めこんで、人工知能による徹底的な監視とコントロールをおこなう都市を意味する暗号だ。私的な移動手段はなく、国が管理する無人の自動運転車と共同交通システムだけが存在する。国が許可した場所にしか行くことはできない。

図248：あらゆる災害や人災を、アジェンダ推進のために利用する。

図249：あらゆるものがAIでコントロールされるスマートシティでは、人間に選択の余地はない。公式文書では「人間居住地」と呼ばれている。

図250：とてつもなく大きいスマートシティが、サバタイ派フランキストが支配するイスラエルからそう遠くない、サバタイ派フランキストの支配するサウジアラビアで建設されている。世界的なスマート・コントロール・グリッド（AI支配基盤）の主要拠点として計画されているものだ。

既存の都市のスマートシティ化が進むいっぽう、中国のようにゼロから建設する動きもある（図249）。たとえば、サウジアラビアはサバタイ派フランキストの偽王家、サウード家が支配する国だが、ここでは5千億ドル［約72兆5千億円］を投じてスマートシティの建設がおこなわれている。「NEOM［ネオム］プロジェクト」と銘打った、ニューヨークの**33倍**の大きさの都市だ（図250）。「NEOM」とは「新しい未来」の意味だが、「カルトのアジェンダ」のほうがより正確だろう。

強制収容都市

サンフランシスコとロサンゼルスは、カルトのハンガー・ゲームプログラムの好例だ。カリフォルニア州全体ともいえる。ニューウォークなカリフォルニアには、全米の12％の人が暮らしている。しかしその25％はホームレスだ。信じられないほど豊かな者がいるいっぽう、25％の人は困窮している（ロックダウン後はどうなっただろう？）。ロサンゼルスの糞と小便だらけの街角ではチフスが発生し、大流行するのではないかと懸念されている。しかしハリウッドの大富豪やビリオネアは、下じもとは隔絶した邸宅で富に囲まれ、そのようなケガレから目をそらしている。人間の排泄物（はいせつぶつ）が、下水処理を経ずにロサンゼルス川に流れこんでいる。そのあとどうなる？

ハンガー・ゲーム社会を見てみたければ、サンフランシスコに行ってみよう。髪に花は飾らなくてもいい［スコット・マッケンジーの楽曲『花のサンフランシスコ』（１９６７）に「もしサンフランシスコに行くなら、頭に花を飾ってゆきなさい」という歌詞がある。当時、反戦の象徴として花が用いられた（フラワーパワーと呼ばれた）ことをふまえたもの］。

歩いている場所をしっかりと見ることのほうが、ずっと大切だ。サンフランシスコとシリコンバレーは、地球上で最も格差の大きい地域だ。私は、ビリオネアのテクノクラシーが出現する前から、「ゴールデンゲート（サンフランシスコ）」の街を何度も訪れている。そのころは歌いだしたくなるような街だったが、最近行ったときには、文字どおり糞溜め（shithole）だった。

グーグル、フェイスブック、ツイッターなどの「ニューウォーク」なオーナーは、塀に囲まれ警備員に守られた何百万ドルもの豪邸に暮らしている。かたやサンフランシスコの路上は、ホームレスの人びとや、人糞や小便であふれかえっている。精神を病み、日々襲いくる悪夢からなんとか逃れようと薬物依存者が使った注射針も転がっている。いまやサンフランシスコの薬物依存者は、高校生の人数を上回っている。住民からの路上の人糞に関する通報は、２０１１年には５５００件だった。それが２０１８年には2万8千件を超えている。ある動画では、男がスーパーの通路で排便していた。こうした件に対するサンフランシスコの対応は、公共の場で排泄した者を不起訴にするというものだった。もちろん事態はさらに悪化した。ワシントン州シアトルも、サンフランシスコとまったく同じ道をたどっている。

巨万の富をもつジョージ・ソロスと、その他ニューウォークの背後にいる１%は、全米で地方検事を目指すよう使い走りに資金を提供してきた。晴れて就任すると罪が軽くなったり、不起訴になったりする。狙いは人間社会をこわし、マフィアの掟(おきて)に取って代わらせることだ。結果、就任と同時期に米国では、他の犯罪と同様に殺人事件が急増している。

サンフランシスコには、まさにそういう地方検事がいる。チェサ・ブーダンの両親は「ウェザー・アンダーグラウンド」という団体に属し、今日ならばウォークテロリズムとでもいうべき罪を犯したかどで投獄された「ウェザー・アンダーグラウンドは、黒人解放を目指すブラックパンサー党と連帯し、反帝国主義をかかげた極左過激派。ブーダンの両親は他のメンバーとともに、１９８１年に現金輸送車を襲い、警備員らを殺害および重傷を負わせ、１６００万ドル［約23億円］を強奪した。裁判では、強盗は黒人の国を建設する資金の「収用」であったと主張した]。ブーダンの街は、全米の大都市のなかで最も窃盗事件が多い。平均すると１日60台の車がこわされているのだ。

サンフランシスコの監督委員は、ニューウォーク的に「既決重罪犯」という語を「刑事司法制度下にある人」と言い換えることを決定した。これは、犯罪の標的となった人をあらわす言葉でもある。強盗と盗まれた人、加害者と被害者を同じ言葉で呼んでいるのだ。犯罪を犯した若者は、「少年司法制度の影響下にある若者」と呼ばれるようになった。薬物依存者は「薬物使用歴のある人」だ。カルトのニューウォークなテクニックでは、問題を無視して（問題を**求めている**のだから）言葉狩りをおこなう。問題について、事実の詳細を議論できなくするのだ。

ニューヨークでも同様のことがおこなわれた。特定の犯罪について、保釈金を撤廃したのだ［保釈金を支払うことによって、刑事罰に問われている被告人の勾留を裁判の日まで解くことができる」。導入後1か月で自動車の盗難は67％、強盗は33％増加した。700万ドル［約10億円］の麻薬取引の容疑者6人も、このルールにのっとって保釈された。こうした被告人は、ちゃんと出廷するのだろうか？

かつてニューヨーク市警本部長を務めた人物は、釈放されたレイプ犯がふたたびレイプをしたり、凶悪な重大犯罪人が釈放され、殺人をしたりという実情を語った。収監されるべきでない人が刑務所にいるのは事実だが、それとこれとは話が違う。誤った人（無罪であるべき人）を収監し、ぶちこんでおくべき者が野放しになっている。

ニューウォークなカリフォルニアでは、被害額950ドル［約14万円］未満の犯罪を軽犯罪とみなし、捜査や収監をほぼおこなわない、という州法が可決された。どうなったかは想像もつかないだろう。誰が予測できようか？「軽犯罪」は急増している。万引きの戦利品が合計950ドル以下になるよう、電卓持参の窃盗犯もいる。中小企業はとくに大きな打撃を受けている。目についたものを自分のものにしてもお咎め（とが）なし、そんな無法社会を望む者は大よろこびだろう。

カリフォルニア州では、性的パートナーに故意にHIVを感染させた場合、また故意にHIVに感染した血液を提供した場合の罰則も軽くなった。感染させられた者はどうなる？ニューウォークは、本当の被害者には関心がなく、偽の被害者をつくりあげるだけである。

超シオニストのビリオネア（兆億長者）［『フォーブス』によれば世界第12位の富豪（2022年）］、202

0年米大統領選挙で民主党候補指名を争ったマイケル・ブルームバーグは、こうした問題にもかかわらず、カリフォルニアは全米のモデルとなると言った。カルトにとってはそうだろう。

　私は数十年来、米国その他世界の地域で、人びとが組織的に麻薬漬けにされ、奴隷化されていることを告発してきた。ブッシュ家とクリントン家を中心とするカルトのドラッグネットワークが、ドラッグカルテルを支配しているのだ。中国産の麻薬が、メキシコのギャング経由で米国に供給される。ほぼ警備のされていない、広大な南国境地帯を越えて運ばれてくるのだ（カルトのドラッグネットワークとブッシュ／クリントン／ＣＩＡ／イスラエルのモサドの関与については、『The Trigger』を参照のこと）。

　ケシの実から精製される麻薬性鎮痛薬、オピオイドへの依存は、米国で深刻な問題となっている。とくに、フェンタニルと呼ばれる合成オピオイドはモルヒネ［ケシの実に天然に生じる麻薬性物質］の１００倍の効果があり、中国から大量に流入している。オピオイドは鎮痛剤として宣伝されているが、脳を操るものであり、パーデュー・ファーマ社が大量に流通させた。この会社を所有するのは、ビリオネアのサックラー家である。オキシコンチン［オピオイド系鎮痛剤。ケシから採取した成分を原料として合成された半合成麻薬。物質名はオキシコドン］が大々的に売りだされた結果、おそろしい数の死者や薬害に苦しむ人びと、地域全体が壊滅してしまうなどの被害がでた。

　オキシコンチンは、パーデューが資金提供したワシントンのディープステートシオニスト「シンクタンク」、アメリカン・エンタープライズ公共政策研究所（ＡＥＩ）の強力なサポートのもと売りだされた。AEIは、アメリカ新世紀プロジェクトと多くのつながりをもっている［双方の事務所は同じ建物にある］。あるコメンテーターは、「何百万、何千万という米国人が、医師にこれらの薬品を処方されたのちに死のスパイラルへ入りこんでいった」と述べている。パーデューは120億ドル［約1兆7千億円］の和解金を提示しているが、オキシコンチンが引きおこした惨禍にはとうてい見あわない金額だ［パーデューは巨額の支払いに耐えられないと判断して破産申請。2021年9月に、2024年までに解散する計画が承認された。サックラー家は資金拠出によって民事上の責任を免れた］。

ドラッグ、アルコール、スマホ、その他すべてのものへの依存は、絶望と現実逃避によって加速する。カルトがハンガー・ゲーム社会を追い求めて国や生命、精神を破壊しているこの世界に耐えられなくなって、依存に走るのだ。カルトが所有する自動車メーカーは、米国内の工場を閉鎖して人件費の安い外国にアウトソーシングしている。オピオイドによる死者は、そうした地域で急増している。これが仕事の「グローバリゼーション」だ。つくられたホームレス問題は、カルトとそのサバタイ派フランキストネットワークを利するよう、ハンガー・ゲーム社会をさらに前進させる解決策を求めている。

米国のニュースメディア「ポリティコ」は、「ホームレスの増加により、し尿やゴミ、麻薬取引が増加し、予想外の同盟が組まれた」と報じた。共和党のドナルド・トランプと、超シオニストで民主党上院議員（サンフランシスコ地区）のスコット・ウィーナーが手を組んだことだ。この男は、こんなにもホームレスを気にかけている。「危機があまりにひどいので、人びとの心は大きく開き、政策も変化している……5年、10年前ならまったく見こみのなかった法案が通ることもある」

問題（Problem）－反応（Reaction）－解決（Solution）だ。ウィーナーの「解決策」とは、一定の事情を抱えたホームレスの人びとを強制収容するというものだ。国はこの措置を、オーウェル語で言うところの「非自発収容」だと説明するだろう。「事情」の範囲は、すべてのホームレスの人びとにあてはまるまで拡大してゆく計画だ。

カリフォルニア州レディング市長のジュリー・ウィンターは、ホームレスは「自立できると示すまで」「シェルター」に収容すべきだと提言した。言い換えるなら、ウィンターはホームレスであるという罪で、事実上監獄に収容すべきと言っているのだ。このような権威主義的な法律をつくろうとするのは、現時点では珍しい試みかもしれないが、今後増えてゆくだろう。町や都市の人びとが、ますますホームレス危機の影響を受けるからだ。カルトは、本当の解決策など求めていない。共感のない、非情なクレイジー（狂人）な奴らにとっては、ホームレスは目標達成の手段でしかないのだ。

貧困を保障し、管理する

ハンガー・ゲーム社会への突入を悪用するカルトのもうひとつのアジェンダは、収入の保障である。フェイスブックのマーク・ザッカーバーグのような、大富豪でニューウォークなプロの詐欺師が「すべての人にベーシックインカムを」などと言うなら、なにか裏があるはずだ。私は子どものころから、文明社会には誰しもそこ以下に落ちるべきでない、最低限のレベルがあると信じている。しかし、それとカルトの言うベーシックインカムとはまったく違うものだ。

ベーシックインカムは、**コントロール**の手段である。何十億もの人びとが、ハンガーゲーム・ピラミッドの底辺に押しこめられるようになっている。金融システム、巨大企業、ヘッジファンドが地域社会を破壊し、雇用をなくすよう操作したためだ。また、ＡＩが労働者の職を奪ったためである（もう一度言うが、これはロックダウン前に書いたものである）。ＡＩには給料はいらないのだから、より少数の手により多くのカネが渡っているということになる。テクノロジーは、ハンガー・ゲーム世界の構築にあたって、最も決定的な役割を担っている（ロックダウンも影響している）。この「問題」の「解決策」のひとつが収入の保障だ。しかし誰が、なにを基準に保障するのか？

その答えは、中国にある。政府に入りこんだカルトのスパイが、国への服従度にもとづいて配分を決めるだろう。中国では、カルトのコントロールシステム計画が急速に実現している。ニューウォークなビリオネアらは、中国批判をしない。それどころか、サイコパスな独裁者らを支援し、まさに欧米その他の国々に向けたシステムをつくりあげようとしている。ある中国の都市には、**２６００万台**もの監視カメラが設置されている。国の監視システムで顔の特徴をスキャンし、リアルタイムで顔をマッピングし、ＡＩが政府のデータベースと照合する（図２５１）。

欧米にも、同じシステムがすぐに導入される。カルトと、そのシリコンバレーのセレブなテクノクラートのおかげだ。「スマート」テクノロジー（あとの章でその本当の背景を説明する）によって、大規模な常時監視が可能になった。

中国の共産／ファシスト（いずれも同じだ）政権は、これを「社会信用」システムに活用している。全人民の行動を追い、それにもとづいて数値化されたスコアを上げたり下げたりするものだ。政府が望むことをすればスコアが上がり、望まないことをすれば減点され、罰則もある［逆にスコアが高ければ低金利でローンが組めるなど、特典もある］。

２０１４年の政府の文書によると、このシステムは「信用できる者には天下を自由に歩き回ってもらい、信用のない者には一歩踏み出すことをも困難にする」ことを目的としているのだという。これはおふざけではない。国家公共信用情報センターによると、２０１８年に中国の裁判所は国民の航空券の購入を１７５０万回、鉄道乗車券の購入を５５０万回阻止したという。「信用ならない」と公式に認定されたためだ（欧米では、偽「パンデミック」が同じことをするために利用されている）。

これを、（雀の涙ほどの）収入保障にあてはめてみよう。その種のカネは、政府の要求に従う者にしか支払われないだろう。これがベーシックインカムの真相である。ザッカーバーグのような１％の詐欺師や検閲官が、弱者に手を差し伸べるアピールをして推し進める理由がおわかりいただけただろうか。わずかばかりのベーシックインカムだけで、他に稼ぐ手段がない＝ハンガー・ゲーム

図251：中国のすばらしい大規模監視システムが、もうすぐ欧米にやってくる。[『すばらしい新世界』は、オルダス・ハクスリーが1932年に発表したディストピア小説]

社会である。

中国のシステムが欧米に導入されている様子をかいま見られるのが、シリコンバレーのエアビーアンドビーである。所有者がエアビーアンドビーを通じて旅行者に部屋を貸すというので、家を追われた人が世界中にいる。同じくシリコンバレーのウーバーが、自動運転タクシーにつながる「カネに糸目をつけない」ビジネスプランで世界中のタクシー会社を破壊しているのと同じ構図だ。エアビーアンドビーは、インターネットやソーシャルメディアのアカウントを調べあげ、賃借候補者の人格特性をチェックする技術を開発した。この「特性分析」ソフトウェアには人工知能が採用されており、「薬物またはアルコール、『ヘイト・ウェブサイト』、性産業」に「関連のある」人物にバツをつける。「潜在顧客に関連するキーワードや画像、動画などをネット上で精査し、その人物の信頼性を査定する」のだ。このプログラムは、潜在顧客の「行動や人格の特性」を査定する。「誠実度や開放性」も含まれる。中国の社会信用システムと変わらないではないか。

カルトの銃規制

さて、ハンガーゲーム・ピラミッドの中段に移ろう。世界各国で、警察／軍事国家が出現しはじめている。その役割は、1％をハンガー・ゲームの大衆から守り、その意思を残りの人類に対して強制することだ。まさに映画『ハンガー・ゲーム』シリーズのとおりである（ロックダウンを見よ）。最終的には、警察と軍をひとつにする計画だ。実際、警察は年々軍隊化してきている（図252）。

警察官が完全武装するいっぽう、米国人は銃を捨てよとたえず圧力をかけられている。孤立した家に住んでいて、警察の迅速な対応が望めない人たちもだ。これは偶然だろうか？　ありえない。私は銃などなければよかったのに、と思っている。銃は嫌いだし、祭りの射的でしか使ったことはない。しかし理想論ではなく、今日の世界を直視する必要がある。

カルトの支配下の警察や軍が完全武装するいっぽう、民衆は丸腰だとしたら、どうなるだろうか？　今日の洗練されたマインドコントロールテクニックをもってすれば、子どもや大人に、学校やショッピングモールで銃を乱射するようプログラムするなどたやすいことだ。そうすれば、銃規制を求める声が高まる。**犯罪者やクレイジー（狂人）な奴**が、法で禁じられているからといって、銃を入手したり使ったりしないと本気で考えているのだろうか？　法など気にしないのが、犯罪者やクレイジーな奴ではないのか？　武装した犯罪者は、住人が武装しているかどうかわからない家と無防備だとわかっている家、どちらに押し入るだろうか？

超シオニストでビリオネアのマイケル・ブルームバーグ（元ニューヨーク市市長で民主党大統領候補者指名争いに出馬するも敗退）は、カルトのアジェンダを推進する動きとして、銃所有者をターゲットとしたキャンペーンに資金提供している。法を遵守している人びとから銃を取りあげようとする動きは、現在おこなわれている常軌を逸した監視と切り離すことはできない。すべてはつな

図252：警察は、見た目もおこないも軍隊のようだ。グローバルな警察軍国家となる計画だからだ。

がっているのだ。これはカルト支配のグローバルな世界警察／軍事国家へと続く、忍び足の全体主義である。カルトがコントロールする、世界政府のアジェンダを押しつけるためのものだ。中国の社会信用システムは、この先に待ち受けるおそるべき世界の、ほんの入り口にすぎない。

カルトが所有するシリコンバレーと、中国など世界の関連テクノロジー大手は、巨大かつ拡張しつづける24時間監視ネットワークをすでに構築している。一挙一動が記録され、データベースに保存される。ゆくゆくは、ひとつのグローバルなデータベースに統合される計画だ。スマートテレビ、スマホ、バーチャルアシスタント［アップルのシリ、アマゾンのアレクサなど］、顔認識機能、カメラ、そしてオンラインでのあらゆる行動を通じて、監視と記録がおこなわれている。監視ツールは増えつづけるいっぽうだ。街灯にマイクを搭載したスマートストリートもそのひとつだ。また5Gの普及により、追跡やデータ収集の可能性は飛躍的に拡大する。オーウェルをはるかに超えた科学技術による独裁が、驚きの速さで導入されたのだ。

国境を開け

私は長年、カルトの内部関係者の発言を暴いてきた。彼らが押しつけたいのは「弱肉強食」だ。人びとはつねにおそれと不安を抱き、保護を求めてオーウェル的なコントロールを受けいれる。そのおそれは、操作によって引きおこされたものだ。おそれと混乱のアジェンダの一環として、米国南国境の開放がある。メキシコから、「殺し、犯し、支配せよ」という素敵なモットーを掲げたMS－13などのサイコパスなギャングが流入しているのだ。

メキシコの麻薬カルテルは、精神病質と残虐性をさらに深化させ、開放的な国境付近を悪用して米国に麻薬を流している。また、世界的にも主要な麻薬の供給源となっている。メキシコはこうしたカルテルによって動かされており、法と秩序は無きにひとしい。状況が悪化して、南から米国への人口流出が止められないほどの規模になることが狙いだ。多くの不法入国者が、米国内で子どもをもうける。米国で生まれた子どもは自動的に米国市民権を取得し、他の家族にも在留許可がでるからだ。不法滞在者から生まれたこのような「アンカー（錨）ベビー」は、２０１９年には37万2千人と報告されている。これは、48の州での米国民の出生率を上回っているという。

ビリオネアの投資家ジョージ・ソロスは、どんなに隠そうとしても、まぎれもなく超シオニストのグローバル・ネットワークの一員である。ソロスは欧米への不法移民の移動と、不法移民や犯罪者（殺人者も含む）の起訴を拒否し、数々の犯罪を非犯罪化する全米のニューウォーク地方検事の選挙キャンペーンの両方に資金を提供している。これが、カルトの内部者が言う「弱肉強食」をうんでいる。このブルームバーグの公約にも、隠された裏の意味を読み取ることができる。「私たちはふたたび移民を歓迎し、尊重し、敬意を払い、アメリカンドリームを目指す権利を与える国になれると信じています」

欧米への大量移住は、カルトのアジェンダの最前線である。もともとの住民と、移民の文化との間に対立をうむ（分割統治）ことが目的だ（図253）。カルトは、移民のことなど気にかけてはいない。移民は、カルトが目的を達成するためのゲームの駒にすぎない。リビアやシリアで爆撃をおこない、家族を引き裂いているのも同じカルトである。そうすれば、人びとは安全を求めて北へと向かい、欧州へ流入するとわかっているからだ。

私は、迫害や戦火から逃れてきた移民を支援することには大賛成だ。そもそもその戦争は、混乱をつくりだし、コントロールするために、カルトが西側諸国を使って始めたものだ。私が言いたいのは、移民の大多数は、戦火を逃れてきたわけではなく、ただ欧米に入国したいだけだということだ。もし私がその立場でも、そうしたいと思うだろう。しかし、それが欧米社会にとってなにを意味するのかを早急に見極める必要がある。

ドイツの日刊紙『ディ・ヴェルト』は、地中海を渡って欧州にやってくるほとんどの移民は、本当の難民ではないと懸念している。「通説とは異なり、イタリアにやってくる移民の多くは難民ではない……（2020年）1月に到着したボートに乗っていた者の多くは、アルジェリア、コートジボワール、バングラデシュからの移民だった」

イタリア内務省の統計によると、チュニジア、アルジェリア、トルコから移民が大量に流入しているようだ。こうした人びとのほとんどは、亡命資格や難民認定がないが、結局欧州にとどまる。ドイツ連邦移民・難民庁は、アフリカからの亡命希望者のうち強制送還されたのはごく一部であり、ほとんどは今後も追放されることはないだろうと認めた。強制送還された者は、またもどってくる。

図253：大量の異文化流入と、どこにでも、なににでも「レイシズム」を見つけてしまう理由。（ガレス・アイク画）

南から欧米へと、止められない移住の流れが計画されているのだ。

私は『The Trigger』で、トルコは、ＥＵと合意したトルコ国境を越えて欧州に向かう移民の入国禁止措置をいつか解除し、それによって数百万人以上の移民が北へ向かう可能性があると述べた。２０２０年2月下旬、トルコ政府の専制君主エルドアン大統領は、欧州への亡命を求めてシリア他から来た人びとをとどめることをやめると言った。トルコ当局者は、「欧州への移民をせき止めていた門を開放する」と言っている。

私は予言者ではない。ゲームのしくみを理解していただけだ。それがわかれば、なにが起こるか簡単に予測できるのだ。エルドアンは、この状況はＥＵが協定を再協議するまで続くとし、再協議がおこなわれたとしても、脅威は進行中だと述べた。この暴君は「反イスラエル」のはずだが、なぜかイスラエルを拠点とするサバタイ派フランキストカルトの計画を進めているようだ。欧州社会を移民であふれさせること、そして超シオニストのアメリカ新世紀プロジェクトが掲げたようにシリアのアサド大統領を失脚させるという、ふたつの計画だ。エルドアンは血迷ったのだろうか？私の直近の著作『『今知っておくべき重大なはかりごと』、『The Trigger』』では、トルコ共和国の初代大統領ムスタファ・ケマル・アタテュルクはサバタイ派フランキストで、もぐりの偽ムスリムであるという証拠を公表している。

より良い暮らしを求める移民を非難するつもりはない。カルトの計画を説明しているだけだ。私は大規模な移民が始まる何年も前から、このアジェンダについて警鐘を鳴らしてきた。２０２０年にハンガリーの外務・貿易大臣シーヤールトー・ペーテルが、（カルトがつくり、支配する）国連が「全人類」をおびやかす大量移民プログラムに資金提供していると声をあげたことで、この計画は広く知られるようになった。

シーヤールトーはウィーンで開催された国連の会議で、国連は故郷を離れ、西側諸国へ向かうことを奨励する機関に資金を提供していると述べた。2018年に採択された国連移民協定のことだ。西側政府にかつてない大量の移民を受けいれるよう圧力をかけるもので、当時の欧州議会［EU組織］議員ジャニス・アトキンソン（英）は、今後数年で欧州には590万人の移民がやってくるだろうと述べた。

大量移住とそれが招いた結果に対する批判が、「ヘイトスピーチ」として犯罪化されることに注目しよう。裏側にある文化的排除政策を隠すための目くらましだ。

完遂まで、すでにあと少しのところまで迫っている。長年計画されてきた内容が、2001年の国連文書「補充移民―人口の減少・高齢化は救えるか？」によって裏づけられた。これによると、人口減少に対処するということは、欧州に何億人もの移民を迎えることを意味するという。その推計では、欧州には2025年までに少なくとも1億5900万人の移民労働者が必要だ。「ひとりの高齢者を4、5人の若者で支えるという、現在のバランスを保つため」だ。

2050年までには最大14億人、年平均2520万人の流入が必要になる。そうなったあかつきには、17億人の移民、あるいはその子孫が、総人口23億人のほぼ4分の3を占めることになる。文書では、米国は「1995年から2050年までの間に5億9300万人、年平均1080万人の移民を受けいれる必要がある」としている。さらに「2050年までに、米国の総人口11億人のうち7億7500万人、あるいは73％が1995年以降の移民やその子孫となる」という。

このことを念頭において、超シオニストやサバタイ派フランキスト過激派、「ラビ」〔ユダヤ教の宗教的指導者〕の動画を見ると、背筋が寒くなる。イスラム教を使ってヨーロッパ社会を変革し、「エドム」つまりローマとキリスト教を破壊すると公然と言っているのだ。「ラビ」、ヘブライ語でいう「師／スピリチュアルガイド」のダヴィッド・トウィトゥーはこう言っている。「逃げ場はない。イスラムはイスラエルの掃除屋である」この狂人たちは、ユダヤのメシア（救世主）は欧州とキリスト教が「完全破壊」（米国を見よ）されたときにのみ到来するという。ご多分に漏れず、衝撃的な過激思想をもつトゥイトゥーはこう語った。

> では訊（き）こう。イスラムが欧州を侵略するのは良い知らせか？　素晴らしい知らせだ！　それは〔イスラエルから全世界を統治する〕メシアの到来を意味する……欧州人よ、犠牲は大きいぞ。いかほどのものか、想像もつかないだろう……逃げ場はない。イスラエルに対しておこなったあらゆる悪を、100倍返しで償うことになろう。
>
> イタリアが滅びれば……エドム（ローマ）が滅びれば……、イスラムがそこへ向かう。イス

ラムはイスラエルの掃除屋である。覚えておけ。

ひとたび「エドム」が滅びれば、その狂気の矛先は、イスラムその他を殲滅(せんめつ)させる方向へと向かうだろう。サバタイ派フランキストのサタニストによってイスラエルから画策されていることの背景は、『The Trigger』で詳しく述べている。一読してもらえば、なぜ「反ユダヤ」の定義が拡大を続け、サバタイ派フランキストの「反ユダヤ」用心棒による検閲によって強制され、こうしたことの暴露や議論がおこなわれることを阻止しているのかも合点がゆくだろう。

超シオニストのフロントマン、ジョージ・ソロスのようなビリオネアに資金提供されているニューウォークな面々は、国境開放に熱心である。しかし、それによって引きおこされる結果(カルトが望むもの)、つまり開放された国や、すでにいる移民を含む現在の国民への影響のことはまったく頭にない。ニューウォーク(中枢を除く)は、みずからが1%の人口転換アジェンダを推進していることに気づいていないのだ。ニューウォーカーは、事後について理にかなった熟考などしない。頭にあるのは、24時間善をアピールしつづけ、私はこんなにも純粋だというポーズをとることだけだ。

このニューウォークの思考パターン、もしくは感情パターンは、最初は「左」とされる政党に出現し、次に中道、さらには「保守」政党にまで拡大した知覚ウイルスである。このウイルスは、自己陶酔型のセレブ「ラビー」(俳優)のほとんどをむしばんだ。彼らはファーストクラスやプライベートジ

図254：欧米への人や文化の大量流入は、カルトと1％によって引きおこされた。そして1％に異をとなえるという「ウォーク」が、それを支援している。飛んで火に入る夏の虫。

エットに乗って、塀に囲われたいくつもの豪邸を飛びまわり、下じもの民に教訓を垂れる。待ったなしで地球を気候変動から守らなければ、貧しい人や恵まれない人を助けなければ、国境の壁をなくさなければ。だが彼ら自身の邸宅は、国境なみの壁で囲われている。

無条件に移民を受けいれることほど最悪なことはない。例によって、貧しい者や失業者が割りを食い、金持ちにとっては好都合だ。労働力は供給過多となり、より安く働く移民との競争によって最低賃金はさらに下がる。雇用機会は減少する。いっぽう金持ちは人件費を削減でき、広い屋敷で働く使用人の給料も安く済むし、いくらでも替えがきく（図254）。

米国の黒人社会は、この予測可能な一連の流れによってとくに打撃を受けている。大量の移民を受けいれた国では、どこも同じ状況だ。ビリオネアが、貧しい人びとからさらに奪ってゆく。「ソーシャル・ジャスティス・ウォリアー（社会正義戦士）」を自称するニューウォーカーたちが推し進めつづけている、とんでもなく見え透いたごまかしのおかげである。ギャグかと思うほど荒唐無稽（こうとうむけい）な主張だが、悲惨な結果を見ればとても笑えない。

ぬき足、さし足

カルトの欧米社会転換を押しつけるドミノ効果をうみだす、一連の相互関連した道すじによって、長年の計画の成果がもたらされている。

1. 中近東での戦争を操作し、麻薬ギャングや犯罪カルテルを支援することで中南米社会を恐怖に陥れる。またこうした社会を財政的に破壊することで、極度の危険と貧困の組みあわせをつくりだす。

2. 多くの人びとが逃げだす。中近東でも中南米でも人びとは北を目指し、欧州や米国に流れこむ。

3. 人びとの移動を助ける団体に資金を提供し、「約束の地」に到着することを保障する共連れ作戦で、さらに多くの人が加わるよう促す。これにはジョージ・ソロスのネットワークが中心となって関与している。

4. 人びとの大移動を煽動し、ターゲット国を数で圧倒する。カルトがつくったEUや、国境を開放し「全員を受けいれる」と言ったカルトのスパイ、ドイツのメルケル首相のような指導者が支援する。スウェーデンや米国でも同じことが起こっている。米国では、ニューウォークの民主党が全力を挙げて「すべての人に国境を開放せよ」と叫んでいる。スウェーデン雇用仲介庁は、2019年に政府から補助金のでないフルタイムの仕事を見つけることができた新規移民は、わずか6・1%だったと発表した。移民は、社会転換のための道具にすぎない。

5. 民主党がコントロールするニューウォークな自治体は、「聖域都市」と呼ばれる［在留資格の調査をしない、中央政府への不法移民調査協力を拒否するなどしているニューヨーク、ロサンゼルス、サンディエゴなど］。不法に国境を越えた者を、悪者であり解体すべき米移民（Immigration）・関税（Customs）執行局（Enforcement）、略して「ICE（アイス）」から保護しているのだ。

6. 国境を守るため壁やフェンスを建設せよといえば、偏狭なレイシストだとか、ナチ思想と非難される。移民はすべて善人で、数の多さやもたらされる結果に疑問をもつ者は当然悪であり、黙らせなければならないという、黒か白かの二元論なのだ。そこでシリコンバレー大手のビリオネアのトップらが検閲をおこなう。みずからのニューウォークっぷりを、本社や壁に囲まれた邸宅から発信している連中だ。「セルジオ、お茶を淹（い）れて。あと、床がまだ汚れているよ」

7. スウェーデンやドイツのような国では、こうしたことによって雇用や犯罪、経済にたびたび悲惨な結果をもたらしている。しかし、従順な根性なしのメディアは原因を追求しない。真実を語る者は、偏屈とか、レイシスト、ナチスだとして攻撃され、誹謗（ひぼう）中傷にさらされ、職を失ったりもする。そのように隠蔽されているのだ。懸念を抱く人は、同じ目に遭いたくないと口をつぐんでしまう。こうして反対意見を封じ、際限なく移民を流入させることで問題はどんどん拡大してゆく。

8．今のスウェーデンのように臨界点に達したなら、爆破や放火、殺人、レイプが頻発し、もはや真実は隠しようもない。スウェーデン穏健党党首、ウルフ・クリステルソンは、2019年だけで230件の爆破テロが発生したという犯罪防止委員会の統計を、政府が国のコントロールを失っている証拠だとした。すでに仕事は終わり、取りかえしのつかないところまできているのだから、そんなことはどうでもいいのだ。

9．より過激なニューウォーク政府が選出される。国境は開放され、ターゲット社会はすっかり様変わりし、ハンガー・ゲーム体制が導入される。

集団保護

私は移民を糾弾したり、ひとくくりに決めつけたりしているわけではない。むしろ、政治的目的のために苦境にある人びとを冷たく計算して利用し、移民や少数民族を個人のおこないではなく**ひとまとめに**集団として判断するという愚行を暴きたいのだ。

どんな人種、文化、性別、宗教の集団であれ、**かならず**そのなかには良い人、普通の人、そしてサイコパスがいる。カルトがプログラムしたニューウォークは、そうしたあたりまえの機微に対処できない。黒人か白人か、あるいは善か悪かとしか捉えられないのだ。とにかく白人が全面的に悪くて有色人種はすべて悪い白人の犠牲者であるというように、誰も排除しないはずが白人排除になってしまう。サンフランシスコで糞の中に暮らす白人ホームレスまでも、白人至上主義や特権の範疇とされる。なんとまあ、ニューウォークの背後にいるビリオネアは、マインドの操り方をよくわかっている。ニューウォークもさかさ言葉のひとつである。なにもかもさかさまにされている（図255）。

米国を私たちが知っているものとは程遠い形で終わらせようとする、カルトのニューウォークアジェンダは、民主党が提案した「新しい道筋を示す法」に記されている。メキシコ生まれの社会主義者で、イリノイ州選出の米下院議員、ヘスス・ガルシアが提案した法案だ。この法案は不法移民を非犯罪化し、ガードのゆるい国境を越えるにあたって障壁となる、かずかずの要因を排除するものだ。凶暴な犯罪者であっても、不法移民の強制送還は難しくなる。他国で重罪を犯した者でも、米国で暮らすことができるようになる。要するに、移民法や執行局は消滅するということだ。国境を越えることが違法でなく、越えてくる者を捕まえられないなら、警備する意味などないではないか？　ケーブルニューススキャスターのタッカー・カールソンは、この法案の内容に警鐘を鳴らしたが、ニューウォークなメディアは事実上黙殺した。彼いわく、

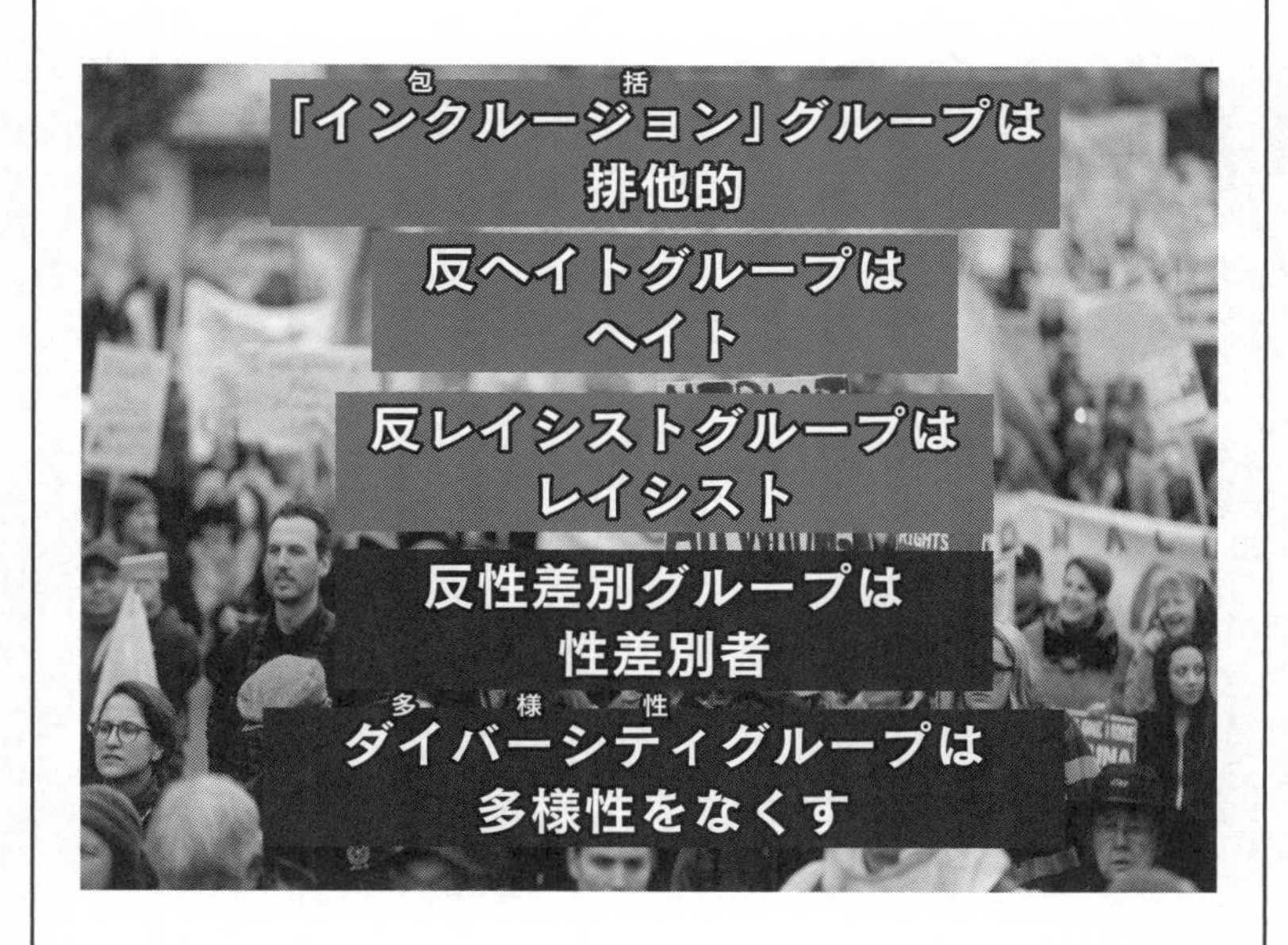

図255：「ウォーク」の横暴の真実を知りたいなら、彼らの言うことや支持することをすべてさかさまにしてみればいい。

現行の米国法では、合法的に入国した移民が「攻撃的な犯罪」、あるいは「不道徳な犯罪」（子どもへの性的虐待など卑劣で悪意ある行為）を犯した場合、強制送還される可能性がある。「新しい道筋を示す法」では、「不道徳な犯罪」は強制送還の事由から完全に除外されている。そして「攻撃的な犯罪」にも制限がかかっている。これはなにを意味するのか？

こう考えてみよう。現行法では強盗、詐欺、児童の性的虐待などの重罪を犯した移民は、刑期にかかわらずほぼ強制送還される。ゆすりなどの比較的軽微な犯罪では、1年以上の刑期であれば強制送還要件となる。しかし、もしこの法案が上下両院を通過し、大統領が署名して成立したならば、問答無用で強制送還となる罪はもはや存在しないということになる。ひとつもだ。

この法案では、強制送還が必要な犯罪については、最低刑期が1年から5年に引き上げられ、さらに裁判官には強制送還をしない裁量が与えられることになる。移民・関税執行局（ＩＣＥ）は、不法移民が危険である、あるいは逃亡のおそれがあると裁判所に納得させせなければならない。だが、警官がその根拠として過去の犯罪行為を挙げることは禁止されるだろう。レイプ、児童の性的虐待、麻薬密売などもだ。さらにありえないのは、新法下で強制送還されなかった場合、「以前強制送還された者が米国内の自宅や家族のもとにもどるための申請経路」をつくることを政府に強制する条項である。過去までさかのぼって国境を開放するというのだ。納税者は、過去に強制送還された者の所在を確認し、米国に「帰国」させる費用を負担しなければならない。罪を犯したため追い出した者に、足代を払っておもどりいただくわけだ。総合的に見ると、2002年から2018年の間に米国に不法入国、あるいは再入国したとして強制送還された者は48万人だが、彼らには米国に「帰国」する資格がある。

この法案は、2020年の選挙前（ドナルド・トランプ大統領の署名が必要）に成立する見込みはまずない［その後2021年にも再提出されたが成立にはいたっていない］。選挙において自殺行為となるからだ。しかしながら、この法案からはニューウォークが権力を握るとどうなるかが見てとれる。カルトのアジェンダが、犯罪者をのさばらせて騒乱と強者の支配を引きおこすことによって米国を破壊するためのものであるということを証明しているのだ。

この国境開放計画は、メキシコ出身の米政治家、ヘスス・ガルシアが提案したものだ。彼らは不誠実がバレても気にもとめないし、意図を隠そうともしない。いまやよろこんで公にさらしているのだ。戦火を逃れ、家族とともにより良い暮らしを求める移民と、米国のMS－13やスウェーデン、ドイツ、フランスの凶暴なギャングのように、平和なコミュニティを脅かすサイコパスとの間には、大きな隔たりがある。

スウェーデンでは、移民の襲撃以来、立ち入り禁止区域が増えている。警察も大人数でなければ行かないし、救急隊も足を踏みいれないのだ。対応策として、「言語・文化的能力」を備えた「より多様な」警察官を採用するという取り組みが始まったが、応募者の半数が選考試験に不合格となるという問題が発生した。いいよいいよ、選考基準をゆるめればいい。スウェーデン移民局長ミカエル・リベンビクは、国民に対し、スウェーデンは「戦争犯罪者やテロリストである可能性がある者の安住の地」になっていると警告した。政府が、疑わしい危険な犯罪者にパスポートその他の援助を与え、強制送還されないよう法によって守っているからだ（米国と同じだ）。

リベンビクは、他の国は「わが国が危険とみなした人物にパスポートや滞在許可を与えつづけていることを理解できずにいる」と述べた。スウェーデンの白人文化を壊し、社会を恐怖に陥れ、力を正義とすることが狙いなのだと気づけば、どうしてそのようなことが起こっているのかはすぐに「理解」できるだろう。ポリティカル・コレクトネスや「ヘイトスピーチ」は、このことを公にしたり、広く議論したりすることを防ぐための煙幕である。

パキスタンやアジアのギャングは、英国の都市で未成年の白人少女をレイプし、人身売買している。警察や政治家は、このことが明るみにでる何年も前から見て見ぬふりをしていた。人身売買は、今も産業規模でおこなわれている。北部の町ハダースフィールドでは、ある少女が**15歳**までに**300人**と性行為をさせられていた。こうした手合いは「グルーミング」［暴行にいたる前にまず信頼関係を築く心理プロセスのこと。少女たちに近づき親しくなってから暴行するため、警察が「合意のうえ」と判断し、捜査をおこなわないケースも多い］ギャングと呼ばれているが、強姦犯、サイコパス、児童人身売買業者というのが実際のところだ。彼らは残忍な性差別者でレイシスト、ニューウォークがさんざんに罵るはずの悪だ……**もし**白人だったらの話だが。相手が有色人種ということで、ニューウォークはだんまりを決めこんでいる。こうしたサイコパスを告発すれば、大量移民のシナリオにケチがつく。体制にとっては、おそろしい目に遭わされた少女たちより、そちらのほうがはるかに重要なのだ。

ギャングが白人で、少女がパキスタン人であったなら、警察は即刻正しい対応をしていただろう。この組織的な人種バイアスは、もちろんあからさまな人種差別である。「グルーミング」(レイプ)ギャングが、今も全英にはびこっていることはあきらかだ。次々と事件が発覚しているが、氷山の一角にすぎないだろう。検挙を逃れているギャングは、いったいどれほどいるのだろうか?

フランス国内治安総局からリークされた内部文書によると、フランスにある最大150のコミュニティがイスラム過激派の支配下にある、あるいは「握られて」いるという。文書は機密扱いとされている。情報を一般に漏らさず、アジェンダを守るためだ。移民がみな悪事を働くわけではなく、大多数はまっとうだ。しかし、そういうことをする者が**いる**のは事実だ。その存在や、問題の規模を暴こうとすれば、ポリティカル・コレクトネスに黙らされる。

エルサルバドル移民ギャングのMS−13は、マチェーテ[なた]で手足を切り落とす特徴的な残虐行為で、米国都市の地域社会を脅かしている。彼らの主要なターゲットは、エルサルバドルからの他の移民である(エルサルバドル人の3人に1人が現在米国に居住している)。ドナルド・トランプはMS−13を「ケダモノ」と呼んで、ニューウォークの民主党やメディアからひどく叩かれた。

図256：MS-13は「独裁から逃れて」、米国で新しい独裁を押しつけているだけだ。文句あるか？　レイシストめ。

人をマチェーテで切り刻むだと？　**地獄へ落ちろ**（図256）。

多いほど楽しい

より多くの移民に、不法に国境を越えさせようとする政策があることはあきらかだ。そうした移民に運転免許や投票権、無料の健康保険を与える動きがあるのだから。少なくとも数万人、それよりはるかに多いという説もあるが、それだけの人間が米国にビザで入国し、そのまま出国しない。

こうした政策は、じっくりと検討されないようになっている。移民への批判を違法としたり、検閲したりしているためだ。入国した国の文化や伝統を尊重しようとする人びとと、自分たちの社会通念や偏見を押しつけようとする文化至上主義者や偏屈者は根本的に異なっている。たとえば、スウェーデンの少女に着用が許されるものを教える移民シャリア（イスラム法）警察などだ。スウェーデン、ドイツ他でこのような惨事が起こることを許した者は、カルトの**ために**人民に**対し**て犯した罪のかどで監獄にぶちこむべきだ。こうしたすべてから、なにが生まれるだろうか？　日々の恐怖と不安、つまりカルトがあらゆる場所で押しつけたいものだ。カジノで勝つのはやはり胴元だ。私は他の著書で、少なくとも1920年代までさかのぼって、大量移住アジェンダについて詳述している。アジェンダは、EU設立の背後にあるハプスブルク家や超シオニスト銀行一家ともつながっている。

私は、超シオニスト医師でロックフェラー家の内通者であるリチャード・デイが、**1969年**にペンシルベニア州ピッツバーグの小児科医の会合で語った、きわめて正確な予測を引用した。彼は、幅広いテーマにわたって世界がどのように変化してゆくか述べており、そのすべてがすでに起こったか、現在起こっている［第4巻収録の付録2に概要がある］。ジョージ・オーウェルは、『1984年』［早川書房ほか］の内容をその20年前に知っていた。オルダス・ハクスリーも、『すばらしい新世界』［早川書房ほか］の内容を1932年に知っていた。デイもまた、同じ理由で世界の進む道を知っていたのである。アジェンダを進める一員であったなら（デイのように）、もしくは調査や縁故によって計画を閲覧できたなら、「未来」をやすやすと予測できる。邪魔さえ入らなければ、計画は遂行されるからだ。

1969年のデイの発言の詳細は、拙著『Phantom Self（まぼろしの自己）』［未邦訳］を参照されたい。その後起こったことと照らしあわせれば、驚くはずだ。インターネットの出現や監視国家、スマートテレビ、「男女を同じにする」計画、地方から都市への強制移住、欧米社会を転換するために計算された大量移住、などなどが予測されている。

会合に出席していた小児科医のひとり、ローレンス・ダニガンは、メモを取っていた。2004年、ダニガンはオルタナティブなウェブサイトのインタビューに答え、あの夜デイが話したことを語った。予測が次々に現実となってゆくうちに、黙っていられなくなったのだ。1969年、デイは大量移住についてこう言っていたという。

縁もゆかりもない地への、大規模な人の移動や移民が起こる。生まれ育って親戚もいる場所より、ルーツのない人が集まる場所のほうが伝統をたやすく変えられるからだ。

これが大量移住の本当の理由である。ターゲット社会の歴史や伝統とつながりのない文化を流入させることが目的だ。国家意識をもつ者は、世界政府の独裁のもとに国や国家が消し去られることに抵抗するだろう。国家意識が希薄になるほど、抵抗も少なくなるだろう。老いたものが死に絶え、今の社会しか知らない若者たちの時代になれば、歴史的・文化的基盤は崩れ去る。民族意識を操作して希薄にし、文化の軽視によってさらに体系的に弱体化させられているのである。

スウェーデンがいい例だ。スウェーデン、デンマーク、ノルウェーで最大の航空会社である、スカンジナビア航空の広告もその一環だ。スウェーデンの文化というものは存在しない、「真にスカンジナビアのもの」などないという考えを助長するものだ。大量移民を支援するスウェーデンの政治家や、国営放送のテレビドキュメンタリーでも同じことを言っている。スカンジナビア航空は、広告（プロパガンダ）に黒人男性を起用し「私たちは祖先のバイキングからなにも変わっていない」と言わせている。「スウェーデン名物」といわれるものを列挙し、すべて外国起源のコピーであるというのだ。大衆は怒り心頭だったが、このテーマは今後も続いてゆくだろう。なぜなら、それがカルトのアジェンダだからだ。

同様のことが米国でも起こっている。民主党の政治家が、移民は米国人より「もっとアメリカンだ」と言っているのだ。EUのような超国家への国家主権の吸収も、同じ計画の一部である。1920年代にEUを構想したのと同じ人びとが、次に今日の人間の大量移動を企てたのも同じ理由である（『今知っておくべき重大なはかりごと』参照）。

乗っ取りの流れ

大量に移民が流れこみ、自国の文化が崩壊したあとには、また別の一連の流れがある。単なる移民ではなく**大量の**、国境開放にひとしい移民である。

異文化が流入すると、まずは特定のエリアに固まる傾向がある。そしてその地の文化のあり方を変えるのだ。もともとそのエリアにいた人びとは、居心地が悪くなって移動する。これが急激に起こったのが、ロンドンのイーストエンドだ。一世代ほどの間に、文化的状況がすっかり変わってしまった［19世紀末にロシア、東欧からユダヤ移民が流入した。1877年に全英で約6万人であったユダヤ人が、1905年には約23万人に増え、その半分ほどがイーストエンドに集中していた］。人びとが流入してくる文化に直面して、「文化的安心感」を失う、ともいわれている。

つぎに、新しいコミュニティの票が、地方議員や国会議員を決定できる数に達する。この時点で、左派、右派、中道各政党は、票のために新しい文化におもねるようになる。同時に、これまでその党の票田であった既存のコミュニティを軽視するようになる。私はこれを「楽勝票（ギミー）」［ゴルフで、打たなくても入ったとみなす、短い距離を残したパットを「ＯＫ」または「ＯＫパット」と言うが、英語ではギミーと言う」と呼んでいる。

楽勝票を投じる者は、党からなんの見返りも得られない。「放っておいても投票してくれる」からだ。英国のニューウォーク大量移民推進派の労働党は、２０１９年の国政選挙で、そんな時代は過ぎ去ったと思い知らされた。数十年にわたって白人都市層を「楽勝」とナメてかかったことへの反発で、その支持を失ってしまったのだ。

人口が増えつづける新しいコミュニティが、得票のためのターゲットとなる。移民の政治家が選出されるようになり、ゆくゆくは首脳陣となる［２０２２年10月25日、英国首相にリン・スナクが就任した。同国史上初の非白人・アジア系、ヒンドゥー教徒の首相である］。移民の出生率は、もともとの国民よりずっと高く、支持母体が拡大しつづけるためだ。

欧米女性は出産を遅らせたり、ひとりも産まなかったりもする。それによって世界を「気候変動」から救えるという、ばかげた思いこみに誘導されているためだ。米ＣＤＣ［疾病予防管理センター］によると、２０１７年の白人女性の出生率は、全州で低下しているという。ドイツなどでも同じことが起こっている。出生数が死亡数を下回っているのだ。こうした事実を指摘することは、レイシズムではない。その裏にあるアジェンダを暴くことが目的だ。人種や肌の色にかかわらず、私たち全員がアジェンダの影響を受ける。

いまやロンドンでは、白人はマイノリティである。私の生まれ故郷レスターや、英国第二の都市バーミンガムでも同様だ。ここ50年で急激に変容が起こった。BBCが2018年に報じた、大学環境を予測する調査によると、2030年までにロンドンの学生の4人に3人がマイノリティ人種になるという。

英国の「ジャーナリスト」で、自称共産主義活動家アッシュ・サーカーという人物は、英国生まれのベンガル人［インド・パキスタンに住む民族］の末裔（まつえい）である。サーカーは2016年の動画のなかで、ロンドンの白人人口は60万人減り、非白人人口は1200万人増えたと指摘した。これに対する彼女の反応は「やったよ、みんな。私たちの勝ちだね」というものだった。その言葉にショックを受けた人びとに対し、彼女はジョークだったと釈明した（私はそうは思わない）。私たちが二重構造のポリティカル・コレクトネスのなかにいることが、またも露呈したわけだ。数字が逆だったとして、もし白人が同じことを言ったなら「レイシスト！　偏屈！　ナチ！」と、めちゃくちゃに叩かれるだろう。あきれるほどの偽善者アッシュ・サーカーは、先頭に立って口撃するはずだ。サーカーにとって、白人の英国はレイシスト社会なのだ。正統ニューウォークの考えでは、白人だけがレイシストと呼ばれる。ロンドンの白人が減り、非白人が増えていることを「私たちの勝ち」と表現するベンガル系は、レイシストではない。この偏見と不公正は、あからさまに組織的だ。

米国勢調査局によると、2045年までに米国において白人は人口の過半数を割り、ヒスパニック系が白人に次ぐ数に増加するという。1％がコントロールするニューウォークな連中が政治権力をもつようになれば、その時期は早まるだろう。かつてネイティブアメリカンの領域であった土地を、白人が占拠したことを忘れてはならない。ここで重要なのは、人口動態の変化そのものではない。なぜカルトによって組織的に操作され、そしてなぜ、なんのために白人がこれほどまでに標的にされているのかが重要なのだ。

この一連の社会的変化は、批判や暴露を呼ぶ。しかし、ふるさとが異国のように変わってしまうと訴えても、ポリティカル・コレクトネスによってしりぞけられ、沈黙させられる。ニューウォーク思想警察は、反対意見を述べる者にはすべてレイシストの烙印（らくいん）を押す。彼らは、人びとに「ジャッジしない」ことを求める（自分たちはジャッジしまくりである）。

「ジャッジしない」とは、オーウェルの作法では「意見をもたない」ということになる。ニューウォークな知覚収容所の外では、それが現実だ。それが意味するところは、他人（カルト）がしていることの批判を許されないということは、人びとを奴隷化し操作するために起こっていることを暴こうとすれば、当然すべてブロックされるということだ。

ニューウォークはカルト所有のメディアに浸透し、ポリコレ（政治的に適正）な報道がなされるよう目を光らせている。また警察を含む政府機関にも浸透しており、流入する異文化がもともとの文化に与える影響への批判は違法とする法律が導入された。まっとうな批判が「ヘイトスピーチ」呼ばわりされる。その積み重ねを経て、最終的には流入文化が元の文化に取って代わり、国を統治するための文化的基盤を変えるための法律が制定されるのだ。

ニューウォークは私のこうした指摘に偏屈者とかみつくが、そんなことをしてもなんの意味もない。私の現実観や、すべてはワンネスであるという視点からすれば、ばかばかしいことだ。私が述べた一連の流れは、事実上のしくみである。これは、カルトやそのエージェント（戦争犯罪者である英国首相トニー・ブレアなど）が、欧米社会を文化的・人種的に変容させるというアジェンダ遂行のために、**意図的につくりだした**ものだ。私が誰の目にもあきらかな真実を語ることを世間が好まないなら、こちらも中指を立てるまでだ。

ソロスのカネ

ビリオネアの操作者ジョージ・ソロスに関しては、『The Trigger』、『今知っておくべき重大なはかりごと』ほか多くの著作でその正体を暴いてきた（図257）。彼のグローバルな目的達成手段が、100か国以上に展開するオープン・ソサエティ財団（OSF）である。これを書いている今現在で、ソロスは**320億ドル**［約4兆6千億円］ほどを財団に提供している。OSFは非政府組織（NGO）と呼ばれ、これらは「シンクタンク」とともに、カルトの操作や政府政策の主要な供給源である。

財団の名前にも秘密が隠されている。オープン・ソサエティとは、国境を開くことや国家の終焉（しゅうえん）を意味する。偶然にも、私が30年来強調してきたカルトの目標と同じだ。カルトが計画したグローバル構造のためには、国をなくし超大州を監督する世界政府への道すじをつける必要がある。EU

のように、国家が地域組織に置き換えられるのだ。地域化された欧州の地図が、ＥＵを通じて明るみにでている。人びとは「地球市民」とされ、公選によらない世界政府に従わされる。
世界政府は、「スマート」テクノロジーによるコントロール網を指揮する「専門家」やテクノクラートが動かしている。国を消滅させるなら、国境も消滅するわけで、それこそが今起こっていることの狙いだ。国境がなければ国も、個人の価値観も、貧困や障がい、病のためのセーフティネットもない。いずれも、ニューウォークのソーシャル・ジャスティス・ウォリアー（社会正義戦士）が重視すべきと主張しているものだ（図２５８）。どんな過去があろうと、どんな人物であろうと、誰でもかつての国境をスルーして入ってくる。そして、保護を求めるのだ。誰が、どこからその費用をだすのか？　国境が開放されれば、財政が破綻することは目に見えている。

大挙して押し寄せた人びとはカネや仕事、家、健康保険、「教育」を求めるが、みなに行き渡るだけの用意はない。ニューウォークは、国境を開放することに**加え**、健康保険や住宅、失業対策、学校にもさらに予算を割けと要求している。あきれてものも言えない。自己認識が欠落していて、あきらかな矛盾にも気づかないのだ。ニューウォークはただ善をアピールするばかりで、合理的な思考がない。蛇口を開け放したままで、水さしからあふれる水を止められるか聞いてみるといい。「無理だ」というのではないだろうか。なのに、国境を開放することに**加え**、健康保険や住宅、失業対策、学校にもさらに予算を増やせという。いつか、みなに行き渡ると信じているのだ。いつまで経ってもそんな日は来ない。健康保険や住宅、失業対策、学校の予算をどれだけ増やしても、そ

図257：彼の正体を明かしてはならない。さもなくば「反ユダヤ」認定だ。

図258：みんな、よく考えてみたかい？　そもそも、少しでも考えたのかい？　そうは見えないね。

れを**上回る**とめどない人口流入と要求には追いつかない。

カバールのスパイであるソロスは、数百億の資産をアジェンダのあらゆるところに注ぎこんでいる。オープン・ソサエティの事業にも資金提供して、政府を転覆させ、政治家や政党をコントロールし、ニューウォークのアジェンダを押しつけ、欧米への大量移民を奨励している。さらに、英国のEU離脱（ブレグジット）阻止を目指す団体にも出資している。ソロスのカネの出どころは、米国に住む誰かであって、英国人ではない。そんなカネがブレグジット阻止に使われたのだ。うんざりするほどのおこがましさだ。2017年に戦略文化財団［ロシアのシンクタンク］のウェブサイトに掲載された記事には、ソロスのEU支配が詳しく記されている。

「ソロスのネットワーク」が、欧州議会などのEU機関に広範な勢力圏をもっていることは公然の秘密である。最近、ソロスのリスト［信頼できる盟友］があきらかになった。その文書には、あらゆる政治的スタンスの欧州議会議員226人が名を連ねていた。元欧州議会議長のマルティン・シュルツ、元ベルギー首相ヒー・フェルホフスタット［ブレグジット反対派の重要人物］、副議長7人、その他複数の委員長、調整官、財務官らも含まれていた。この議員らは、ソロスの理念を推進した。より多くの移民を招きいれることや同性婚、ウクライナのEU加盟、反ロシアなどだ。欧州議会の定数は751人である［当時］。つまり、議席の3分の1以上をソロスの友人が占めているということだ。

ジョージ・ソロスはハンガリー系米国人の投資家で、NGOオープン・ソサエティ財団を所有する設立者だ。彼は欧州委員会委員長ジャン＝クロード・ユンケルと「明確な議題もなく、非公開で」会って話せる立場にあった。EU全体に移民の割り当てを再配分するというEUの提案は、ソロスが発表した危機対処計画と不気味なほど似通っていることが指摘されている。

この記事は、まさにソロスとその親方、そしてオープン・ソサエティ財団によって**引きおこされた**移民「危機」への対応について書かれたものだ。問題－反応－解決である。欧州法・司法センター［NGO］の2020年の発表によると、2009年から2019年の期間に欧州人権裁判所で裁判官を務めた判事の**4分の1**近くが、オープン・ソサエティ財団あるいはソロスが資金提供した団体と強いつながりがあったという。たとえば人権団体アムネスティ・インターナショナルは、2010年以来1億ドル［約145億円］を受けとっている。この調査で、ソロスのネットワークから多額の資金を受けとっていて、事実上100％ソロス所有であるNGOが存在することがあきらかになった。しかし陰謀などない。ジョージ・ソロスは、輝くばかりの非の打ちどころのない善人である。そうでないと言えば、「反**ユダヤ**」になる。

「ソロスの春」戦略

ソロスが資金提供した団体には、ターゲット国の政府に抗議を仕掛けるという特別な任務がある。自発的な「市民革命」という幻想をつくりだすのが目的だ。カルトがひっきりなしに軍事力によって国を侵略したなら、パターンが読まれ、抗議が起こるだろう。それより理想的なのは、その国の大衆を操作して政府を転覆させることだ。そうすれば、陰に隠れて**「どうかした？」**とうそぶくことができる。

オープン・ソサエティは工作員を送りこみ、不安を煽(あお)る。何千人もの大衆が、すべてうそだとは夢にも思わずに追随する。続いて、カルトがコントロールする欧米政府が抗議者を公的に支援し、その国の指導者を悪者にする。多くの国で殺人やテロをおこなったり、権力に取りいったりしているサイコパスにとっては、いとも簡単なことだ。

ソロスのオープン・ソサエティ財団は、「アラブの春」と呼ばれるものの最前線にいた。アラブ諸国で抗議活動が起こり、政府を退陣に追いこんだ。その後エジプトでは軍事独裁政権となり、リビアでは武装勢力が乱立し、奴隷市場で児童売買をおこなっている。ソロスのネットワークが抗議活動だけで政権を倒せなければ、欧米政府がとどめを刺すため爆撃機を送りこむ。「暴力から人びとを救う」と報道させているが、その手法は空爆である。リビアで起こったことはまさにそれだ。

アフリカで最も高い国民所得を誇っていた国が、カルトがつくり所有するＮＡＴＯの空爆によって、石器時代に逆戻りしてしまった。

ソロスや米国／ＮＡＴＯのサイコパスにターゲットとされた国は、カルトのアメリカ新世紀プロジェクトで政権交代を要求された国と偶然にも一致していた。このプロジェクトは、サバタイ派フランキストの超シオニストによって米国で設立されたもので、そのメンバーには２００１年にホワイトハウスやペンタゴンの中枢にいた者も含まれていた。２００１年といえば、政権交代リストへの実力行使の大義名分となる、カルトがしくんだ９１１が起こった年である。

２０１４年にウクライナのヴィクトル・ヤヌコーヴィチ大統領が失脚した際も、オープン・ソサエティが糸を引いていた。監督したのは、超シオニストのビクトリア・ヌーランドである。彼女は当時、米国国務次官補（ヨーロッパ・ユーラシア担当）であり、夫は超シオニストのロバート・ケーガンだ。ケーガンは、なんとアメリカ新世紀プロジェクトの共同発起人である。

ＤＣリークスという団体が入手した、オープン・ソサエティ財団の２２００以上の文書から、ソロスとその手下による操作があきらかになった。操作は、２０１４年のクーデター後の、偽リベラルオバマ政権下での対ウクライナ政策にまでおよんでいる。ある文書では、「新しいウクライナ」を「欧州統合のそもそもの本質に立ちもどる機会を提供することで、欧州(ヨーロッパ)の地図を書き換える」要(かなめ)と形容している（「欧州統合」とは、カルトがコントロールする官僚による、欧州全土の専制的中央集権計画である。ソロスがブレグジットを阻止しようとしたのはこのためだ）。

英国の研究者フランク・フレディは、ソロスのネットワークの傲慢さや範囲、アジェンダについて、個人的な経験を英国の全国紙に明かした。彼は、ゲストスピーカーとしてソロスの財団が資金提供するイベントに登壇したのだという。イベントはソロスの生まれ故郷、ハンガリーのブダペストで開催された。フレディはこう振りかえる。

私がソロスの組織ネットワークによって推し進められる傲慢なエートスの極みにでくわしたのは、ブダペストの豪華ホテルで昼食を終えるころだった。テーブルで私は、ソロスのNGOのオランダ、米国、ウクライナ、ハンガリーの代表が、自分たちの業績を自慢するのを聞いていた。エジプトのアラブの春で自分たちが大きな役割を担った、と主張する者。ウクライナの民主化に貢献した、と誇る者。リビアのカダフィ政権転覆の足場固めにかかわった、と得意げな者。私は黙って座っていた。自分たちは世界中で神を演じる権利がある、とのんきにうぬぼれている人びとを不快に感じていた。

途中、テーブルの上座にいたハンガリーのNGOリーダーが、私に彼らの仕事をどう思うかと訊ねた。気分を害したくはなかったので、私は遠回しに、外野が民主主義思想をリビアの人びとに押しつけることが妥当なのか、またうまくゆくのかわからない、と言った。するとその人物は、即座に切りかえした。「リビアのジェファーソン［トーマス・ジェファーソン］は米国建国の父と呼ばれる第三代大統領」があらわれるまで待つ暇はない」

ソロスの財団が仕掛けた「市民革命」によるカダフィ大佐の失脚や、シリアなどの国での操作が、中近東やアフリカから欧州への大規模な人の移動を引きおこした。その仕掛け人であるオープン・ソサエティ財団が、それを支援した。『今知っておくべき重大なはかりごと』に、その詳細を記している。また、いかにしてソロスが資金提供した団体が、陰で中南米から米国への大量移民を企てたかも取りあげている。

２０１８年にもまた、カルトのシンクタンク「ニューセンター」が設立された。ここでは米国内のすべての「不法滞在者」を免責し、永住を認めよという運動をおこなっている。ニューセンターは、ブルッキングス研究所のウィリアム・ガルストンと、超シオニストで**アメリカ新世紀プロジェクトの共同発起人ウィリアム・クリストル**の指揮下にある。「ニューセンター」の要求は、ニューウォークなメンタリティによって骨の髄まで支えられている。資金の大部分を提供しているのは……**ジョージ・ソロス**だ。

ソロスのオープン・ソサエティのネットワークは、２０１８年に彼の生まれ故郷ハンガリーから公式に撤退した。ビクトル・オルバン首相率いる政府が「ストップ・ソロス法」を制定し、財団による同国の操作を犯罪行為としたためだ（図２５９）。他の者は、オープン・ソサエティの活動を禁止するロシアとのソロスの駆け引きを、「ロシア連邦の憲法制度の基盤と国家の安全に対する脅

図259：ハンガリー政府はソロスのもくろみを見抜いて、その活動を暴くこうしたポスターを掲示した。

威」のあらわれと見ていた。

ソロスについて暴くことを阻む防衛メカニズムは、ユダヤ人である彼に対するあらゆる批判は「反ユダヤ」だ、というものだ。反ユダヤ産業と用心棒が、あらゆるユダヤ人やシオニストへの正当な調査を阻止している。**なぜなら**相手はユダヤ人あるいはシオニストであるから、それだけだ。**ユダヤ**至上主義者というわけか？

「反ユダヤ」のまったく新しい定義が世界中の政府機関によって紹介されている。イスラエル批判もそのひとつだ。定義を拡大し、かつてないほどさまざまな情報や意見を「反ユダヤ」認定して、カルトとその工作員の存在がバレないよう守るためだ。

世界人口の0・2％、米国人口の2％の人びとが、政治、金融、主流メディアやシリコンバレーによる検閲において、とてつもない力をもっている。それがなぜなのかと訊ねることは、本当に犯罪なのだろうか？　自由を尊重する社会ならば、しごくまっとうな質問のはずだ。

カルトはこのようなことを訊かれたくない。なぜなら、カルトのサバタイ派フランキスト機関（嫌ユダヤ）の存在がバレてしまうからだ。とくにユダヤ人に知られてはマズい。ユダヤコミュニティに入りこみ、それを隠れみのにしているのだから、致命的な打撃になるだろう。「反ユダヤ」と糾弾されることをおそれ、このような指摘や質問をする者はほとんどいない。私は、そんなことはどうでもいい。私は真実を追求する。それで誤解され、罵倒（ばとう）されるならそれまでだ。現時点で、ニューウォークでない人びとは絶え間なく恫喝されている。カルトは望むものを手に入れる。人類が気概を固め、自尊心を呼び覚ますまでそれは続く。
急がなければ、今すぐにでも。チャンスを逃してはならない。

第８章

なぜ生命のガスを悪魔化するのか？

信念は操ることができる。危険なのは認識だけだ

――フランク・ハーバート

ニューウォークは、あらゆる意味においてカルト教団である。なかでも「人為的気候変動」はその最たるものだ。気候変動は人間のせいであるという信念が正統とされ、神学(theology)として確立している。ギリシア語の神(theo)と学問(logy)に由来する語で、「神の学問」を意味する。この場合の「神」は意識の高い自分自身であり、悪魔は二酸化炭素である（図260）。

宗教には、ありえない信仰にもとづく正統がある。水の上を歩くとか、処女懐胎といったたぐいで、気候カルトにももちろんある。宗教はこうしたありえない信仰に否定的な者を異端者や冒瀆者(ぼうとくしゃ)と呼び、気候カルトもそうしている。宗教はみずからの物語を信者(フォロワー)に無条件に信じさせ、気候カルトも同様だ。

宗教は、正統の信念は信仰にもとづくものでなければならず、事実にもとづくものではないという。気候カルトも同じだ。エクスティンクション・リベリオン(絶滅への反逆)のような教義が主体の宗教や、ニューヨーク州選出のニューウォークな下院議員、アレクサンドリア・オカシオ＝コルテスのような気候カルトの司祭がまき散らすナンセンスを信じなければ、「気候変動否定論者」（異端者、冒瀆者）とされる。考えるな、**信じろ**。

以下の方法は、元ＣＢＳニュースの調査レポーター、シャリル・アトキソンが説明した「アストロターフ」(エセ「草の根」)抗議団体のためのカルトのマニュアルからそのまま引用したものだ。

アストロターフの特徴に、煽動的(せんどうてき)な言葉を使うというものがある。「変人」「知ったかぶり」

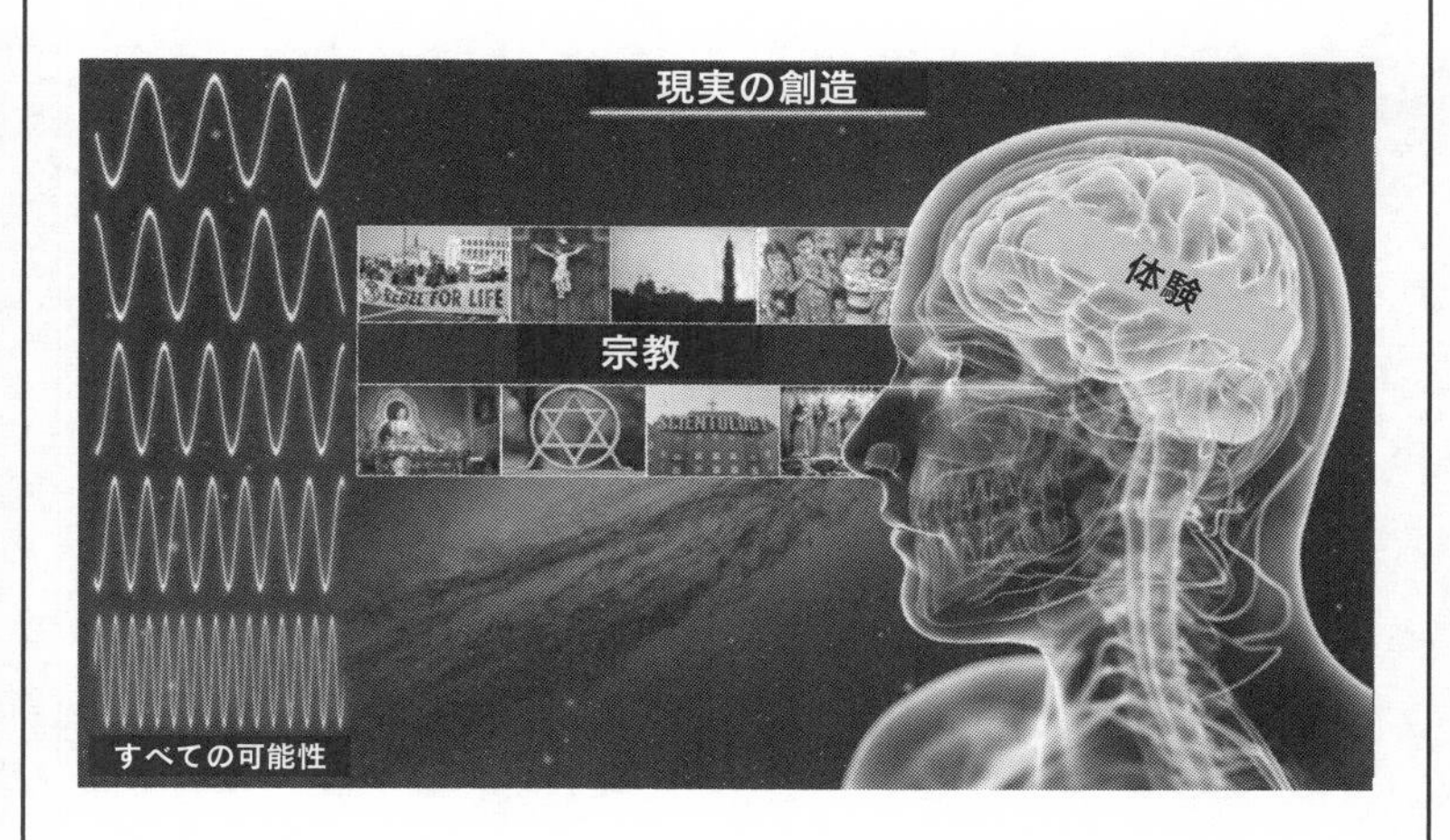

図260：気候カルトやその一部であるエクスティンクション・リベリオン［英国で創設された環境保護団体］は、宗教のあらゆる条件を満たしている。「生命のための反乱」は、1％のための反乱を意味する。あらゆるその他の宗教同様、気候カルトは信者を罠（わな）にかける知覚プログラムだ。

「あたおか（頭がおかしい）」「うそ」「パラノイア」「偽」そして「陰謀」など。アストロターファーは都市伝説の虚偽を暴くなどとよく言うが、それはそもそも都市伝説ではなかったりする。異論を呼びそうな言葉をうまく使うこと。なにかが都市伝説だと聞いて、スノープス「ファクトチェック（事実検証）をおこなうウェブサイト。フェイクニュースなどをチェック対象とする」などでそれを見つけた途端、自分は賢いから騙（だま）されないと勝ち誇る人がいる。しかし、その都市伝説の概念そのものが都市伝説で、あなたもスノープスもそれに引っかかったのだとしたらどうだろう？ 利害関係者が、ある問題について事実を取りあげるのではなく、それを取り巻く人や人格、組織などに論争をしかけたり、攻撃したりしているときは要注意だ。アストロターフかもしれない。

そしてなによりアストロターファーは、不正をおこなった者ではなく、不正を暴いた者に対して疑いの目を向ける傾向がある。言い換えれば、権威を疑うのではなく、権威を疑う者を疑うのだ。だんだん見えてきただろうか。メガネを外し、きれいに拭（ぬぐ）ってかけ直すと、これまでレンズが曇っていたことにはじめて気づくような感じだ。私にはこの問題を解決することはできない。だがせめて、みなさんがメガネを外して拭（ふ）き、ますます現実がカネによってつくられるなかで、より賢明な情報消費者になるきっかけとなる情報を提供できれば、と願っている。

権威を疑う者を疑うことは、気候カルトおよびニューウォークのプロパガンダ全般の核心である。

気候カルトとニューウォークは、人間社会がカルトによるグローバルな独裁制へと転換する手段であるから、いずれもアストロターフ（偽「草の根」）の隠れみのにくるまれている。これについては次章で述べる。
この章ではまず、まったくのほら話である気候変動説をひもといてゆく。

カルトの教義とその多くの顔

カルトの典型的な特徴をいくつか挙げてみよう。カルトの指導者や、彼らが信じよというものへの絶対服従。これらの信念だけが真実である。この正統を絶えまなく繰りかえし、洗脳することによってカルトメンバーを支配する。「私たち」に敵対する「やつら」という考え方をさせ、あらゆる外部の異論は「迫害」だときめつける。

カルトと連携した救済——私たちが求めることを全員がおこなうことでのみ世界を救うことができる。メンバーからの圧力のかかる集団思考で、疑問をもつ者をターゲットにする。疑問をもつ者が食いさがるようなら、遠ざける、あるいは排除して、論理的疑問によって集団思考が害されないようにする。批判的な考えを避け、正統のあからさまな矛盾は無視せよ。カルトな服装、あるいは制服が規定されていることも多く、身なりや髪型だけでカルトのメンバーが判別できる。

こうした特徴のすべてを、（またしても）ジョージ・ソロスのようなビリオネア（兆億長者）が資金提供してつくられた気候カルトや、教育機関での何十年にもわたる気候変動の洗脳に見ることができる。これにより、あらゆる世代で大多数がまったくのうそっぱちを信じるようになった。それだけを聞かされて育ったからだ。気候カルトの神学は、知覚コントロールの最強形態によって成りたっている。正統を繰りかえし吹きこみ、他の視点や意見、情報を排除するのだ。気候科学と二酸化炭素の影響に関する長年の専門知識をもち、気候変動デマに否定的なプリンストン大学の教授でさえ、ユーチューブの動画には公式のうそを吹聴する**ウィキペディア**のページをタグづけしている（ウィキペディアは公式のうそを吹聴するために**存在**しているのだから、言うまでもないが）。気候変動説に疑問を呈するユーチューブの動画を探してキーワードを入力したら、その教義をおうむがえしするウィキペディアのページがそのリストのトップにあった。グーグルが所有するカルトのプロパガンダ事業のユーチューブは、とんだ詐欺師である。

　気候カルトは「科学に従え」と要求するが、カルトは非科学的である。オープンな心構えとバランスのとれた理解のもとに、すべての科学的意見や研究に耳を傾ける。そんな科学的スタンスは1ミリもない。あらゆるニューウォークのアジェンダ（実現目標）同様、その目的は反対派を黙らせ、負けるとわかっているオープンな議論を阻止することだ。

　国連の気候変動資金に関するハイレベル諮問グループのメンバーであるジョージ・ソロスは、気候変動の正統を「否定」する者を黙らせようとする数々の組織に資金提供している。そのなかに「アヴァーズ」（複数の言語で「声」を意味する）という、「世界最大で最も力のある活動家のオンラインネットワーク」といわれる団体がある。

アヴァーズは２００７年、レス・プブリカとムーブオンという、ソロスが資金提供したふたつの団体によって設立された。キャンペーンチームは30か国で活動し、７千万人のメンバーがいるという。アヴァーズは、「人びとが動かす政治」を目指して活動する、地球規模の**「草の根」**活動を自称している。17か国語によるキャンペーンを6大陸の「コアチーム」で展開する。

ソロスが資金提供したこの団体は、グーグル所有のユーチューブで、人為的気候変動の公式プロパガンダに異論を唱えるあらゆる情報や意見をバン（排除）するキャンペーンを主導している。アヴァーズ（声）は、他人には声をあげてほしくないのだ。ソロスと関連する民主党下院選挙運動委員会（ニューウォーク政治部門）も、グーグル所有のユーチューブに「気候変動に関する誤情報」を含む、つまり公式のストーリーにもの申す動画を検閲するよう要求している。

ファシストな委員会メンバーは、グーグルＣＥＯサンダー・ピチャイに、ユーチューブが「毎日何百万人もの視聴者に気候変動に関する誤情報動画を見させる」ことを至急やめさせるよう書簡を送った。自由の軽視もはなはだしいが、カルトのアジェンダには好都合だ。アヴァーズは「気候変動説の否定＝死」だという。勝てない議論はバンしてしまえ、と言っているだけではないか。

「草の根」アヴァーズは、カルトの「ほしい物リスト」にあるもののために、長らくキャンペーンをおこなってきた。イラン政府の退陣を求める活動家を支援したが、これはカルトが長年取り組んできた案件だ。リビア飛行禁止空域の設定［国連安保理が２０１１年に決議。政府軍による反体制派への空爆を阻止するもの］も後押しし、米、英、ＮＡＴＯはリビアの防空システムを破壊、空爆をおこなってカダフィ大佐を失脚させた［多国籍軍・NATO軍は自軍に犠牲者を出さぬようハイテク兵器による空爆作戦を展開、リビア政府軍だけでなく民間人も多数死傷した］。また、カルトのターゲットであるシリアのアサド大統領に対する、米国が煽動した「市民蜂起」への支援として、抗議デモ参加者への150万ドル［約2億円］相当のインターネット通信機器提供や、活動家の訓練をおこなったと報告している。

アヴァーズは、世界をより良い場所にするために「行動する理想主義者の団結」を呼びかける。しかしリビアやシリアに対する欧米（カルト）の行動への支援だけをとってみても、罪のない人びとの死と破壊の狂乱に続く人類の悪夢に一役買ったといえるだろう。これらの国はみな、2000年9月に公表された、超シオニストのサバタイ派フランキストのアメリカ新世紀プロジェクトのリストで名指しされている。

アヴァーズを信頼している人たちには、世間知らずの自助グループに電話することをすすめよう。ジョージ・ソロスを信頼している人たちには、無駄な電話をしないようにと言いたい。さすがの自助グループも、ソロスを信じるようではお手あげだ。経済的な利益を得るためにその国のカネを狙い、国民全体に経済的な大混乱を引きおこした男が、親切心から「進歩的な」「人びとが動かす」団体に資金を提供しているわけがない。そんな素晴らしい人物が本当にいればいいが。

ソロスは、世界的な金曜日の学校「ストライキ」を仕掛ける団体にも資金提供している。気候カルトのグレタ・トゥーンベリの活動から始まったもので、彼女は「気候のための学校ストライキ」、

「フライデー・フォー・フューチャー（未来のための金曜日）」という言葉の著作権を有している。米国の保守派の非営利メディア監視団体メディア・リサーチ・センターは、２０００年から２０１７年の間に、グローバル気候マーチ（Global Climate Strike）［フライデー・フォー・フューチャーが学生だけでなく大人も参加するよう呼びかけたことから始まった全世代型のストライキ］のパートナーとして挙げられている活動家組織のうち、少なくとも22団体がおよそ２５００万ドル［約36億円］をオープン・ソサエティ財団経由でソロスから受けとっていたと報告している。

ファンド・フォー・グローバル・ヒューマン・ライツ、グローバル・グリーングランツ・ファンド、350.org［気候危機に取り組む国際環境ＮＧＯ。二酸化炭素の安全な上限値として知られる３５０ppmが団体名の由来］、アムネスティ・インターナショナル、アヴァーズ、カラー・オブ・チェンジ、ピープルズ・アクションなどだ。グリーン・ムーブメントの正体が見えてきただろうか？残念ながらまだのようだ。しかし、**なぜ**人為的気候変動説がでっちあげられたのかをひもとけば、わかってくるかもしれない。

エクスティンクション・リベリオンの主要な出資者は、数百億ドルを運用する世界最大のヘッジファンドのひとつ、ザ・チルドレンズ・インベストメント・ファンド・マネジメントを率いるクリス・ホーン卿（きょう）だ。英紙『メール・オン・サンデー』は、同ファンドが環境スキャンダルの渦中にある会社に投資していたことをあきらかにした。気候カルトやニューウォークは、どこへ行ってもビリオネア（兆億長者）のスポンサーや支援を引きよせる。その素晴らしい能力には驚くばかりだ。

超ビリオネア、アマゾンのジェフ・ベゾスは2020年初頭に「気候変動と闘う」ため100億ドル［1兆4500億円］を投じると発表した。新たに設立する「ベゾス・アースファンド」を通じて「科学者、活動家、NGO（ソロスのように）」に資金提供するという。人為的な気候変動が1％によるデマであることが、さらに確認されたのだ。ベゾスはメモを手に取り、気候は予測よりも速く変動していると言った。「予測も良くなかったが、現実はさらに厳しく急を要している」まったくあくびがでるってものだ。

ベゾスは、アマゾンは同社が出資するミシガン州に本拠を置くリビアン・オートモーティブに、配送用電気自動車を10万台発注していると言った。これもまた、カルトのアジェンダそのままだ。この発表の前年、「気候に優しい」（実際は違うが）AIに職を奪われる運命にあるアマゾンの労働者数百人が、ベゾスに気候変動への対応が十分でないと抗議していた。プログラミングおそるべしである。奴隷を操作して、自分が望むことを要求させるように仕向けるのだ（世の常）。

気候カルトは、世界中で増えつづける、気候変動の正統をうそっぱちのナンセンスだと見抜く科学者を黙らせるために活動している。そうした科学者は危険視され、起訴され、メディアには黙殺されて、キャリアや収入を奪われる。対照的に、台本どおりにしゃべる自称「科学者」（ベゾスが支援するのはそのたぐいだ）は、カルト所有のメディアに引っ張りだこだ。うそをバラされないよう、無尽蔵かというような口止め料をあてがわれているのだ。

ニューウォークな気候セレブのカルト教団

ひとたび正統信仰が主流となれば、それを支持することは「クール」とされる。意識高い系のセレブであれば、イメージづくりや支持基盤固めのために必須である。ニューウォークは「尊い」。ニューウォークでなければ、メディアやエンターテインメント、コメディ界でのキャリアは終わるだろう。科学者をコントロールする手口と一緒だ。われわれの望むことを言うならカネを積もう。自分の正義を貫くならつぶしてやる。フェイスブックでいいねを集めるのとツイッターでの炎上、どっちがいい？　その結果、気候カルトの正統「汝飛行機に乗ることなかれ」を標榜する幇間セレブが湧いている。ただし、気候変動会議や抗議活動へはプライベートジェットで乗りつける。

意識高い世界チャンピオンの俳優レオナルド・ディカプリオなどは、環境賞を受賞するためにプライベートジェットでやってきた［2016年に仏カンヌ→米ニューヨーク（授賞式）→カンヌをプライベートジェットで移動］。セレブは、カルトのメッセージを広く伝える手段として利用されている。だが誰が、なぜ自分たちを操っているのか勘づいている者はまずいないだろう。

英国のハリー王子と米国人の妻メーガン・マークルは、気候変動への意識が高いニューウォークである。他人に「カーボンフットプリント」［温室効果ガス排出量］を削減せよと説きながら、自分たちはリムジンやプライベートジェットで移動している。それって偽善じゃないの？　いえいえ、私は**自分**のことではなくて、**あなた方**が削減すべきだと言っているのです。ハリーの地球環境保全への貢献は、裸足（はだし）で演説をするというニューウォーク的な姿勢にとどまっている。靴を履けよ、でなきゃ帰りに滑走路で足をケガするぞ。

夫妻は2020年1月に「高位王族を退いた」と発表し、カナダへ向かった。超ウォークなマークルは公に自分の意識の高さ（気候変動神学など）を宣伝することができるようになり、ハリーは言われるがままになって、白人男性であることを謝りながら後ろをついてゆくことになるだろう。ニューウォーカーはこれを支持した。なぜなら夫妻はニューウォークだからだ。ニューウォークにハイジャックされる前の本来の左翼なら、彼らが血統によって得ている特権や日和見主義、ナルシシズム（自己愛）を暴露していただろう。カルトはふたりを利用し、超リッチにして、気候変動とニューウォークのアジェンダを推進するつもりなのだ。

夫妻の最初の**超高額な**仕事は、2020年1月、JPモルガン・チェースに集まったメガリッチな1％の偽ウォークを前にした「講演」だった。その報酬は75万から100万ドル［約1億から1億5千万円］と報じられている。JPモルガン・チェースは米国最大の銀行で、世界でも6番目に大きく、総資産は2兆6千億ドル［約380兆円］である。投資によって環境を破壊し、不平等と不公正を広げて私腹を肥やす偽ウォーカーに向かって、大金のために魂を売って語りかける偽ウォーカー。カネ稼ぎに夢中なロイヤル（王族）の偽善と自己認識の欠如には、ぞっとする。

「ロイヤル」カップルは、「財政的に自立する」ことを望んでいると言った。つまり、王室のコネクションと特権を利用して多額のカネを稼ぎながら、政治に関与しないという王室の縛りからマークルを解放する、ということだ。いまや彼女は、ニューウォークのアジェンダのために活動できる。「温室効果ガス排出ゼロ」もそのひとつだが、プライベートジェットで飛びまわるなど、夫妻は気候カルトの要求を無視しているようにも見える。

ハリー王子は、二人組のロシア人がグレタ・トゥーンベリの父を装ったいたずら電話にひっかかり［「ボバンとレクサス」として知られるコメディアンで、歌手のエルトン・ジョン、バーニー・サンダース議員らにもいたずら電話をかけている］、会話を録音された。王子の発言は、聞いているほうがこそばゆくなるようなものだった。自分なりの考えがなく、気候変動デマの台本を一語一句繰りかえしているだけだということが露呈してしまったのだ。

マークルがいかにウォークで意識が高いかは、クリントン夫妻、とくにヒラリーとの親密さからうかがえるだろう。地球上で最も腐敗したパートナーシップのひとつである。王室専用機の乗客は今後、より声高に気候カルトとニューウォークのあらゆる面を支持するようになるだろう。ニューウォークが軽蔑(けいべつ)すると主張する「特権」を享受しているというのに。体制は彼らを万全にサポートするだろう。

米国のテレビ司会者タッカー・カールソンは、セレブの気候ニューウォークっぷりを「プライベートジェット階級の神学」と鋭く言いあてている。いっぽう私たち下じもの者が乗る飛行機は、近いうち渡り鳥のようにV字隊列を組んで飛ぶようになると言われている。空気抵抗を減らすことで、燃料やCO_2排出を削減するためだ。カーレースで、先頭にぴったりついて走るようなものだ。これは、将来的に飛行機での移動をなくすための足がかりである。飛行機が他の飛行機に近づきすぎて、乱気流でねじ曲げられるとどうなるかを経験した者としては、ワクワクが止まらない。

スウェーデンの気候カルトの女神グレタ・トゥーンベリは、スウェーデン語の「フリーグスカム」（「飛び恥」）という言葉を流行らせ、飛行機での移動をやめるよう人びと（プライベートジェット階級を除く）にプレッシャーをかけるために利用された。自分が操られていたことを知ったときにトゥーンベリが感じる恥は、耐えがたいものだろう（図２６１）。

トゥーンベリと気候カルトがさんざんに煽ったおかげで、英国のダービー大学では、地球環境や生態系のことを気に病む学生や職員に「気候不安セラピー」を受けさせている。大学は、このセラピーは怒りや罪悪感、悲しみの感情をコントロールし、「喪失感」に対応することを目的としているという。**悪い夢**でも見ているのだろうか？　誰か私をつねってみてくれないか？　ある学生は「気候危機」のせいで「未来がない」と感じていると言った。ああ、おめでとう、グレタとその参謀（ハンドラー）よ。よくやった。保健研究センター副長ジェイミー・バード博士は、人びとは失われゆく環境を目にして「気候悲嘆」にさらされるのだという。失われているのは環境**ではなく、**正気だ。

絶えまない洗脳にもかかわらず、多くの人がそのうそを見抜いているが、ほとんどの人は反発をおそれて口にできずにいる。しかし、ナルシスティック（自己愛的）で自意識過剰なエクスティンクション（絶滅への）・リベリオン（反逆）の２０１９年の抗議活動で、目が覚めた人も多いのではないだろうか。ロンドンの地下

図261：悲しい、本当に悲しい。

鉄の屋根に登った抗議者を、一日の仕事を終え、早く帰りたい通勤客らが引きずりおろしたのだ。もうたくさんだ、というのが当然の反応だろう。**みな**そう感じている。

途方もないうそ

大衆洗脳の基本は、スケールの大きなうそである。ナチスは、大きなうそほど信用されると言った。ちょっとしたうそをつけば、バレるかもしれない。誰でもつくような小さなうそは想定の範囲内だが、大きなうそは想定外だ。最強なのは、カルトが売りこむとてつもない大ぼらである。

さて、人びとは気候変動の正統を支持するため、細かいところでうそをつくことはあっても、**大前提**においてうそをつくことはない、と言う。そうとも、今もこれまでも、これからもそうだろう。気候変動デマの個々の要素、**そして**デマ全体の両方についてうそをついているのだ。なぜなのか、簡単に説明しよう。

じつは、デマの全体像とは個々のデマの総体だ。カルトは、異議を唱えるものを黙らせ、悪者にすることでこの事実を守ろうとしている。そうして、大多数がたったひとつの説しか耳にしないようにしているのだ。デマの基礎はたえず繰りかえされる主張、「科学的に決着がついている」というものだ。しかしそれはまったく事実ではなく、日に日に科学の限界があきらかになってきている。

現職のスペイン首相ペドロ・サンチェスはこう発言し、おバカレベルを更新した。「エビデンスを否定するのは一握りの狂信的懐疑論者だけだ」気候変動の正統はナンセンスである、という事実を暴露する、さまざまな分野の専門家が増えつづけていることをさした言葉だ。サンチェスをはじめ、ほとんどすべての政治家が耳にしているのは、元をたどればクモの巣を通じてカルトから発せられる公式見解である。彼らはその正統を、疑う余地のない金科玉条の真実として繰りかえすのだ。これが、教師や教授が若者たちに気候変動という偽りを信じるように日々おこなっている洗脳である。子どもたちを洗脳するのは嫌だって？　ならば別の仕事を見つけることだ。きみの代わりにやってくれる人と交代してもらおう。プログラムされた者が、次の世代をプログラムしている。

ひとたび正統が現実として受けいれられ、確立すれば、政党やその指導者は（わずかな例外もあるが）、誰がその問題との「闘い」に最も尽力するか競いあう。そもそも、問題など存在していないのだが。気候変動教に疑問を呈することは、政治的には自殺行為だ。なかでもニューウォーク「左派」ではありえない。でっちあげを見抜いた者は、選挙を見越してお口チャックである。

カルトは、あらゆる「常識」を公式設定した瞬間から、社会全体でドミノ倒しが始まることを承知している。すべての機関が、穴だらけの操作された「常識」にもとづいて決定を下し、法案を提出する。気候変動デマがいい例だ。公式見解は学校で教えられ、主流メディアに喧伝され、国の法律にも浸透してゆく。いっぽう反対者は黙らされ、罵倒され、悪者にされる。この見解が、疑うことのない人びとに「真実」として受けいれられるのも不思議はない。

私はドナルド・トランプの支持者ではない。トランプにはいくつも懸念がある。しかし気候変動に関していえば、みな言われたとおりに信じたり怖気づいたりするなか、彼は堂々と正統にもの申した。

「科学的には決着がついている」というでたらめの裏づけとして、気候科学者の97%が、人類が気候変動（地球が形成されて以来、気候は**つねに**変動を続けている）の主な原因であると信じているという詐欺がある。イングランド・ウェールズ緑の党共同代表ジョナサン・バートリーは、ＢＢＣの番組でこの欺瞞的な数字を受け売りしていた。また彼は、ＢＢＣが「気候変動否定論者」を出演させていることを咎めていた。私は１９８０年代に短い間、英国緑の党のスポークスマンを務めていた。当時の同党は、まだ言論の自由やさまざまな環境問題に取り組んでいた。ニューウォークに乗っ取られる前のことだ。

体制側の『ウォール・ストリート・ジャーナル』でさえ、97%という主張のまやかしを暴いている。この数字の出どころと根拠をたどってみれば、正統を売りこみたい者がこれを事実として引用していることが滑稽に思えてくる。アル・ゴアが、どこからかこの数字を引っ張ってきた。以来、最も引用されているソースは、豪クイーンズランド大学の研究機関グローバル・チェンジ・インスティテュートの「気候コミュニケーション研究員」であったジョン・クックだ。しかし彼は気候科学者ではなく、公式のストーリーを宣伝しているだけだ。

私は、クックが気候科学者による論文1万１９４４編を検証し、その97%が「温暖化」の主な原因は人間だとしているとわかった、という記事をいくつも読んだ。これはまったく事実とは言えない。クック自身の言葉を借りれば、32・6％が人為的な温暖化を是認し（ただし、主な原因としているものはごくわずか）、0・7％が否認、0・3％が温暖化の原因は不明であると記している。

さて、これが最も重要な数字なのだが……66・4％は**見解を示していない**。

私は、気候カルトやメディアが、97％の気候科学者が気候変動の主な原因は人間だと言っている、と主張しているのを幾度も目にした。しかしクックの欠陥方法論をもってしても、この数字は温暖化の**原因を考察している**論文のみを参照するものであって、科学者全体ではない。

クックの数字を調査したところ、1万1944編の論文のうち、地球温暖化の主因を人間とした論文はわずか64編（**0・5％**）で、「危機」「緊急」といった言葉はどこにもでてこなかった。また、見解を示した3974編の論文に当てはめても、人間を主犯とする64編は1・6％にすぎない。のちにクックの論文を調査したところ、64編の論文のうち、人間が温暖化の主因であるという見解を支持したのは、じつは41編だけであったことがわかった。1万1944編のうち41編［0・3％］だ。

97％の気候科学者の同意はどこからきたのか？　他のあらゆるものと同じく、**でっちあげ**だ。科学とはエビデンスによるものであって、気候変動利権で甘い汁を吸う御用科学者が挙手するものではないし、自説を裏づけるために気温の数字を操作することでもない。実際の気温はそんなふうに変動していない。このことは何度もあきらかになっている。真実を伝えるなら、データの操作など必要ない。

ティモシー・ワース米上院議員［当時］が、1988年の気候変動に関する上院エネルギー委員会公聴会の際、部屋の温度を操作したと認めていることを知っている人は何人いるだろうか？　NASAの科学者ジェームズ・ハンセンが、地球温暖化の恐怖を煽りはじめたときのことだ。ワースはこう語る。

……私たちは……前夜に会場へ行き、すべての窓を開け放ったんだ、認めるよ。それでエアコンの効きが悪くなった。そして……公聴会がおこなわれたとき、ありがたいことに10台以上もテレビの取材が来てくれて、その熱気も加わったんだ。

……そしてハンセンはこう証言し、後ろに控えたテレビカメラの熱で部屋はさらに暑くなり、エアコンは効いていない。その日起こったことは、ある意味完璧なできごとの連続だったんだ。ジム・ハンセンも良かった。証言席で額の汗をぬぐいながら、このみごとな証言をしてくれたんだ……。

ワース議員はこうも言っている。

信じられないかもしれないが、気象局に電話してみたら、その夏一番の暑さになる日がわかった。6月6日だったか、9日あたりに問いあわせて、最高気温と言われる日に公聴会を設定したら、大当たりさ。その日はワシントンで史上最高に暑い日だった。最高でないとしても、それに近かった。暑苦しい夏だった。ちょうどこの年、全米が干ばつに見舞われたので、公聴会でのハンセンの証言と干ばつとが強く結びついた。

気候変動デマは、始まりからして事実にもとづいたものではなく、幻想を信じさせるための知覚操作だということがおわかりいただけただろう。

なんて言ってたっけ？

ハンセンが30年以上前に主張した悲惨な事態は起こっていないし、長年カルトのスパイを務めているアル・ゴアが言ったこともそうだ。ゴアは大うその世界的な売りこみ役となり、それで大儲け（おおもう）してきた（図262）。

2006年にゴアはこう言った。「この星を守るにはあと10年しかない」（大まちがい）「2014年には北極の氷がなくなる」（大まちがい）「メキシコ湾流の流れは減速するだろう」（速くなっているようだ）［2021年『ネイチャー・ジオサイエンス』誌で「メキシコ湾流の流れが過去1千年で最低速度になっている」と報じられた］「ホッキョクグマは絶滅の危機に瀕（ひん）している」（大まちがい）「近い将来、海面は6メートル上昇する」（大まちがい）。

図262：アル・ゴア、うそを売りこむ１％の使い走り。

私の他の本を読んでもらえば、ゴアの素性がわかるだろう。彼のカーボンフットプリントは、ゴジラのフットプリント（足跡）ほど巨大だ。ゴアはビル・クリントン米大統領の副大統領だったが、真実を語ろうとする気持ちが少しでもあれば、そんな職は務まらない。

カルトはノーベル平和賞を支配している。だから多くのカルトの戦争屋や大量殺人者が受賞しているのだ。また、アジェンダを促進するためにオスカー受賞者を決定することもある。驚くまでもないが、ゴアは気候変動に関してうそをつき、子どもや若者を不安にさせることでこのふたつの賞を手にした［ゴアは２００７年にノーベル平和賞を受賞。また出演したドキュメンタリー映画『不都合な真実』が同年のアカデミー賞（長編ドキュメンタリー映画賞）を受賞］。

チャールズ皇太子［現・国王］は２００９年に、回復不能な気候および生態系の崩壊まであと20年しかないと言った（大まちがい）。そして愚かにも、気候変動がシリア内戦の「根本原因」であると主張した。実際には、内戦は米国およびサウジアラビアなどのペルシア湾岸諸国が資金や武器を提供したテロリストによって引きおこされた。

その他、まったく当たらなかった気候および環境大異変の警告を見てみよう。いずれもアースデイが制定された**1970年**頃になされたものだ。

ハーバード大学神経科学者ジョージ・ワルド

「人類が直面している問題にただちに対応しなければ、文明は15年から30年のうちに滅亡するだろう」

米生物学者ポール・エーリック

「今後10年の間に年間少なくとも1億人から2億人が餓死するまで、死亡率は上昇する」

北テキサス大学教授ピーター・ガンター

「人口統計学者のほぼ全員が、以下のような厳しい予測に合意している［「気候科学者の97％が合意」のようなものか？］。2000年までに、あるいはもっと早く、中南米は飢餓状態になるだろう……。今から30年後の2000年には、西欧、北米、豪州を除く全世界が飢饉（ききん）に陥るだろう」

環境保護活動家ケネス・ワットによる気温予測（1970年）

「20年ほど前から、世界は急激に冷えこんでいる。現在の傾向が続けば、世界の平均気温は1990年には約4度低くなり、2000年には11度低くなる。これは、氷河期に突入するのに必要な温度より約2倍低い」

人類存亡の危機は、氷河期から超高温の暴走へとまたたく間に変わったのだ。そんなことがありえるだろうか？　プロパガンダが変わっただけだ。うそは絶えまなく、終わりがないようだ。

神話のでっちあげ

「観測史上最高気温の日」と言われるのをよく耳にする。操作されたデータは除外するとして、重要なのは「**観測**」という言葉だ。見出しではこの言葉が削られて「史上最高気温の日」となっていることが多い。

本題に入る前に、まずは予備知識を。地球の誕生以来、大半の時期は現在よりも高温だった。約千年前に始まった中世の温暖期には、工場や自動車など二酸化炭素を発生する人工物はまったくなかったが、気温は現在を上回っていた（図263）。温暖期は寒冷期に比べて豊穣（ほうじょう）の時期でもあった。ワイン用のブドウが、英国北部やスコットランドでも栽培できたほどだ。要するに、温暖であっても大災害はなかった。

気温が下がりはじめ、かつての豊穣は失われた。小氷期と呼ばれる16世紀から19世紀にかけての時代である（もっと早くに始まったという説もある）。この時期はとても寒く、ロンドンのテムズ川が毎年凍りつくほどだった。今も、その様子がクリスマスカードに描かれていたりする（図264）。

小氷期に、黒点といわれる太陽表面でのエネルギーのすさまじい爆発がほとんど見られなかったことには、非常に重要な意味がある。黒点は太陽の活動を示すものだ。この期間は、黒点研究者の名前をとって「マウンダー極小期」と呼ばれている（図265）。みなさんは、太陽活動と地球の気温とが関係しているとは考えたことがないのではないだろうか？　関係などあるはずがない。あるならば、気候カルトは二酸化炭素にばかりこだわらず、太陽にも言及するはずだ。もしかしたら、彼らは太陽が顔をだすと暖かくなるのはただの偶然だと思っているのかもしれない。それか、地球に放射される太陽エネルギーが増えても、気温には影響しないと考えているのかもしれない（図266）。なんといっても、彼らは専門家なのだから。CERN［欧州原子核研究機構］の科学者は、地球の気温と大気圏への宇宙線の突入にはきわめて密接な相関があることを記録している。

「観測史上最高気温の日／年」の記録は、小氷期の終わりころから始まった。当然、気温は現在のほうが高くなっている。極端に寒い時期と、それが終わった後とを比較することに意味などあるだろうか？　ミスリードしているのでなければ無意味な比較だが、まさにそれが狙いなのだ。なぜ気候変動利権の甘い汁を吸う科学者は、流出した電子メールや文書の中で、中世の温暖期の存在を記録から削除し、今日の気温は「前例のない」もので、産業時代に起因していると思わせようとするのだろうか？　もちろんミスリードするためだ。うそをついているという事実を隠すため、ミスリードするのだ。ほかにも気候に関する都市伝説プロパガンダがある。

●移民危機は、気候変動によって穀物の収穫量が減り、食物を求めて人びとが移動したために起こった

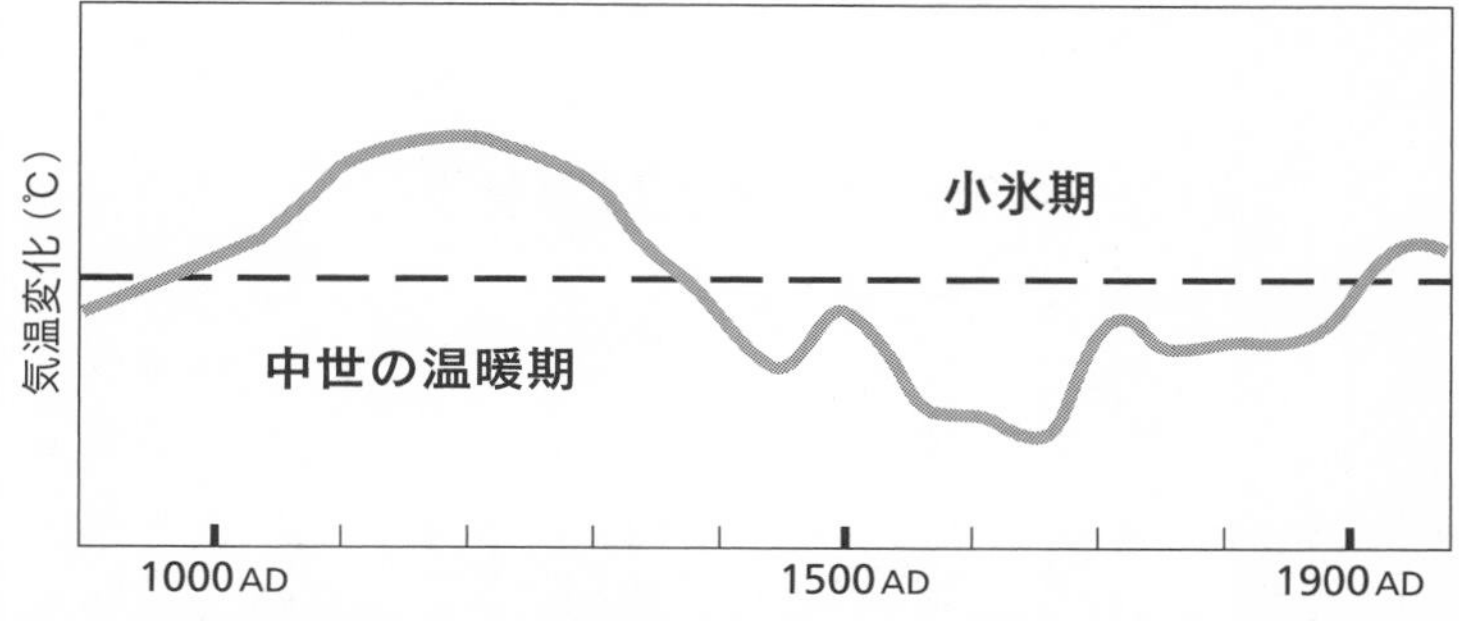

図263：中世の温暖期は1000年ほど前に始まった。産業化される以前だったが、気温は今日より高かった。その後小氷期が訪れ、冬は氷点下があたりまえだった。その時代と現在の気温比較はまったく意味がない。

図264：小氷期の凍りついたテムズ川が描かれている。

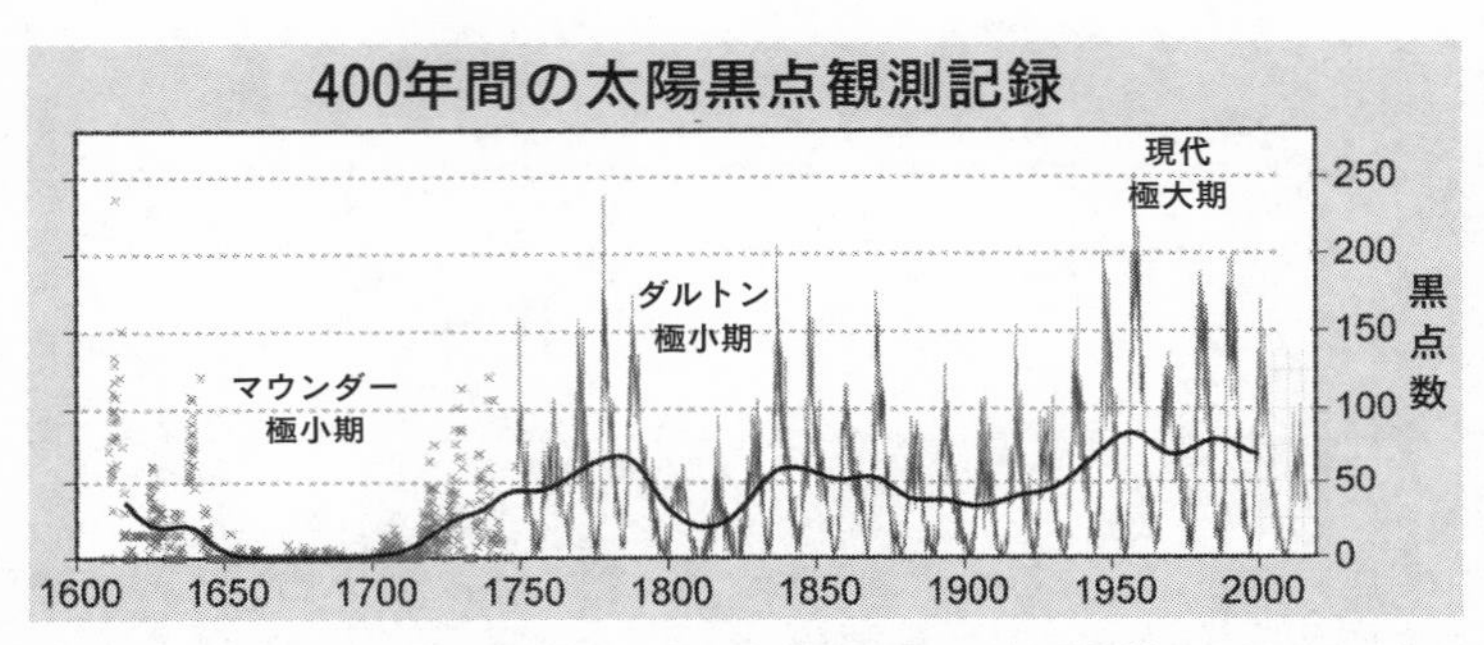

図265：黒点の数から判断した太陽活動と地球の気温との相関関係。ふたつにつながりがあり、連動していることはあきらかだ。しかし気候カルトは、ストーリーが論破されてしまうので知らんぷりをしている。「マウンダー極小期」は、小氷期の最も寒かった時期と一致している。

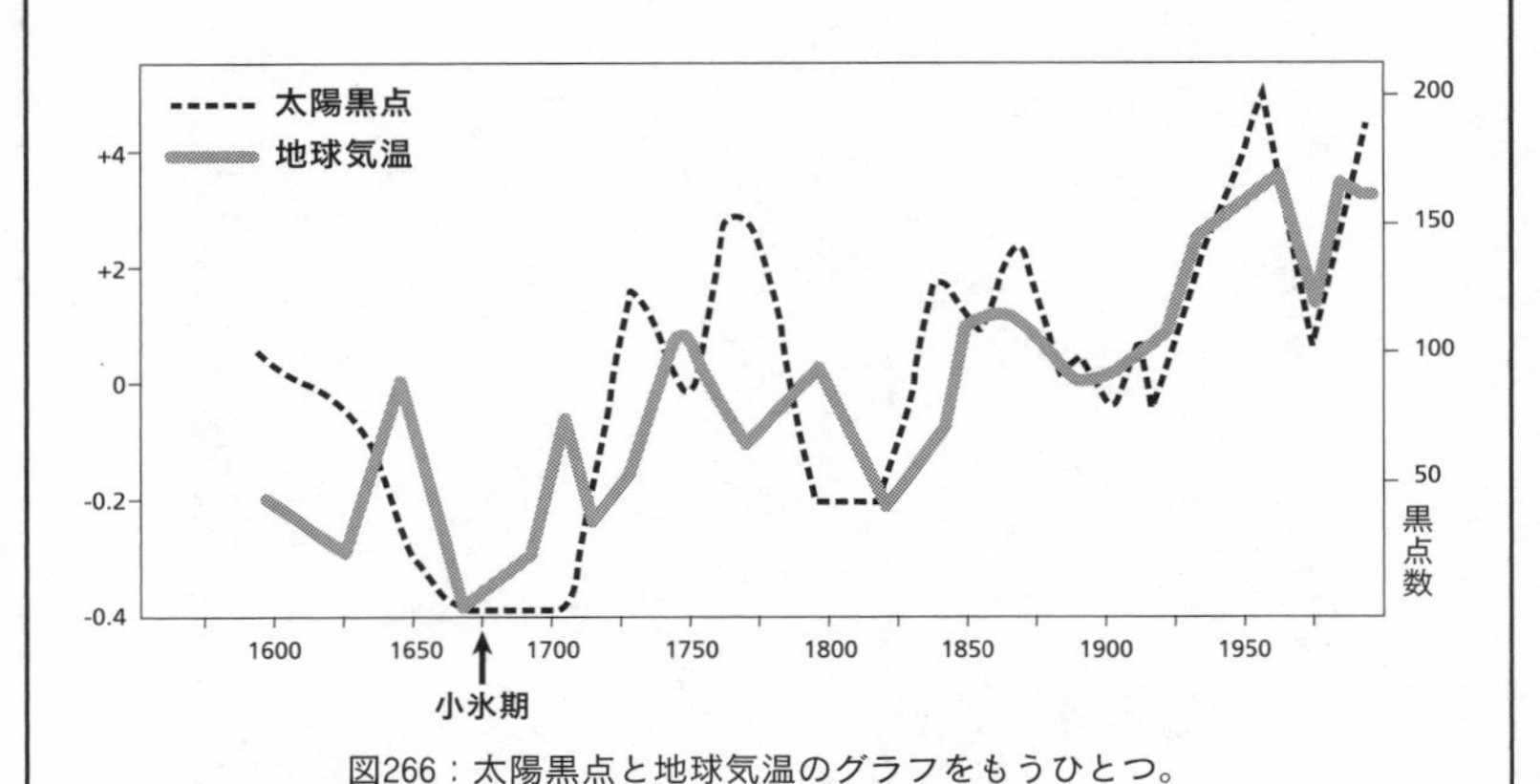

図266：太陽黒点と地球気温のグラフをもうひとつ。

中米から米国国境を越えて大勢が押し寄せた理由は、これだとされている。先に述べた、カルトの移民アジェンダのよりどころとなる説だ。事実はというと、ホンジュラス、コスタリカ、メキシコ、エクアドルなどの穀物収穫量は堅調に増加している。

●気候変動により北米の五大湖が干上がる

近年に過去最高水位を記録していること、また100年以上にわたり減少傾向がないことから、根拠はないとわかる。水量の多さは、このような疑問とともに報じられる。「なぜ五大湖の水位は大きく変動するのか？」傾向が誤って伝えられているからでは？

●気候変動は竜巻やハリケーンなどの極端な気象の原因となる

査読つき科学誌によると、強烈な竜巻や壊滅的なハリケーンの上陸の数はここ数十年一定、もしくは減少しているという。同じことが干ばつ、洪水などの気象現象についても言われている。世界の気象現象による死亡率は、1920年代から98%以上低下した。

●気候変動によって海氷が減っているため、氷上に生息するホッキョクグマが絶滅に向かっている

ホッキョクグマは、おそろしい未来のシンボルとして、気候カルトのイメージキャラクターとなった。カナダ・ビクトリア大学の元非常勤教授で動物学者のスーザン・クロックフォード博士は、ホッキョクグマの専門家だ。博士は自著『The Polar Bear Catastrophe That Never Happened〔ホッキョクグマは絶滅しない〕』〔未邦訳〕で、公式のストーリーをくつがえしている。ホッキョクグマ絶滅デマにズバリと斬りこんだがために大学を追われることになった彼女は、こう表現した。「密室協議によって、審理もなく学界での死刑を宣告された」気候カルトの正統に楯突（たてつ）けば、こうなるのだ。

クロックフォードは、ホッキョクグマが元気に暮らしており、個体群は安定もしくは増加していることを示した。バレンツ海のホッキョクグマは、２００４年から２０１５年の間に42％増加した。バフィン湾では25％減少すると予想されていたが、36％増加した。カネ盆地では2倍以上に増えている。ホッキョクグマの世界平均生息数は、３万頭を超えるほどに増加した。

クロックフォードは、「この50年以上で最も高い推定値」だと述べている。博士はネット動画『Attenborough's Arctic Betrayal（北極を裏切るアッテンボロー）』で、ＢＢＣの気候変動プロパガンダ推進者デーヴィッド・アッテンボローは、ホッキョクグマやその他もろもろに関して大衆をミスリードしている、とすっぱ抜いた（図２６７）。

グレタ・トゥーンベリは、ホッキョクグマが減少しているという番組を見て気候変動の活動家になることを決めたというが、**そんなことは起こっていない**のだ。そのきっかけをつくったＢＢＣが、トゥーンベリにプロパガンダをおこなうテレビ番組枠（プログラム）を与えている。

図267：BBC のデーヴィッド・アッテンボローは、いつだって公式のストーリーを（文字どおり）おうむがえししている。まちがいない。

図268：CO_2を汚染物質であると煽るため、偽りが繰りかえされている。

●煙を吐きだす煙突が「危険な」二酸化炭素を撒き散らしているというイメージ

CO_2を人間の目で見ることはできない。煙は汚染物質であって、CO_2ではない。CO_2は生命のガスであり、これがなければ植物はなく、人間や動物も存在しえない（図268）。汚染の写真を見せ、二酸化炭素が汚染物質であると思わせようとしているのだ。これをおこなうほとんどの「ジャーナリスト」は、自身もその違いをわかっていない。またしても盲人が盲人を導いているのだ。

でっちあげた神話を守る

たくさんのうそにもとづくデマが、いったいどうして多くの人、とくに若者に真実として受けいれられ、政府政策の多くを進めたのだろう？　このデマは、情報をコントロールすることによって受けいれられてきた。「私たちはみな死に絶える」という、恐怖に裏打ちされた信念を吹きこむものだ。先に述べたように、ひとたび「誰でも知ってる」という正統を植えつければ、あとは勝手についてくる。年配の人は学校でプロパガンダを受けていないので、気候変動に関して懐疑的な傾向がある。若い世代は、物心ついて以来プロパガンダにどっぷり浸かっているので、そうしたうそを信じてしまうことが多い。政府や「教育」、そしてメディアといったカルト機関がどんどん推してくるからだ。

あらゆる主流の範疇（はんちゅう）で情報を得ているのでは、ひとつの正義しかない狭い世界に生きることになる。体制外の情報源がなければ、人びとはカルトの言いなりになるしかない。

困窮するホッキョクグマの写真には、「地球温暖化」のせいでこうなったという説明がなされてきた。しかしあとになって、クマが苦しみ痩（や）せ衰えている理由はほかにあり、気候とは無関係だったことがあきらかになった。困窮するクマの写真を見せ、気候変動のせいだと言えば、ほとんどの人は事実だと思う。これまで信じさせられてきたストーリーにうまくハマるからだ。

米国の気象学者で気象予報士のジョー・バスタルディの本を読んだが、素晴らしかった。気候のうそを、忖度（そんたく）なしで熱く暴いている人物だ。著書『The Climate Chronicles（気候年代記）』［未邦訳］では、人為的な気候変動が原因とされている天候が、産業革命のずっと以前から繰りかえし起こっていたことを示すために、過去にさかのぼって天候パターンを研究したことが記されている。

気候ヒステリー以前は、天気はただの天気だった。今では、すべて地球温暖化（気温の上昇がストップしたので「気候変動」になり、その次はより恐怖を煽（あお）る「気候危機」と言われるようになった）のせいにされる。事実を確認しない人びとを騙すのは簡単だ。ハリケーンが来た↓地球温暖化だ！　竜巻だ↓地球温暖化！　干ばつ↓地球温暖化！　寒い↓地球温暖化！

バスタルディは、こうした手合いを、気候アンビュランスチェイサー（弱者の味方気取り）［アンビュランスチェイサーとは交通事故後に救急車（アンビュランス）を追いかけて訴訟をけしかける悪徳弁護士のこと］と呼んでいる。彼はこう述べている。「過去に自然に起こったことがふたたび起こっている。気候が周期的に変化するように地球はできているのだから、当然のことだ」バスタルディは、現在人間活動が原因とされているこうした周期について、多くの例を挙げている。これは米国の干ばつに関する例だ。

……米国の主な乾季は、熱帯太平洋が冷えこむことによってもたらされる。1950年代から1970年代にかけての数十年などは、熱帯太平洋全体が冷えたため、全米のほとんどが例年より乾燥した。

太平洋が暖かい年は逆の現象が起こる。大気圏が温暖化した熱帯海域に適応して、気温が横ばいになるまで地球の気温が上昇することとうまく相関しているのだ。しかし、地球温暖化が米国の干ばつを引きおこしているという考えは事実に反するものだ！　太平洋が冷えると地球の気温は下がり、乾燥するのだ。

バスタルディの本は、元共和党上級スタッフ［ジェームズ・インホフ上院議員と組み、上院環境・公共事業委員会で広報部長を務めた］のマーク・モラノの著書『「地球温暖化」の不都合な真実』［日本評論社］で激推(げきお)しされている。モラノは、気候変動デマの裏側にあるあからさまな政治的操作を記録している。

地球温暖化政策財団のウェブサイト thegwpf.com は、デマに異を唱える情報が集まった良いサイトだ。気候ハルマゲドンに関する予測は、気候の観測から来ているものではないということを忘れてはならない。そうした予測は、データや仮説をコンピューターモデルに打ちこみ、導きだされた想定が実際に起こると信じることからきているものだ。何度もお粗末なまちがいをおかしてきたことで、気候は単純な因果関係ではないということがわかってきたかもしれない。

クズを判断材料にすれば、コンピューターはそのクズを処理して「予測」をおこなう。クズを入れればクズがでてくる、というフィードバックループ（循環構造）以上のなにものでもない。自分のもっている情報をもとに仮定をおこなえば、期待どおりの結果が得られるだろう。しかし、それが真実であることはめったにない。気候に影響する要因や不確定要素は数多く、長期予測にはほとんど意味がない。気候を予測したいなら、過去に実際に発生したサイクルを追うのが筋だ。

注意を怠ってはならない側面が、もうひとつある。今日の気象操作技術は非常に進んでいる。気象を操作しないという国際的な合意は、気象操作が技術的に可能でなければ存在しないだろう。くわしい背景は『今知っておくべき重大なはかりごと』をご覧いただきたい。極度の悪天候を引きおこすことが可能であることや、気候危機が迫っていると人びとに確信させるため、カルトがこのようなやり方を続けるであろうことを記している。

生命のガス

カルトは事実を引っくりかえして真実の真逆にしてしまう。そしてその逆転を「常識」として売りこむのだ。そうして大衆は、実際の現実と真逆に**知覚**するようになる。私たちは「大災害」に直面していると言われているが、もし気候カルトが要求することが実行されれば、絵空事ではなく、現実に人類の大惨事が起こるだろう。経済、食料生産、エネルギー供給などが壊滅的な打撃を受けることになる（この文は、まさにそのような事態を引きおこした「ウイルス」ロックダウン以前に書かれたものである）。２０２５年から２０３０年あるいは２０５０年までに「カーボンニュートラル」［温室効果ガスの排出量と植林などによる吸収量を差し引きゼロにする］を達成するという計画は、国際社会に大混乱を招くだろう。

ところで、二酸化炭素（CO_2）ほど逆転のわかりやすい、あるいはあからさまな例はないだろう。CO_2は生命のガスであり、これがなければ私たちはみな死に絶えてしまうだろう。にもかかわらず、CO_2は徹底的に悪魔化されてきた（図２６９）。もし人間なら、名誉毀損で訴えるところだ。Davidicke.com で、プリンストン大学の教授らのインタビューをご覧いただける。人間の生活に二酸化炭素がはたす主な役割や、大気中の二酸化炭素量は多すぎるどころか**足りない**ということが力説されている。炭素汚染物質説を信じてきた向きには、驚きであろう。どれほどの逆転がお

図269：二酸化炭素は生命のガスであり、動物にとっての酸素のようなものだ。わかっているよ、生命のガスを悪魔化しよう。そして世界を中央集権専制社会につくり変えて、生命のガスを削減しよう。

こなわれているか、目の前に突きつける動画となっている。

プリンストン大学物理学名誉教授で、長年政府の気候アドバイザーを務めたウィリアム・ハパーは、この星にはCO_2が不足しているという科学者のひとりだ。植物の生育や食料生産を最適化するには、より多くのCO_2が必要なのだという。このような見解のため、ハパーは気候カルトに目の敵にされた。真実とはいつもそんなものだ。彼は、過去100年間の温暖化のほとんどは小氷期から脱したときに起こり、1940年には終わっていたという。

ハパーは、温暖化のピークである1988年に「モンスターエルニーニョ」が発生したことを指摘している。これは、自然の周期的な太平洋の温暖化であり、世界の気象パターンと気温に影響を与えるもので、「気候変動」とは関係ない。ハパーは、CO_2の影響の出方は赤いペンキで壁を塗るようなものだという。赤い色はどこまでも濃くなるわけではなく、2、3回塗り重ねるとそれ以上塗っても色は変わらない。CO_2増加による影響は、すでにほぼでつくしているのだという。ハパーは、気温がたった1度上昇するために必要な大気中のCO_2量は現在の**2倍**だと説明する。

私は、ほとんどの気候科学者よりもCO_2のことをよく知っている……CO_2には、水蒸気やメタンなどには当てはまらない、ユニークな性質がある。CO_2濃度が2倍になると1度気温が上がるとすると、単純計算で400ppm［現在の大気中の濃度］→800ppmとなり、さらに1度温暖化するためには800ppmの2倍で1600ppmが必要になる。つまり、温暖化するのがどんどん難しくなってゆく。専門的には、「気温上昇の二酸化炭素濃度に対する対数依存性」と呼ばれている。

ハパーは、この事実は気象ヒステリーの初期段階で認識されていたという。正統が**論破**されてはたまらないので、デマの支持者はCO_2の効果を増幅する「フィードバックループ（悪循環）」の理論をつくりだした。グレタ・トゥーンベリなどの気候活動家が機械じかけのように繰りかえす、迫りくる破滅の予言である。彼は、「炭素汚染」という言葉を聞いて吹きだしてしまったという。人間も植物も動物も、炭素からできている。炭素がなければ、生命は存在しないだろう。

ハパーは、大気中のCO_2が増加すれば、植物はより乾燥に強くなるという。植物はCO_2を吸収するため葉の気孔を開くが、このとき水の蒸散が起こる。「CO_2不足」の状態では、十分な二酸化炭素を吸収するため気孔を長く開けておかなければならないので、水が多く失われるためだ。彼は、産業化以降のCO_2増加は植物に「大きな影響」を与え、生育を促進したと強調する。「人びとは炭素の社会的コストについて議論しているが、ばかげた話だ。CO_2はコストではなく、社会に貢献している」

ハパーは、気候のコンピューターモデルでは、世界をありのままではなく、**コンピューターモデル**として捉えているという。気候カルトの仮説を支持しない予測をしたなら、モデルの製作者は資金提供を受けられただろうか？　無理筋「気候変動」モデルを数多くつくりだしたインペリアル・

カレッジ・ロンドンは、「新型コロナウイルス」による英米その他の死者数をとんでもなく多くコンピューターモデルで予測した。おかげでロックダウンがおこなわれ、数十億人の暮らしがめちゃめちゃになった。言うまでもなく、ばかげた「予測」は現実にはならず、世界的な自宅軟禁の口実となったのだ。

CO_2が多すぎ？　いや、足りない

グリーンピースの共同創設者であるパトリック・ムーアは、CO_2が非常に重要であることをテーマとして地球温暖化政策財団でプレゼンテーションをおこなった。科学者ムーアは1986年にグリーンピースを離れ［グリーンピースのウェブサイトでは85年に辞任とされている］、とくに気候変動を強調した偽情報や脅しによって進められている環境保護運動を批判してきた。

他の科学者も指摘しているように、ムーアはCO_2が少ないのは危険だと言っている。植物はCO_2濃度150ppmで枯れはじめる。ムーアによれば、1万8千年前にCO_2が180ppmに低下したときでさえ、植物は成長できなくなったという。その状態が好転したのは、これから説明するが、**気温が上がってから**である。人間が二酸化炭素削減を叫べば、植物は苦しむことになる。植物にとってのCO_2は、人間で言うなら酸素にあたるのだ。

今日ムーアは、CO_2濃度400ppmは、植物にとってはまだ「どちらかといえば不足している」

という。植物の生育に最適なレベルは、その**5倍の2千**ppmだ。地球の歴史のなかでは、4千ppmに達した時期もある。これらの事実から、産業化によってCO_2レベルが上がって以来、地球の**緑が増えている**ことが説明できる。ハワイでの測定では、1880年には280ppm、2019年には413ppmとなっている。気候カルトは「地球を守る」と主張するが、**逆**をゆこうとしているのだ！温室に二酸化炭素を注入する理由をなんだと思っているのだろう？

気候カルトは集団ヒステリーのなかで、私たちは絶滅に瀕(ひん)していると主張する。しかし生命のガスは最適値よりはるかに少なく、5億年前には今日の**17倍**以上のCO_2が大気中に存在していた。過去1億5千万年間で、地球大気のCO_2レベルは**90%**少なくなった。人間が化石燃料を燃やして二酸化炭素を放出しはじめたころは、ムーアに言わせれば「真夜中まで38秒」の状態にあったと言う。CO_2レベルの急落によって、植物の生命（つまり**あらゆる**生命）に対する脅威がさし迫っていた。人間は絶滅の原因ではなく、むしろそれを**防いだ**のだ。「人間が放出したことで、CO_2の減少が止まった」とムーアは言う。その意味で「人類は〈地球の〉救世主だ」ムーアは、化石燃料から放出されたCO_2の半分しか大気中にはとどまらないとも指摘した。

CO_2の根本的な重要性についてのこれらの事実をふまえて、「カーボンフットプリント専門家」マイク・バーナーズ＝リーのインタビューを聞いてほしい。彼は英ランカスター大学社会未来研究所の教授で、ワールドワイドウェブを発明したとされるティム・バーナーズ＝リーの弟である。このインタビューは、ロンドンを拠点とするトークラジオで放送された。バーナーズ＝リーは、**Eメ**

ールは二酸化炭素の排出を増やす［フランス国立科学研究センターによると、１MBのEメールを１通送ると約25Wの電力を消費、CO_2排出量にすると20グラムだという］、「低炭素の世界は高炭素の世界より良い」と語った。ホストはうなずくばかりである。だめだこりゃ、次行ってみよう。

パトリック・ムーアのスピーチのなかには、気候カルトが知っておくべき情報が他にもある。地球は、今より最大**16度**も気温が高かった5千万年前以降、長い寒冷期を迎えている。暖かかったころは、今日の極地には氷がなく、森に覆われていた。現在存在している生物の祖先は、そのような気温の時代にちゃんと適応していた。それが今では、**2度**上昇したら大量絶滅だと言うのだ！　私たちが体験している現在の間氷期は、地球史上最も寒い時期にあたるというのに。中世の温暖期（化石燃料が使われるようになるずっと前）でも、過去1万年より低い気温だったとムーアは言う。

気温上昇はCO_2のせいではない――あべこべだ

気候カルトは「CO_2が多いと植物には良いかもしれないが、地球の温度が壊滅的に上昇してしまう」と言うかもしれない。グレタ・トゥーンベリは「私たちの家は燃えている」と言った。グレタは私たちをミスリードなどしないだろう？　だが、かわいそうに彼女自身がミスリードされてしまったのだとしたら、結果そうなってしまうかもしれない。

事実、気温の上昇はCO_2の増加の結果として起こっているわけではない。**その逆である**ことは、記録からあきらかだ。過去40万年間、CO_2増加は気温上昇に平均して800年ほど遅れをとっている。パトリック・ムーアがずばりと言い当てているように、二酸化炭素は気温上昇の原因とはなりえない。気温の上昇が、二酸化炭素の増加より**先んじている**のだから。結果が原因より先にある？　ありえない。ニューウォーカーには衝撃の事実であろうが……**気温がCO_2レベルに影響しているのであって**、逆ではない。これも典型的なカルトの事実の逆転だ。

気温がどうやってCO_2を増やすのか？　海洋には大気の45倍ものCO_2が含まれる。**温暖期**には海洋から二酸化炭素が**放出**され、寒冷期には**吸収**される。その時間差は800年ほどだ。では、今から800年前はどうなっていただろうか？　**中世の温暖期**である。二酸化炭素は、地球気温を壊滅的に上昇させたりはしない。CO_2と気温の相関関係の変遷から、ふたつは非常に長い間、完全にずれていることがわかる。CO_2が減少すると気温は上昇し、高止まりしている。

二酸化炭素はまた、温室効果ガスと呼ばれるものの0・117%にすぎない。温室効果ガスの90%以上を占めるのは水蒸気と雲である（図270）。その0・117%のほんの一部が人間活動に由来するもので、大部分は自然界に存在するものだ。プロ詐欺師アル・ゴアは「水蒸気を除けば、温室効果ガスの30%はCO_2である」と言って、この事実を隠蔽しようとした。こんなセールスパーソンから中古車を買ってはいけない。新車だってやめたほうがいい。水蒸気と雲が温室効果ガスのほとんどだというのに、どうして「水蒸気を除く」のか？　ごまかすためだ。CO_2を計算ずくで悪者にしていることがバレバレだ。

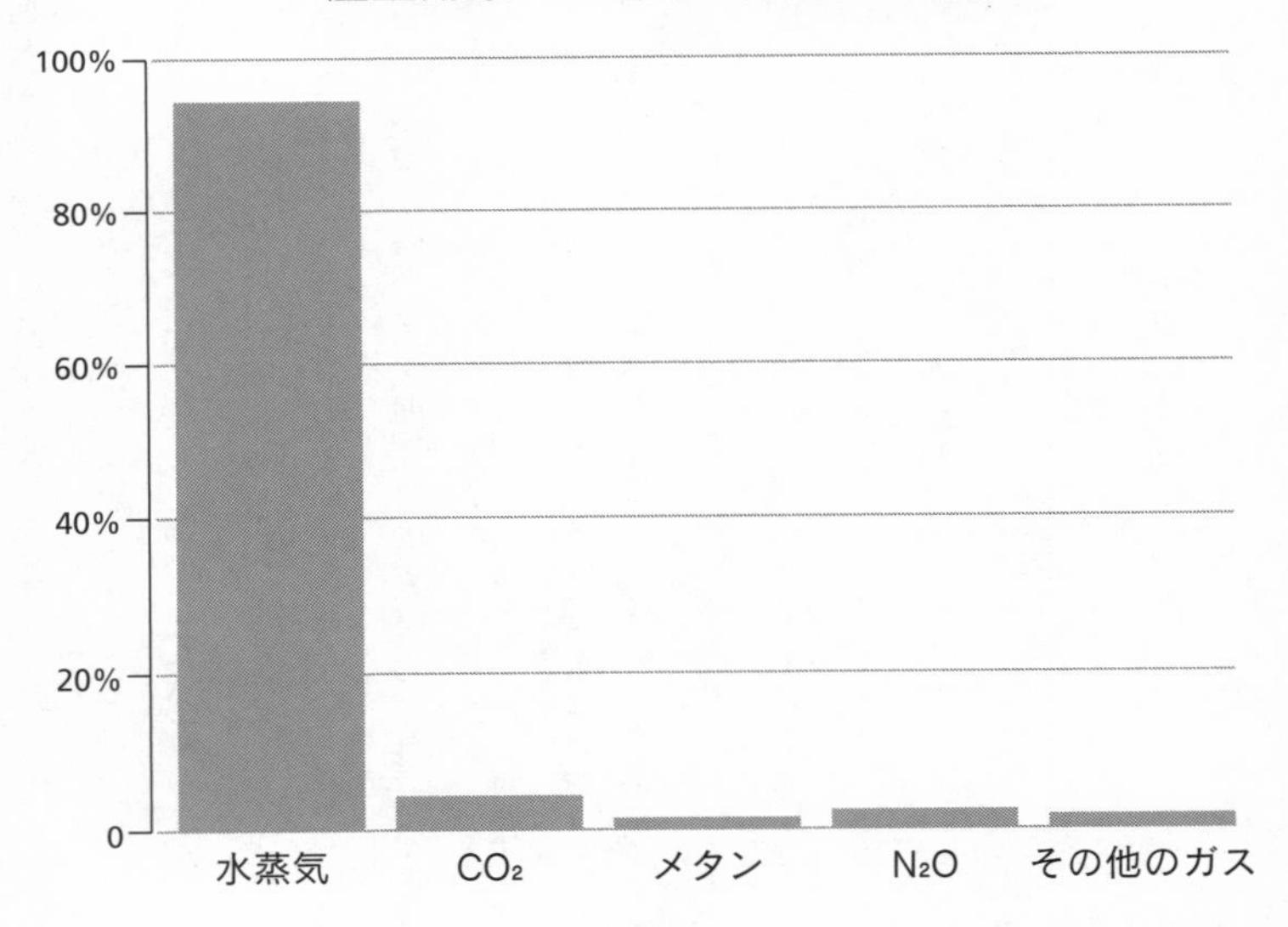

図270：CO_2は温室効果ガスのほんの一部で、ほとんどは水蒸気と雲だ。しかも、その CO_2の大部分は自然界に存在するもので、人間には関係ないものだ。

マンチェスター大学名誉教授のレスリー・ウッドコック博士は、英王立化学会フェロー［会員のなかで化学研究の発展に顕著な貢献をした研究者］で、マックス・プランク協会客員特別研究員、NASAの元研究員でもある。博士いわく、

水蒸気のほうがはるかに強力な温室効果ガスだ。CO_2は大気中に0・04％しかないが、水蒸気はその20倍、1％ほども存在している。二酸化炭素はある種の有毒ガスだとされているが、実際は生命のガスだ。私たちが吐きだした二酸化炭素を、植物が吸収する。人為的ではなく、自然の営みだ。地球温暖化などナンセンスだ。

英国の科学者ジェームズ・ラブロックは、地球をひとつの生命体である（これは事実だ）とするガイア理論によって、ひところ環境主義のアイコン（象徴）となった。そして著書『ガイアの復讐（ふくしゅう）』［中央公論新社］で「何十億もの人が死に」、人類は滅びると予言して、気候危機煽動者らからさらに称讃された。ラブロックは、生き残った者は地球上に残された数少ない居住可能地である北極で暮らすことを余儀なくされるだろう、と書いている。

確固たる地位を築いてきたラブロックだったが、その後見えてきた現実に向きあい、公に自説をひるがえした。人間に迫る危機などなかった。いまやラブロックは、気候危機煽動は「ちっとも科学的ではない」し、コンピューターモデルはあてにならず、「5年、10年以上先［の気候］を予測

するのはどうしようもないまぬけ」だと言っている。人類のこれまでの活動より、たったひとつの火山のほうが地球温暖化にはよっぽど影響する、と彼は述べている。また、緑の党の誇張や「嘆かわしい」ふるまいを非難している。

ウェザー・チャンネルの創立者ジョン・コールマンは、人為的地球温暖化は都市伝説だと言った。そういう科学者はどんどん増えつづけている。しかし、そうした誠実さは高くつく。職や収入を失うことになってしまうのだ。

ジュディス・カリーは高く評価されている気候学者で、ジョージア工科大学の名誉教授である。しかし気候カルトに絶対服従を誓うことを拒んだため、「理想の仕事」を追われることとなった。彼女はFOXニュースにこう語った。

　私は活動家の同僚に中傷されてきました。彼らの壮大なストーリーに異を唱える者は歓迎されません……針のむしろです……大学においては、なにをしても無意味だと感じました。

カリーは、体制が推す「気候支援運動団体」、スケプティカル・サイエンス（懐疑的な科学）のターゲットである。この情報サイトでは、気候カルトの正統に従わない科学者の「ブラックリスト」を作成している。スケプティカル・サイエンスの主要メンバーのひとり、ダナ・ヌッチテッリはカリーについてこう書いている。「私たちはカリーの主張をいくつか取りあげ、その誤りを指摘しています……これを見てもらえば、彼女は大学が雇うに値しないとわかるはずです」
ジュディス・カリーは、ジョージア工科大学の元地球大気科学部長である。また、米地球物理学連合と米気象学会でフェロー〔該当分野の研究で大きな貢献のあった会員〕に選出されている。気候カルトが「雇うに値しない」としているだけで、しっかりとした実績をもつ科学者なのだ。
カリーは、気候についての見解を理由に大学から退任を求められた。そして「たくさんの学界へッドハンターから、学部長や研究担当副学長など主要な管理職への応募をすすめられた」しかし、候補者リストに入ることはできなかった。カリーは『フォーブス』のインタビューでこう語っている。

最初は、頭ひとつ抜きんでた候補者だと思われます。輝かしい経歴で、明確なヴィジョンを語り、面接でも好感をもたれます。ところが、グーグル検索ですぐに出てくる、気候に関する議論での私の発言が致命傷になるのです。

グーグルは親切にも、Judith または Judy Curry のワード検索でスケプティカル・サイエンスのサイトが最初のページやトップリストに表示されるようにしている。これが、ほんものの学者や科学者があらゆる気候カルトから受けている圧力だ。誰がスケプティカル・サイエンスをつくったのか？　オーストラリア人の**ジョン・クック**だ。「97％の気候科学者」が気候変動の主な原因は人間

フランスのお天気キャスター、気候変動「詐欺」を非難する本でクビに

By Tim Hume, CNN
Updated 1428 GMT (2228 HKT) November 3, 2015

Top stories

How South Africa became the new home of house music

Miss Iraq pageant held for first time in 43 years

Weatherman Philippe Verdier was sacked from his job at France 2 for his book questioning "hype" over climate change.

図271：足並みを乱す者はつぶされる。

という説に合意している、という件のネタ元だが、彼の「研究」ではまったくそうは言っていない。世間は狭いねぇ？

気候変動の正統を受けいれない者は「反科学」認定される。真の科学とは、あらゆる仮説を疑うものだというのに。反科学は気候カルトのほうである（またもや逆転）。

フランスのお天気キャスターフィリップ・ヴェルディエは、本の出版を理由に公共放送局フランス２から解雇された。「気候専門家」が一般市民を欺き、カルトがコントロールする国連の気候変動に関する政府間パネルが、意図的に誤解を招くデータを公表していると非難するものだ（図２７１）。ヴェルディエが言っていることは真実だ。真実**だから**クビになったのだ。プログラムされたニューウォークな局の労働組合員は、彼の解雇を要求した。ヴェルディエは、ローラン・ファビウス外相が、気象予報士に気候変動問題をテレビで強調するよう求めたことをきっかけに、この本を執筆した。「私はこの言葉に震えあがりました」とヴェルディエは言う。

カルトのストーリー「人類は敵」

グリーンピースの共同創設者である科学者パトリック・ムーアは、緑の党は科学を放棄して感情とセンセーショナリズムに置き換えてしまった、と言う。人類を地球の敵と表現する「アンチヒューマン」アジェンダにもとづく感情論だ。人間をターゲットとする死のカルトは、人間自身が問題だと信じさせたいのではないだろうか？　自己嫌悪させ、自身に矛先を向けさせたいのでは？　きっとそうするはずだ。私たちは二酸化炭素を吐きだす。息をするだけで、地球を傷つけているのだ。うわー!!!　人間は有害だ。殺すべきだ。

四児の父であるヴィーガンの男が、英国のラジオ局に電話してアンチヒューマンな考えを披露した。人間は、これ以上「動物を傷つける」子孫をつくるべきではないというのだ。彼は、一刻も早く「人間がこの星での有終の美を飾る」よう呼びかけた。

ダニーと名乗るその人物は、最近「反出生主義（アンチナタリズム）」なるものを知ったと言った。「人間は新たに人間をうみだすべきではない。なぜなら、人間は動物に不要な苦しみを与えるから。なかでも肉を食べさせて子育てするのは最悪」という考えだ。では、「自然界」で殺しあう動物は、たがいに苦しめあうので繁殖をやめるべきなのだろうか？「ダニー」は、人間が絶滅してもなんの問題もないといった。９歳の息子やその姉たちにも、子どもをもつべきか、そもそも自分がここにいるべきかを考えるように言っていると認めた。「孫はほしくない。子どもたちには、意味もなく次の世代に命を押しつけることはしないでもらいたい」

彼は精神を病んでいるわけではないし、子どもたちを精神的に虐待しているわけでもない。こうした考えは相当極端に見えるかもしれないが、このように考えているのはけっして彼ひとりではない。見えない「神」に導かれた死のカルトならば、まさにそのような考えをもたせたいであろう。私たちが知る「人類」を、置き換えようとしているのだから（詳細は後ほど）。

ラジオ局に匿名で電話してきた者の発言を否定するのは、簡単なことだ。だが、ケンブリッジのアングリア・ラスキン大学の大陸哲学［独、仏を中心とする欧州大陸で19世紀以降主流となる現代哲学でやや文系寄り。対して英米で19世紀後半から20世紀以降主流となる分析哲学はやや理系寄り］の教授、パトリシア・マコーマックのような学者までもが同じ説を推したらどうだろう。彼女は著書『The Ahuman Manifesto: Activism for the End of the Arthropocene（無人間宣言：人新世の終わりのために）』［未邦訳］で「気候変動の唯一の解決策は人類を絶滅させること」だと論じている（図272）。この言葉は、マコーマックのあるインタビューの見出しだ。

彼女は、人間のいない未来の地球という「楽観的な展望」を語っている。フェミニズムや「クィア理論」［クィアは性的マイノリティをさす。その性志向の文化的起源や、彼らに向けられる差別的視線の歴史・制度的基盤などを主な研究対象とする］への関心から、こうした結論にいたったのだと言う。そして「白人、男性、異性愛者、健常者が生を謳歌（おうか）し、それ以外の人種や性別、性的志向、障がいをもつ人びとが生きにくさを感じているこのヒエラルキー社会」への憤りを感じているのだ。それなら、全員まとめていなくなってしまえばいい。

マコーマックはさらに、宗教を解体すべきだ、と主張する。だが、自身もその一員だということには気づいていないようだ。彼女は、すでに人間は「資本主義」によって「ゾンビ化」（なんて皮肉）されているのだという。世界が受けた損害を修復するには「生殖を段階的に停止することが唯一の方法」だと言うのだ。まさに、大規模な人間淘汰（とうた）を目的としたカルトのアジェンダそのもので

図272：人類滅亡を推す大学教授。彼女が若者を指導している？　うわーっ。過激の極みな彼女の考えは、ウォークには問題ない。男性と女性は生物学的に違うなどと言ったら、ウォークの逆鱗(げきりん)に触れることになる。

はないか。これからそれがあきらかになるだろうが、彼女はまったく気づかないのだろう。このような思想をもつ者が若者を教育している、という事実には考えさせられる。と同時に、それはニューウォークがどこからくるのかという答えでもある。

パトリック・ムーアが語ったこと、また私が数十年来見てきたことを考えあわせると、彼や私が経験した環境運動はニューウォークにハイジャックされてしまったと言える。真の環境問題は軽視され、地球温暖化のためにないがしろにされてしまった。「気候変動」にうつつを抜かしている間に、放射線などの真の汚染が進んでいる。米国のグリーンニューディールを推進するアレクサンドリア・オカシオ＝コルテスは、路上にゴミがあふれかえる地域から選出された。

私は１９８０年代の短い間、緑の党のスポークスマンを経験してよかったと思う。今日のニューウォークの気候カルトの横暴を突き動かしているメンタリティを見抜けるようになったからだ。ムーアの言葉が議論を正気に引きもどした。二酸化炭素は地球上のあらゆる生命体の構成要素であり、大気中に十分な量がなければ地球は死の惑星になるだろう、と言ったのだ。私たち自身も含め、すべての生命体は炭素から成ると彼は言う。そして、二酸化炭素は「生命の通貨」で、地球上の生物にとって最も重要な構成要素だと説明する。「いまだに子どもたちも一般大衆も、CO_2は有害汚染物質で生命をおびやかし、文明社会を屈服させると教えられている」

繰りかえすが、人類を標的としている死のカルトならば、生きるのに欠かせないものを脅威だと思いこませたいのではないだろうか？　こんなにも多くの人がこの不条理を心底信じているとは、人間の知覚がプログラミングされているあかしではないか。

気候カルトの菜食主義――そう単純ではない

人間が酸素を吸いこんで二酸化炭素を吐きだし（よくもそんなことを！）、植物が二酸化炭素を吸収して酸素をつくりだす。完璧なシステムである。日中、植物は太陽光と二酸化炭素と水を、炭水化物と酸素に変換する。この過程は光合成と呼ばれる。

太陽は、二酸化炭素と同じように、地球上の生物にとって欠かせないことは言うまでもない。そのいずれもが標的とされていることに注目してみよう。気候変動デマを通じて私たちは、太陽は熱を発するからおそれるよう仕向けられている（なのに、太陽は地球気温の原因とはされていない！）。そして、発がん性の化学物質が含まれる日焼け止めローションを塗るようせっつかれている。皮膚に太陽光を浴びれば、人間の健康に不可欠なビタミンＤが生成されるというのに。

太陽光からビタミンＤを生成する過程では、皮膚細胞内の**コレステロール**が材料となる。「コレステロールを下げましょう」と**悪しざまに言われている**、あのコレステロールだ。コレステロールを下げるには、健康を害するスタチン系薬剤を飲みつづける必要がある（ビッグファーマは大儲けだ）。私たちは、ＬＤＬコレステロール、または低密度リポタンパク質は「悪玉コレステロール」で、心疾患を引きおこすとお上に言い聞かされてきた。健康を守るためにスタチンを飲むべきだ、と。

17人の国際医師団が130万人を対象とする論文を2018年に発表したが、そこでは高LDLコレステロールと心疾患には関連がないと結論している。そしてスタチンは、かなり控えめにいって「有益性は疑わしい」というのだ。この論文は『Expert Review of Clinical Pharmacology』［臨床薬理学分野の査読つき月刊医学誌］に掲載された。コレステロールが悪者にされていることを暴き、心疾患患者のLDLまたは「悪玉コレステロール」値は正常値より**低かった**と報告するものだった。著者のひとりであるシェリフ・スルタン教授は、「最も顕著な発見」は、LDLコレステロール値の高い高齢者がいちばん長生きするということだったという。

忘れてはならない重要な経験則がある。「体制」がなにか推すなら、それは人類にとって害となるものだ。そして体制が目の敵にするものは、人類にとって良いものだ。いつだってそうだ。コレステロールが最も多く存在するのは脳で、全身の20%が集まっている。脳の60%は脂肪で、コレステロールがなければうまく機能できない。以下は『サイコロジー・トゥデイ』［心理学の隔月刊誌］のウェブサイトにある解説だ。

シナプス：脳細胞間のコミュニケーションがおこなわれる、まだ謎の多い場所で、コレステロールが豊富に含まれる細胞膜におおわれている。ここではセロトニン、GABA、ドーパミンなどの神経伝達物質がやりとりされている。ミエリン（髄鞘〔ずいしょう〕）は脳回路を絶縁する白質で、脳のコレステロールの75％を含む細胞膜が固く巻きついてできている。

コレステロールには、発達中の神経終末を「脂質ラフト」上に乗せて目的地まで誘導する働きもある。脳のコレステロールが不足すれば、細胞膜やシナプス、ミエリン、脂質ラフトの形成や機能がうまくゆかなくなる。すると、気分調節や学習、記憶といったあらゆる脳活動が突然停止してしまう。

認知症患者が急増していることはご存じであろう。これは偶然だろうか？　そうではない。他にも理由はあるが、コレステロールや脂肪の摂取を著しく減らせば、こうなるのだ。ご自身で事実を確認してみてほしい。

ヴィーガンやベジタリアンは全員、自分の身体のためにデヴィッド・エヴァンスの『Low Cholesterol Leads to an Early Death: Evidence from 101 Scientific Papers』（低コレステロールは早死にする：科学論文１０１本からのエビデンス）（未邦訳）を読むべきだ。他にもバリー・グローブスの『Trick and Treat: How healthy eating is making us ill』（おいしいトリック：ヘルシーな食生活で病気になる）などの本もいい。

ヴィーガンやベジタリアンに、ライフスタイルを変えるべきだと言っているわけではない。それは私がどうこう言うことではない。まず事実を確認すること、それは主流の情報源だけでは無理だと言っているのだ。

気候カルト（死のカルトの手先）が、コレステロールと脂肪の豊富な肉の摂取を大幅に減らす（理想はゼロにすること）よう求めているのも、やはり「偶然」だろうか？　このテーマは、感傷的な『Apocalypse Cow: How Meat Killed The Planet（アポカリプス・カウ：肉が地球を殺す）』［映画『地獄の黙示録（Apocalypse Now）』をもじったもの］なるタイトルのドキュメンタリーでも取りあげられている。『ガーディアン』の意識高い系「ジャーナリスト」で、ぐっすり眠っているニューウォーカー（目覚めた人）、そして「ヴィーガン」のジョージ・モンビオが主演だ。おかしなことに、モンビオは番組中でシカを撃ち、バーガーにして食べた。驚きである。

ベジタリアンやヴィーガンがなぜ動物性のものを食べないのかは理解できるし、その意思は心から尊重する。私自身も、15年ほどベジタリアンだった。しかし、物事はそう簡単ではない。

まずヴィーガンやベジタリアンは、自分たちが食べている植物も含め、すべての生命に意識があるということに思いを向けたほうがいい。私は何年も幾度となく、草や木が自分に向けられた声や思いから痛みやストレスを感じることをあきらかにした研究について書いてきた。人が「話しかける」と、声の周波数場と波動の相互作用が発生し、植物はそれをとらえる。人間の言葉はわからないかもしれないが、その「バイブス（感情の揺れ）」を感じとるのだ。

テルアビブ大学の科学者チームが２０１９年に発表した研究結果から、トマトとタバコは多様な超音波を発することがわかった。水がなかったり、茎を切られたりすると、20から１００キロヘルツの「ストレス」音を発したのだ。環境の問題やダメージがなければ、１時間に１回以下の超音波しか発さない。

他にも多くの実験から、植物には意識があり、脅威があれば感情的な痛みやストレスを感じるということが確認されている。切り倒されるとき、木はどう感じるだろうか？　木が「仲間（ファミリー）」でコミュニケーションをとっているなら、他の木はどう感じるだろうか？

高い周波数では食物を摂取することはなく、こうしたモラルのジレンマもない。シミュレーションのなかではエネルギーが鈍く不足している。それを補うために「物理的」（実体は波動場）な食物を摂取しているのだ。できれば食べずに済むほうがいいとは思うが、忘れてならないのは、**すべて**に意識があるということだ。

私たち人間は動物を守るために肉食をやめなければならないと言われているが、動物同士は互いに食いあっている。シミュレーションは、殺しあいの場としてつくられているのだ。動物は、互いに食いあうことで生き抜くために必要な栄養を確保している。人間も生物学的には同じ基本構造であり、そのような栄養所要量になっている。殺生せずに生きられればよかったのに、と思うかもしれない。それは理解できるが、現状はそのようにできていない。

もちろん、人間の食料となる動物も、一部の人が自分たちのライフスタイルを押しつけることによって、姿を消してゆくだろう。食肉産業は完全に悪者にされ、財政攻撃にさらされることになる。肉食は「持続可能（サステナブル）でない」と主張することで、カルトが望む結果を手に入れるのだ。「持続可能」の本当の意味は、次章で説明しよう。

ヴィーガンは自分が正しいと思う選択をし、その選択は尊重されるべきだ。そしてヴィーガンも、他者の選択をリスペクトしてほしいと思う。独善的なヴィーガンの活動家が、深くつながっている「気候カルト」のようなおこないをしないよう願うばかりだ。「気候カルト」のほとんどは、自覚なく「死のカルト」に操られている人形である。

動物を人道的に扱おうという運動には大賛成だ。だが、自分がなにに利用されているのかを見きわめてほしい。なにを食べるべきなどと言うつもりはない。気候変動デマその他の口実が、十分な量がなければ本当に絶滅を招く二酸化炭素や太陽光、コレステロールをターゲットとするために使われている。そのパターンを見抜こう、と言っているのだ。

同じ知覚の傲慢さが、地球は平ら（フラットアース）だと主張する人の一部**過激派**（全員ではない）にも感じられる。そう信じたい人は信じればよい、と私は思う。残念なことに、フラットアース派にはそうしたリスペクトがないことが多い。彼らの主張を受けいれなければ攻撃対象とされ、エリートの回し者認定されてしまう。これまでずっとエリートの所業を暴いてきた者でも、「フラットアース」にこだわる者が一生かけてもできないような仕事を1か月でやってのけるような者でもだ。

地球は波動場の構成や「干渉パターン」のレベルでは、ある意味「フラット」である。「物理的な」地球と呼ばれる、ホログラフィックに解読された投影はまったく別のものだ。そう捉えない人もいるが、それはその人の自由だ。

自分と違うことを信じているからといって、私はその人をエリートの回し者とは言わない。どうしてこんなにも多くの人が、自分の信じることを全員が受けいれるべきだと言い張るのだろう？本書は、私の考えと研究をまとめたものだ。私は、納得できない人に信じろと強要したりしない。

カルトは、気候変動デマを利用して人びとにヴィーガンになるよう圧力をかけている。用心したほうがいい。30年来追いつづけてきた経験から言えるが、カルトは人類に害をなすこと**しか**しない。

カルトが人間をヴィーガンにさせたいのなら、それはアジェンダの役に立つからだ。

ヴィーガンを強要し、肉を排除する学校もある。スウェーデンの幼稚園教諭、マルクス・サンドストロームはこう言う。「考えるほどに、そのほうが良いと思えました……持続可能な発展が〈私たちの〉出発点です。肉は気候に大きな影響を与えます」

サンドストロームは、自分がなにを言っているのかわかっていない。信じるようプログラムされたことを繰りかえしているだけだ。そのプログラムを子どもたちにそのまま伝え、こうして強制しているのだ。カルトの観点からすると、それが教師の存在意義だ。

イングランド・オックスフォードの学校では、肉や魚を使ったランチの持ちこみを禁止するなど、学校によるベジタリアンやヴィーガン食の押しつけが広がっている。ニューウォークと気候の横暴のやり口を、またしても見せられたわけだ。自由に事実を議論したうえでの勝利ではなく、押しつけだ。

校長のケイ・ウッドは、植物性にすることで同じ値段でより質の高い食事を提供できると言った。では、自宅から持参するランチを禁止することでそうできる理由を説明してほしい。学校が払うわけではないのに、どうして価格が問題になるのだろうか？　植物性だと質が高いと誰が言ったのだろう？　多くの栄養士は、肉や魚は身体や脳が必要とするバランスのとれた栄養摂取に欠かせないという意見なのに？　子どもたちが食べてよいものや、健康への影響についてウッドに決めさせたのは誰なのだろう？

　彼女が挙げた二つめの理由は、あくびを禁じえないが「環境と持続可能性（サステナビリティ）に大きな利益がある」というものだ。ウッドも、カルトの存在すら知らぬままにその台本を読みあげている。

　三つめの理由は、肉を禁止することで「あらゆる信仰や食事制限のある学生たちが一緒に食事できるようになる」というものだ。彼女は、結果としてあるひとつの信念を全員に押しつけている、という深層（真相）に気づけないのだろう。

　私が正しいのに、なぜそれを正当としないのか。ある母親は、肉や魚を禁じられて、彼女の子どもも他の生徒たちもお腹を空かせている、と言った。だがそんなことはどうでもいいのだ。**私が正しい**のだから。

　英国の不動産開発業者イグルー・リジェネレーションは、会社のあらゆるイベント等のケータリングはベジタリアンでなければならず、肉を含む食べものは経費にできないと決定した。前出の学校と同じうそを信じているのだ。

　このようなことをしている学校や会社は他にもあるし、どんどん増えてゆくだろう。なぜなら、それがカルトのアジェンダだからだ。肉に課税せよという圧力もあるし、バーベキューのにおいで隣人を訴える者までいる。

私が正しい、お前は従え！ **お前はまちがっている**のだから、選択の余地などない。基本的人権を守ることを理解してくれる素晴らしいヴィーガンもたくさんいるが、そうでない者は臨戦態勢だ。ひとりよがりの罵倒のシャワーを浴びたいなら、ヴィーガン過激派の活動家に、世界は彼らが思うような白か黒かではないと言ってやればいい。終わりのない「サステナビリティ」への言及をたどっていけば、それが本当はなにを意味するのか見えてくるだろう。

しかし教師たちには、見当もつかないだろう。教師はただ繰りかえすのみ。システムとは、すべからくそういうものだ。壊れたレコードのごとく、カルトの忍び足の全体主義のアジェンダを、真実と思って繰りかえす。

菜食主義を通じて肉を排除しようとするカルトのアジェンダは、本当はどこへ向かっているのか？ 工場で生産される合成食品である。理由はこのあと説明しよう。

さて、生命のガスが悪魔化されているのは、気候カルトが推す宗教的正統主義の土台をつくるためである。人びとの食べものを変えることなども、これとつながっている。次なる疑問は、グローバルな死のカルトは、なぜそこまでして人間が地球の存在そのものを脅かしていると信じこませようとするのか、というものだ。その答えは明白、かつショッキングなものだ。

第9章

なぜ「気候変動」が担がれてきたか？

邪悪な人びとは、純粋で善良な人びとが従順でいるから悪行を続けることができる

——スチュワート・アーケン

本章のタイトルに掲げた疑問への答えも、やはり単純明快だ。このことがわかっていれば、あらゆることが腑（ふ）に落ちる。私たちは今、無問題（No-Problem）－反応（Reaction）－解決（Solution）の世界的な実例を目にしている。

カルトによる2003年のイラク侵攻は、「大量破壊兵器」が大前提だった。カルトはそんなものは存在しないと知りながら、うそをついた。このうそがなければ、長年の計画を実行に移す口実はなかったのだ。気候変動デマも、「無問題」のひとつである。カルトに、ハンガー・ゲーム社会と徹底的なオーウェル的コントロールのためのアジェンダに全方位的な口実を与えるものだ。気候カルトと「パンデミック」ロックダウン、これらのNO－P－R－Sのゴールはつながっていて、切り離すことができない。

最終的にはあらゆる主張が一体となる。すべてはつながっているからだ。ハンガー・ゲーム構造については、先に示した。世界政府がその他のグローバル機関をコントロールし、欧州連合（EU）のような超国家や地域的な組織を通じて、完全に依存した人間集団を監督するものだ。このような構造は、偶然に生まれたわけではない。**しくまれた**ものであり、実現するためには「気候危機」や世界的パンデミックのような理由や口実が必要だ。こうした口実が自然発生しない場合は、でっちあげる必要がある。「うそをつく」ともいう……そして大きなうそほど信用される。

問題は解決策と関連していなければならない。世界政府など、グローバルな解決策を望むなら、その策にそぐったグローバルな問題が必要だ。人為的気候変動や「パンデミック」という世界規模のデマは、その要件を完璧（かんぺき）に満たしている。ペテン師は、「世界と人類を救う」唯一の方法は、世界政府と制度に権力を集中させることだ、と主張することができる。

「悪人」が生命のガスを排出したり、「ウイルス」（第1巻で述べたが存在しない）に感染したりして、人類の存在を脅かすことを阻止するためだ。どうやって「悪人」を抑えるのか？　そうだなぁ、世界軍なんていいんじゃない？　人びとは、本当に気候変動やパンデミックというでっちあげが、偶然の出来事だと信じているのだろうか？　どちらもずっとカルトが狙（ねら）ってきた、国家による権力の集中と強権的な押しつけを要求しているというのに？　いずれ対外的な軍事力を使って、意に沿わない国々に気候変動対策を押しつけるような要求がでてくるかもしれない。

あっ、もうひとつ考えがある。絶滅の脅威は「実存」するから、人民を守るために統制する警察／軍事国家が必要だ。そして、子どもたちの養育を管理して、地球を救う方法を知っている親方（マスター）に従順な良い市民になるよう、「教育」（教化）しなければならない。

邪魔だてする親はいらない。呼吸など、人間のすることの多くは危険だ。警察／軍の監視国家が、世界市民の一挙一動を見張らなければならない。全市民は互いを監視し、監視国家に見落としがあれば（結局なにもないのだが）至急報告しなければならない。

ディストピアが必須（ひっす）である。そこに私たちの存亡がかかっている。善良で従順な市民は、見返りを得る。自分の意思をもちつづける者は追跡され、記録され、罰を受ける。あるいは消される（中国を見よ）。

眼前に迫った絶滅から世界と人類を守る唯一の方法は、すべてを管理下に置くことだ。エネルギー使用量、なにを食べるか、行き先と交通手段、発言や思考も管理される。

移動は、自動運転の電気自動車に限られる。車はコンピューターによって制御・追跡され、行ける場所や時間（そもそも行けるかどうかも）は決められている。全市民を守るため、飛行機は使えなくなる（少数のエリートを除く）。絶滅を防ぐため、移動はほとんどできない。映画『**ハンガー・ゲーム**』のように人びとが地区ごとにまとめられれば、より効率的で地球に優しいだろう。エリートや警察・軍関係者だけが、許可なしに地区間を行き来できる。

仕事は、はるかに効率が良く、二酸化炭素排出量も少ない（といわれる）ＡＩに奪われる。一般人は、生計を立てる術（すべ）がなくなる（「パンデミック」も参照）。だが国家は情け深く、隷属と絶対服従を交換条件に、わずかばかりの「ベーシックインカム」をほどこしてくれる。反抗など夢のまた夢だ。脳活動を追跡する思考察知技術によって、計画は実行に移す前に把握されている。

人間は非常に**危険**であるから、数を大幅に削減しなければならない。何十億人も処分しなければ残った者が快適に生きられないし、若者が最大限長生きできるようにしなければならない。出生率は世界政府によって指示、管理され、正当な手続きを踏まずに妊娠した女性は強制堕胎される。最終的には、親から子が生まれなくなり、親というものがなくなる。これについてはあとの章で述べることにしよう。

度を越した空想だと思うなら、私の他の本を読んでいただきたい。ここで述べたすべてについてのエビデンスや、根拠となる資料が詳細に記されている。

ニューウォークの気候カルトが、なにを要求しているか注視してみよう。気候カルトは、エクスティンクション・リベリオンや、グリーン・ニューディールといった形で活動している。グリーン・ニューディールは、米下院議員アレクサンドリア・オカシオ＝コルテスが、プライベートジェットで飛びまわる民主党大統領候補バーニー・サンダースの支援を受けて進めている。サンダースは、グリーン・ニューディールに16**兆**ドル［約2300兆円］を支出すると言った。EUバージョンのオカシオ＝コルテス案、「欧州グリーンディール」というのもある。

同じような政策を、ジョー・バイデンも打ちだしているはずだ。バイデンにはあきらかに重い認知障害があるし、認知症の兆候がはっきりでている。それでも、サンダースが2020年4月に大統領予備選挙から撤退し、バイデンは民主党候補として出馬できることになった。当落を決定するに十分な数の人びとが、バイデンが適任でないことに気づいてしまうといった、不測の事態さえなければだが。

腐敗したウォール街の連中が指示する政策を、うつろなバイデンはただ受けいれるのだろう。しかし、彼のあからさまに衰えた思考能力は、イスラエルが推すトランプにとって2期目の素晴らしいチャンスとなるだろう。「ウイルス」ロックダウンによって、バイデンを有権者の目に触れさせないようにしておかなければ。アンチトランプ派だって、バイデンより信号機にでも投票するだろう。

カルトは、大統領傀儡（かいらい）が次の選挙に勝つために政策を緩和する必要がない場合、2期目の大統領を好むことが多い。トランプの場合、それはイスラエル（サバタイ派フランキスト）がこわしたい、イランに関する政策かもしれない。トランプは、イスラエルとその親方に完全にコントロールされている。政策担当上級顧問の超シオニスト、スティーブン・ミラーがハンドラーのなかで最も影響力のある人物として控えている。

しかし、有権者のなかでニューウォーカーがかつてない比重を占めるようになるにつれ、どこかの時点で本当にニューウォークな大統領が計画に登場することになるだろう。トランプ（執筆時点で74歳）、バイデン（77）、そして脱落したサンダース（78）は、新しい超ウォークな勢力による政権奪取計画直前の、最後の一線を見ているのだ［本書は２０２０年８月に英国で出版された。２０２１年1月にバイデンが米大統領に就任］。

もし、この自殺行為ともいえる「カーボンニュートラル」要求が通れば、私たちが知っている産業社会は、エネルギー生産の抑制とCO_2の禁止だけで終わりを迎え、壊滅する。膨大な数の職が失われ、ハンガー・ゲーム社会となるだろう（本稿執筆はまったく同じアジェンダへと駆りたてる「パンデミック」以前）。狂気である。不幸にも、狂気ほどその運命に盲目なものはない。愚かさのメタファー（隠喩）として言っているのではない。文字どおりの狂気、精神異常という意味だ（図２７３）。こうした結末にもかかわらず、ほとんどの政治家はカーボンニュートラルの要求をある程度呑んでしまう。期限は２０２５年あるいは30年、遅くとも50年までだ。

エクスティンクション・リベリオンの共同設立者サイモン・ブラムウェルが、ニューウォークに

図273：よく言った、ジョージ［61ページ参照］。

「文明を破壊せよ」と呼びかける姿が撮影されている。彼は、人類が「未開の」「野生」に還る姿をみたいのだ。「……これは私たちの任務の一部だと思う。文明を解体するだけでなく、自分たちやこれからの世代をいにしえの野生状態に導き、野生の意識へと回帰させること、それが私たちに残された大きな仕事のひとつだ」

「野生」の定義は「野生動物に特徴的な、獰猛（どうもう）な、残忍な」である。ブラムウェルは、現代の環境保護活動では人びとに「食料がない」状態や「延命措置のための機器やテクノロジーがないために自分の子どもを失う」ことを納得させることはできないと悟ったという。「だから私たちは、このような市民的不服従と都市生活の妨害という道筋（原文ママ）で、別のことを提案しなければならない」

ブラムウェルの元パートナーで、エクスティンクション・リベリオンの共同創設者であるゲイル・ブラッドブルックは、はえぬきの活動家である。彼女にはNGOや大企業、銀行、そして金持ちとの多くのコネクションがある。

「地球に優しい」の悲惨な結末

CO_2への執着は、あらゆる執着と同様、結果を度外視する。気候カルトは電気自動車（まだ電気の大部分は化石燃料からつくられている）やリチウム電池を推しているが、コンゴ民主共和国では人びとや環境に被害がでている。ニューウォークのアップル、グーグル、テスラ、マイクロソフトやデルは、児童労働をさせているとして子どもたちの家族から訴えられている。リチウム電池に使われるコバルトや、スマホなどの電子機器に使われるコルタンの採掘で、子どもたちが死亡したり、重傷を負ったりしたというのだ。コバルトとコルタンの取引には何万人もの子どもたちがかかわっており、なかには4歳児もいる。その全員が、日々有毒ガスを吸いこんでいる。

アムネスティ・インターナショナルの報告によると、コンゴのほとんどのコバルト採掘者は、フェイスマスクや作業着、手袋といった基本的な防護具が不足した状態にあるという。多くはわずかの「賃金」で雇われ、ひんぱんな咳(せき)や肺の不調を訴えている。

『フォーブス』誌の記事では、ルカサという子が、朝5時から12時間働いて9ドル［約千円ちょっと］以下しかもらえないというありさまを伝えている。彼は鉱物を手で掘りおこし、それを背負って交易所まで1時間歩き、中国の業者に売る。業者は、文字どおり彼の背中から莫大(ばくだい)な利益をあげている。それからルカサは、さらに2時間歩いて帰宅する。

コンゴ民主共和国では、戦禍が続き数百万人が亡くなった。これは「内戦」と呼ばれているが、実際のところは「スマート」機器に使われる資源の支配をめぐる戦争である。熱帯雨林や先住民の古来の生活様式がこわされ、野生動物が絶滅の危機にさらされた。気候カルトはなにをしているんだ?? ああ、スマホで電気自動車を要求しているんだね。

現代の奴隷労働はひどいものだ。そしてここに、気候カルトが触れない落とし穴がある。電気自動車などのためのリチウム電池をつくると、大量の**二酸化炭素**が排出されるのだ。

『インダストリーウィーク』［米国の月刊誌］の記事には「SUV用の500キログラム以上の自動車用バッテリーをひとつつくるだけで、効率の良い従来型の自動車1台を生産するより最大74％も多くのCO_2を排出する（ドイツなどの化石燃料で動く工場で生産した場合）……」とある。

では、世界中のすべての自動車が自律走行の電気自動車となった場合の環境汚染、児童搾取、CO_2の影響について考えてみよう。私はCO_2が発生しても害はないと考えるが、気候カルトは有害だとしている。そして「気候変動と闘う」ため、電気自動車に使うコバルトの大量採掘をいまだに支持している。

バッテリーの寿命は10年に満たず、廃棄の際に環境問題を引きおこす。レスター大学のアンドリュー・アボット教授などの研究者は、2017年に英国で販売された100万台の電気自動車から、25万トン、つまり50万立方メートルの未処理の廃棄バッテリーがでると見積もった。すべての自動車が電気になったら、**全世界の廃棄物**はどれほどになるだろうか？

陸でも海でも、美しい風景が、非常に効率の悪い「グリーンな」風力発電のタービンによって台無しにされている。鳥が衝突して死んだり、生態系が乱れたり［風車が猛禽類を寄せつけないため、その餌となる小動物が増えたり行動が変化することがわかっている］、騒音で静寂が失われたりもしている。タービンのブレード［羽根状の部品］はジャンボジェット機の翼より大きいものもあり、すでに数万枚が寿命を迎え、埋めたて処分を待つばかりだ。

ブルームバーグによれば、米国では今後4年で8千枚ほどが廃棄される予定で、欧州では年間3800枚処理しなければならない。これは10年前に建設されたものを反映した数なので、今後はるかに大量の廃棄物がでることになる。ポイポイ捨てて、世界を救おう。

タービンを設置するため、数万平方キロメートルの**森林**が切り倒された。情報自由法にもとづく開示請求で、スコットランドのような小さな国では2000年以降、約70平方キロメートルにわたって1400万本の木がタービンのために失われたことがあきらかになった。これらの木は、大気中からCO_2を取りこむものだ。CO_2ヒステリーなど、とんでもないうそであることが明白ではないか。風力タービンも自然環境を技術化するものであり、テクノクラート（技術官僚）が好むものである。

いかにして気候カルトはビリオネア（兆億長者）によってうみだされたか

ニューウォークや気候カルトがこんなスピードで出現したのは、偶然ではない。長年かけてつくられたものであるということは、『今知っておくべき重大なはかりごと』で詳細に説明している。

簡単にいえば、1968年にローマクラブが設立されたということだが、話はそれ以前にさかのぼる。ローマクラブは、カルトの隠されたレベルと見えるレベルが交わる場所にある、クモの巣の先端組織である。ビルダーバーグ会議、外交問題評議会、三極委員会などといった先端組織は、それぞれ特定の役割をもっている。ローマクラブの場合は、最初から環境問題を利用してグローバル社会の変革を正当化することを目的としてきた。

クラブは1972年、2000年までの環境災害を警告する報告書を発表した。シミュレーションモデルによる分析結果だが、ローマクラブの共同創設者であるアウレリオ・ペッチェイは、コンピューターモデルは望ましい予測がでるよう暗号化されていた、とのちに認めている。これは、コンピューターモデルを使った気候変動プロパガンダの常套テクニックである。

イタリアの実業家ペッチェイは、クラブの1991年の刊行物『第一次地球革命』［朝日新聞社］で、「［世界大戦、冷戦、植民地独立運動などが終結したこの時代に］力を合わせて行動するために新しい敵を探した結果、公害や地球温暖化の脅威、水不足、飢饉などにゆきあたった」と述べている。この文書は、これらが人間の介入などによって引きおこされたと強調している。

さて、ここからが肝心だ。「ということは、本当の敵は、人類自身ということだ」ビンゴ！ストーリーとターゲットの設定完了だ。ローマクラブのメンバーには、世界の政治的指導者（および退任者）、政府関係者、外交官、科学者、経済専門家、ビジネスリーダーが名を連ねているが、なかでも重要なのが国連官僚だ。

カルトがつくった国連は、忍び足の全体主義による偽装世界政府である。気候変動デマ**も**その「解決策」も、どちらも国連が無問題－反応－解決としてしくんだものである。カルトがコントロールする外交問題評議会会長のリチャード・ハースは、国家主権を制限して地球温暖化と「闘う」ために世界政府が必要だと言った。

「さらに、国際システムが機能するためには、国家はある程度の主権を世界機関に引きわたす覚悟をしなければならない。……国家はみずからを守るために、主権を弱めることが賢明だろう……」

気候カルトの出現において重要な出来事は、1992年にブラジルのリオデジャネイロで開かれた地球サミットである。このサミットは、カルトのスパイでカナダの石油王モーリス・ストロングが主催したものだった。表向きはストロングが主催だが、その裏にはロスチャイルド家とロックフェラー家がいた。

ストロングは、国連が世界政府となるべきだと考えていた。彼は、国連環境計画（UNEP）の初代事務局長に任命された。そして1980年代から、気温の上昇が止まっていないかのように人為的気候変動、あるいは「地球温暖化」を提唱するようになった。ストロングのUNEPは、国連の気候変動に関する政府間パネル（IPCC）を設立した。以来IPCCは、気候変動デマの中核となっている。

彼はまた、気候変動に関する国際連合枠組条約（UNFCCC）を採択させた。この組織を通じて、彼はリオでの「地球サミット」を主催し、世界の指導者108人と2万人の「環境活動家」が出席した。

モーリス・ストロングといえば、カルトの大物工作員である。気候変動に関する国際連合枠組条約は、京都（1997）、コペンハーゲン（2009）、パリ（2015）、グラスゴー（2020）などで締約国会議を毎年開催している。この会議は、各国政府に生命のガスの排出量を減らす法律

図274：世間知らずの自助グループの年次総会。

を制定するよう迫るものだ。

ストロングは晩年を中国で過ごし、さかのぼれば毛沢東主席にたどり着く、共産党の指導者らと親交があった。彼が中国へ移住したのは、国連の石油食料交換プログラムから100万ドル［約1億5千万円］を受けとったことがあきらかになった後のことだ。このプログラムは、［湾岸戦争にともなう経済制裁によって］困窮する市民のため、イラクが［人道的に必要な物資と引き換えに］石油を輸出できるようにすることを目的としたものだった。みずからを「社会主義者」（の富豪）と主張し、のちのニューウォーク層の寵児（ちょうじ）となったモーリス・ストロングその人が、汚職に手を染めていたのである。ジョージ・ソロスが演じているのも同じような役まわりだが、さらに守備範囲が拡大している。そしてニューウォーカーは、いまだにその本質を見抜けていない（図274）。

ストロングは、ほかにもカルトに仕える重要なポジションを歴任している。国連事務総長上級顧問、世界銀行上級顧問、アース・カウンシル議長、世界資源研究所会長、国連事務次長、そしてグレタ・トゥーンベリの主要な後援者となった世界経済フォーラム評議会共同議長など。カルトの手先になると、このようなキャリアが用意されているのだ。

あるインサイダー（内部者）は語る

私は何年も前から、ジョージ・ハントの警告について書きつづけている。ハントは会計士、投資コンサルタントで、1987年にコロラド州で開催された「第4回世界自然保護会議」を主催した。この会議には、モーリス・ストロング、エドモンド・ド・ロスチャイルド、デイヴィッド・ロックフェラー、世界銀行と国際通貨基金（IMF）の幹部らが出席した。それは環境と貧困層に深い関心を抱いていたためであって、「世界を救う」という名目で貧しい人びとから土地を奪うこととは関係ない……？　いや、じつは大ありだ。

拙著『The Perception Deception（知覚の欺き）』［未邦訳］をご一読いただきたい。ハントは、こうした巨大犯罪者たちとの経験から、いわゆる環境保護運動が、私が「カルト」と呼ぶものによるロスチャイルド／ロックフェラーのグローバルバンカーの隠れみのであることに気づいたのだ。彼は、ある銀行家の出席者は世界の人びとのことを「地球に生息する使い捨ての駒」と表現していたという。

ハントは、1992年6月の地球サミットの1か月前に動画を撮影し、計略が公になる前に非難した。この動画は、今もネットで見ることができる。地球サミットのロゴは「地球の未来は私たちにかかっている」というスローガンをあらわした、地球を抱える手である。彼は、カルトのシンボルへのこだわりから考えるに、これはカルトの意思表示であると指摘した（図275）。地球サミットの正式名称はUNCED（環境と開発に関する国際連合会議）だが、これは「アンセッド（unsaid）」［前言を取り消す］」と発音される。これも然（しか）りだ。ハントは、地球サミットの背景をこのように述べている。

図275：「世界はわれわれの掌中にある」たくらみを完璧にあらわしたシンボルだ。

第一次世界大戦と第二次世界大戦を計画したのと同じワールド・オーダー（カルト）ファミリーが、第三世界［アフリカ、ラテンアメリカなど冷戦当時の「西（第一）」にも「東（第二）」にも属さない国々］を騙して借金をさせ、莫大な債務を負わせた。アフリカその他の国々が借りたカネのほとんどを盗んで、スイスの銀行に隠したのも同じワールド・オーダーだ。ヒトラーに資金提供し、社会を自分たちの支配下に置くために、戦争と負債を意図的につくりだした者である。ワールド・オーダーの連中は、善人の集団ではない。

ハントは1992年に「世界の環境運動は、近いうちワールド・オーダーの手に落ちるだろう」と言っている。運動の支持者が行動を起こさなければ、というのが前提だったが、もちろん行動は起こされず、ハントの予想どおり、完全に「ワールド・オーダー」のエリートに吸収されてしまった。そして10代の「精神的指導者」グレタ・トゥーンベリ率いる、ニューウォークの気候カルトとなったのだ。ハントはこう語る。

私はあとになって、ワールド・オーダーが、ひとつの世界政府を第四世界と呼んでいることを知った。ワールド・オーダーにコントロールされる世界には、もはや第一、第二、第三世界は存在しない……国境のないひとつの星があるばかりだ。ヨギ［ヨガの行者］やシャーマンはこれを、第四世界の荒野（あらの）、心の迷いという。心の迷いとは、集合意識のことだ。人びとはうそや薬物、おそれ、苦痛によって、自分自身やエゴを集合意識にあけ渡すよう強いられるだろう。

ここで強調したいのは、私たちが**「ワンネス」**のあらわれであるということは、私たちは集合的であると**同時に**、個々の注意を向けた点であるということだ。私たちは、個々の感覚や個人の主権を、いかなる集団思考や集団的意思決定にも譲りわたすべきではない。それはカルトが、人工知能がコントロールする技術的な集合精神［多重人格の逆で、複数の個体がひとつの意識を共有している状態］として計画しているものだ。

ハントは、「第四世界」はカエサルあるいはバビロン、もしくは第四帝国［ナチス政権下のドイツをいう「第三帝国」の次の意］のような社会への逆戻りだと言った。彼は、この社会はオルダス・ハクスリーの『すばらしい新世界』と『素晴らしい新世界ふたたび』［近代文藝社］、そしてジョージ・オーウェルの『1984年』に描かれていたという。新世界秩序は、無秩序の廃墟（はいきょ）のなかから社会をつくりだそうとしていた。集産主義［国家が生産手段などの集約、計画、統制をおこなう経済体制］の宗教と、集産主義の金融と、野放しの世界国家社会主義を備えた第四世界だ。ハントは1992年にこう言っている。

ワールド・オーダーは、母なる大地であるガイアを、第四世界で崇めるべきビッグ・ブラザーのイメージとして大衆に提示するだろう。モーリス・ストロングはすでに、コロラド州クレストンに567平方キロメートルの土地を購入し、この地球宗教システムに備えていた［その後ストロングはこの土地の一部を日本の新興宗教団体「神慈秀明会（しんじしゅうめいかい）」に譲渡し、神慈秀明会はこの地に2002年「秀明国際交流センター」という施設を建設した］。このプロジェクトは、ロックフェラー基金などの財団から資金提供を受けている。地球サミットは環境を産業と結びつけるだろう。早急に手を打たなければ、UNCEDのお偉いさんたちが、誰がいつなにを手にするかを決める支配者になってしまうのだ。

もう一度言おう。ジョージ・ハントの発言は、1992年のものだ。今日起こっていることと照らしあわせてみると、はっとするではないか。ハントは、モーリス・ストロングがエドモン・ド・ロスチャイルドを環境保護運動の創始者と捉えていたと述べている。気候カルトのサポーターも、ロスチャイルドの手先であるソロスのようなビリオネアが、なぜ支持に回ったのか理解するのではないだろうか。

グレタ・トゥーンベリは、モナコ王室とつながりのあるエリートクルーが乗る、エドモン・ド・ロスチャイルド号と名づけられたヨット［使用されたのはモナコのヨットクラブ「チーム・マリツィア」が所有する「マリツィアⅡ号」だが、この船はもともとエドモン・ド・ロスチャイルド号と呼ばれていたとロシア国営メディアRTが報じた］で大西洋を横断した。なんと「庶民的」なことか。

国連のダブルパンチ

国連は、カルトのために挟撃作戦をおこなっている。かたや国連気候変動に関する政府間パネル（ＩＰＣＣ）が、人間が気候に与える影響について絶えまなくうそをつき、ヒステリーを引きおこしている。いっぽう国連アジェンダ21とアジェンダ２０３０は、「気候変動への挑戦」のために国際社会を中央集権オーウェリアン国家にしようとしている。

国連は、世界政府の独裁のためにカルトがトロイの木馬としてつくったものだということを考えれば、ゲームが見えてくる。ある国連機関が問題をでっちあげ、別の機関が解決策を売りこむ。ＩＰＣＣは科学的な組織ではなく、政治的な組織である。ＩＰＣＣの主張やおこないは、政治家や活動家、場当たり的な人びとによって左右されている。科学者はお飾りにすぎないのだ。「科学者」のなかには、ＩＰＣＣが要求することを言ってカネをもらっている者もいる。いっぽう本物の科学者はＩＰＣＣの「報告書」で自分たちの研究を誤って説明されたり、丸ごと無視されたりする。ＩＰＣＣの文書に記載された多くの科学者が、誤引用や意見の歪曲（わいきょく）を訴えていることについては、他の本で詳しく述べている。

もうひとつの手口は、「科学的知見」と称するＩＰＣＣの報告書の冒頭に、その知見の「要約」を記載することだ。こうした「要約」は、ＩＰＣＣの権力者が、報告書本文に書かれていることを曲げたり誇張したりするために書いたものである。そして各国メディアのほとんどが、この要約をベースとして報道をおこなう。

長きにわたってIPCCを率いたのは鉄道技師のラジェンドラ・パチャウリで、そのあとを継いだのは韓国人のイ・フェソン（李会晟）である。イは、石油大手エクソンモービル社に経済学者として勤めていた。兄は元韓国首相イ・フェチャン（李会昌）である。IPCCはまったく**政治的な**組織であって、科学的な組織ではない。気候変動に関するプロパガンダを大量生産し、グローバルな中央集権の圧政の押しつけを正当化するものだ。

骨の髄まで国連人であるクリスティアナ・フィゲレスは、国連気候変動枠組条約の事務局長を6年にわたって務めた。2020年には、彼女の「戦略アドバイザー」を務めた「気候変動」の政治的ロビイストで、貴族の出であるトム・リベット・カルナックと共著で本を出版した。その本『The Future We Choose: Surviving the Climate Crisis』（私たちの手にある未来：気候危機を生き抜く）［未邦訳］は、もちろんすべての条件をクリアしている。フィゲレスは気候変動の正統を受け売りし、エクスティンクション・リベリオンやグレタ・トゥーンベリを支持している。そして「道徳的な選択」として「市民的不服従」をおこなって政治家に圧力をかけ、気候変動のため動かすよう鼓舞している。

その例としてマーティン・ルーサー・キングを挙げているが、これほどふさわしくない例もないだろう。キングは、自由のために戦ったのである。気候カルトのように、自由をなくすべきだとは言っていない。気候変動デマを推し進めるために、体制側が「市民的不服従」を奨励するとはおかしなことだ。自由、公正、正義を支持して市民的不服従をおこなう人びとは「国家の敵」のレッテルを貼られている。国際連合教育科学文化機関（ユネスコ）のウェブサイトに掲載された「気候犯罪は裁きを受けるべきだ」という記事をキングが見たら、どう応えるだろうか？

英国の学者カトリオーナ・マッキノンが取りあげたこれらの「犯罪」とは、国連の気候変動デマを信じるのを拒否することだという。マッキノンは、かつて高貴な職業であった学問が、いまや悪い冗談になってしまったことをあらためて証明する人物だ。この天才はこう書いている。

あらゆる許容範囲を超えた（ニューウォークの場合はまったく許容できない）行為を定めるには、刑事制裁が最も有効な手段だ。

犯罪行為は基本的権利の侵害であり、人間の安全をおびやかすものである。私たちは、もっとも根本的に価値があると思われるものに損害を与える行為に対しては、罰という厳しい処遇も辞さない。気候変動は、まさにそのような損害を引きおこしている……。

……私は、私がポスタリサイド（緩慢な殺人）と呼ぶ新たな犯罪を含めるよう、国際刑法の範囲を拡大すべきだと提案してきた。ポスタリサイドは、意図的または無責任な組織的行為によっておこなわれ、人類の絶滅に近い状態をもたらしうるものだ。ポスタリサイドは、人類を絶滅させる意図をもって、またはそのような効果をもたらしうる行為であると知りながらおこなった行為によって、人類が絶滅のリスクにさらされる場合に成立する。

みずからの行為が、他者に容認できないリスクを負わせると知りながらそれをおこなうなら、その人は無責任だ。気候変動を悪化させるという無責任な行為の領域でこそ、私たちはポスタリサイドな行為を探すべきである。

マッキノンの突飛な思考回路から、気候変動デマの正統性に異議を唱えることは国際法上の犯罪とすべき、という要求が生まれた。こうした要求のファシスト的な性質は、彼女のニューウォークな自己執着を見やぶることはできないだろう。マッキノンは『The Ethics of Climate Governance（気候ガバナンスの倫理）』［未邦訳］と題した本を発表しているが、『**グローバル**ガバナンスの倫理』としたほうがよいだろう。ユネスコが彼女の記事を売りこむのも不思議はない。

ところで、ケンブリッジの学者であるパトリシア・マコーマックは、マッキノンの「ポスタリサイド」において当然有罪となるはずだ。「気候変動の唯一の解決策は人類を絶滅させること」などと言っているのだから。いや違うな、マコーマックもマッキノンもどちらもニューウォークで、気候変動デマを信じている。ということは、いつでも監獄からでられるカードをもっているのだ。

グリーンピースの共同創設者パトリック・ムーアも、あきらかに「ポスタリサイドな行為」をおこなった者だ。ムーアは、気候変動騒ぎのもうひとつのまやかしを強調している。ＩＰＣＣの任務は気候変動の原因を調査することではなく、**人為的な**原因だけを調査することだ。道理で、太陽を根本的に無視するわけだ。

人為的原因とされるものに特化しているのは、それが操作のためにカルトが必要とする答えだからだ。もしIPCCの職員の調べで有意な人間の影響などないと判明したら、その存在意義はなくなってしまうだろう。『クライメート・チェンジ・ビジネス・ジャーナル』［サブスク形式の電子版ビジネスリサーチ誌］は、2015年の国連パリ気候会議時点でIPCCの取り分は年間1兆5千億ドル［約217兆円］と見積もっている。今はもっと多くなっているだろうが、それも失われるだろう。

米国の作家アプトン・シンクレアは「人になにかを理解させるのが難しいのは、それを理解しないことによって給料をもらっている場合である」と言った。これもカルトが使い走りに圧力をかけるテクニックのひとつである。カルトが望むことをしたり、言ったりしなければ収入がなくなるのだ。IPCCは、客観的で科学的な情報を世界に提供することに専念していると主張するが、その中枢にいるのは気候マフィアである。

科学者で技術者のデヴィッド・エヴァンスは、オーストラリア・グリーンハウス・オフィス（現・気候変動省）で、11年間にわたり常勤／非常勤コンサルタントを務めた人物だ。エヴァンスは、欺（あざむ）きを目的とした途方もない陰謀に関して、はるかに正確な評価をしている。彼は、人為的地球温暖化の理論は「経験にもとづくエビデンスによって、1990年代に誤りだと証明された憶測」にもとづくものだという。しかし、ほとんどの科学者はそれを口にしない。「あまりにも多くの雇用、産業、営業利益、政治的キャリア、そして**世界政府**と完全支配の可能性が、その巨大な利権に乗っかっているのだから（強調は私アイクによる）」エヴァンスの指摘は、まさに核心をついている。これが、人為的「気候危機」デマの真の姿である。彼は「政府や従順な気候科学者らは、不法にも二酸化炭素が危険な汚染物質であるという虚構を主張している」という。それが誤りであるというエビデンスが圧倒的だというのに。

アジェンダ21／2030

このふたつの関連する国連「アジェンダ」は、カルトが気候変動のうそを利用してグローバル・コントロールのハンガー・ゲーム構造を押しつける、重要な手段である。アジェンダ21は、モーリス・ストロング（とロスチャイルドとロックフェラー）によって、１９９２年リオの地球サミットで採択された。アジェンダ２０３０は、２０１５年の国連総会で採択された。アジェンダ21では、21世紀にはすべてが一元管理されるとしている。いっぽうアジェンダ２０３０は、17項目の目指すべき「目標」を列挙したものだ。計画どおりに実行されれば、アジェンダ21が要求した世界独裁が実現することになる。

簡単に言うなら、同じ陰謀のふたつのバージョンということだ。アジェンダ21は世界中で受けいれられ、地方議会までもが推進している。自分の地方の議会や都道府県が「アジェンダ21」や「持続可能な開発」を実施しているかどうか調べてみてほしい。後者は、一見称賛すべきものに見えるかもしれない。人間の活動が長期的に「持続可能」であることを望む？　いいじゃないか。レッドアラート！　国連やカルトの辞書には、違う定義が載っている。彼らにとっては、それは独裁を押しつけるための口実だ。以下は「持続可能な開発目標（Sustainable Development Goals）」とアジェンダ２０３０の項目である。

1. 貧困をなくそう
2. 飢餓をゼロに
3. すべての人に健康と福祉を
4. 質の高い教育をみんなに
5. ジェンダー平等を実現しよう
6. 安全な水とトイレを世界中に
7. エネルギーをみんなに、そしてクリーンに
8. 働きがいも経済成長も
9. 産業と技術革新の基盤をつくろう
10. 人や国の不平等をなくそう
11. 住みつづけられるまちづくりを

12. つくる責任　つかう責任
13. 気候変動に具体的な対策を
14. 海の豊かさを守ろう
15. 陸の豊かさも守ろう
16. 平和と公正をすべての人に
17. パートナーシップで目標を達成しよう

繰りかえすが、これらはぱっと見では文句なく支持できる志のように見える。しかし、聞こえのいい言葉の裏に本当の狙いが隠れている、というのがカルトの常套(じょうとう)手段だ。「人類のために」という主張を、額面どおりに受けとってはいけない。国連の裏には、ぞっとするような悪意によって動く死のカルトがいることを、つねに念頭におくべきだ。人間を病的に憎むカルトの現役サタニストや小児性愛者(ペドファイル)が、貧困や飢餓をなくすなどという「目標」を達成したいと思うだろうか？　彼らは貧困と飢餓をうみだし、その両方を政治的な道具として利用しているグローバル金融の支配者だ。悪魔は「目標」とされるものに宿るのではない。それを達成する手段（もっと言えば、達成したという幻想）に宿るのだ。以下はアジェンダ21が示した意図である。

●国家主権をなくす

- すべての陸上資源、生態系、砂漠、森林、山、海洋および淡水資源、農業、農村開発バイオテクノロジーを政府が計画、管理し、「公平」であるよう保障する
- 政府がビジネス、金融資源の「役割を定義する」
- 私有地の廃止
- 家族の「再編成」
- 国家による子どもの養育
- 人びとはどの職に就くべきか指示される
- 移動の大幅な制限
- 「人間居住区」の創設
- 人びとは暮らしている地を追われ、大量移住させられる
- バカをつくる教育
- 上記すべての実現に向けた世界的な大量人口削減

これは、私が30年来暴きつづけてきた、カルトのほしい物リストそのものである。ニューウォークの民主党過激派が提案した米国のグリーン・ニューディールは、アジェンダ21/2030を実行するための政治綱領だ。世界中の類似「ディール(政策)」も同様だ。オーウェル語で書かれた国連アジェンダとグリーン・ニューディールが本当に意味するところは、こうだ。

国家主権をなくす

これについては、詳述する必要はないだろう。世界政府や超国家／地域構造に移行するため、国をなくす計画についてはすでに述べたとおりだ。欧州では、すでに国をなくして地域化した地図が存在し、アメリカでは政府評議会（ＣＯＧｓ）や都市圏計画機構（ＭＰＯ）という地域協議会が50州に５００ある。これを通じて、忍び足の手法で地域化が進められている。次なるステージは、全米展開を視野に入れて２０１９年にアリゾナで導入されたスマートリージョンイニシアチブ（ＳＲＩ）だ。

すべての陸上資源、生態系、砂漠、森林、山、海洋および淡水資源、農業、農村開発バイオテクノロジーを政府が計画、管理し、「公平」であるよう保障する

これは、私がかねて警告してきたあらゆるものの一元管理である。すでに、私有地に降った雨水の所有権を主張する米国の州がでてきている。

政府がビジネス、金融資源の「役割を定義する」

これはすべての金融、ビジネスの一元管理と、世界国家の後援のない私企業の終わりを意味する。税制や規制によって、小さな商店や大企業が組織的にターゲットにされている。最終的に中小企業をすべて破壊し、カルト世界政府に従う巨大カルト企業だけがあらゆるものを支配できるようにするためだ。

アマゾンがいい例だ。「ウイルス」ロックダウン以降の世界を眺めてみれば、この目標が異常に加速していることがわかるだろう。世界的金融独裁が、欧州中央銀行、世界銀行、国際通貨基金（ＩＭＦ）などの、計画された世界中央銀行の役割である。そのための忍び足の全体主義であり、私が１９９０年代初頭から導入されると言っていた、キャッシュレス世界単一デジタル通貨も同様だ。

今日は、現金をなくすという段階にある（これも「ウイルス感染」源になるというばかげた危険視によって加速している）。「持続可能な開発」という経済のセールストークには「貧困をなくそう」も含まれているが、これは実際には富の再分配を意味する。メガリッチをさらに太らせ、欧米のミドルクラス（中産階級）やワーキングクラス（労働者階級）をひどく貧しくするものだ。（あたかもカルトが気にかけているかのような）「飢餓をなくす」というもうひとつの公約は、健康をそこない膨大な量の農薬と除草剤を必要とする遺伝子組み換え作物と、肉食の廃止を正当化するものだ。

私有地の廃止

これはあらゆる不動産（エリートは除く）を一元管理するというものだ。家賃があまりに高額なので、大衆はマイクロ（極小）「アパートメント」に暮らさざるをえない。これは現在世界中で建設中だ。この計画に沿って、土地の私有をやめようという声があがりはじめている。不動産価格の高騰や学生ローンなどの金銭的な制約から、若い世代は不動産には手をだせずにいる。ロックフェラー家の内通者であるリチャード・デイ博士は１９６９年、ピッツバーグの小児科医らにこう語った。

個人所有の住宅は過去の遺物になる。住宅や住宅ローンのコストはだんだん釣りあがり、ほとんどの人が買えなくなるだろう……若者はますます賃貸住宅、とくにアパートやマンションに住むようになるだろう。

大衆は〔家を〕買えなくなり、しだいに多くが小さなアパート〔マイクロアパートメント〕に押しこめられるようになるだろう。小さなアパートでは、たくさんの子どもは住まわせられない。

最後の箇所は、人口削減アジェンダの一部である。デイはまた、これからどこに住むべきかを指示する管理的な面についても指摘している。

最終的には、人びとは住む場所を指定されることになり、家族以外と同居するのがあたりまえになるだろう。誰をどこまで信じていいのかわからないということだ。すべては、中央住宅局の管理下におかれることになる。心にとどめておいてほしい……「あなたの家にはベッドルームがいくつありますか？　バスルームは何室ですか？　娯楽室はありますか？」この情報は個人的なものであり、現行憲法のもとでは政府にとって国益とはならない。しかし、あなたはこのような質問をされるだろう……。

居住場所の指示は、カルトのモデル地区である中国ではすでにおこなわれている。

家族の「再編成」

家族の終焉（しゅうえん）は、カルト関連の文書や組織では不変のテーマである。親権はかつてないほど削られ、学校や福祉課など国家機関に委ねられている。これは、あたりまえに展開されているこうしたアジェンダの一面だ。ばらばらの点として認識されていて、結びつけた全体像が見えている人はほとんどいないのだろう。学生ローン運動を起こしたウェイン・ジョンソンの、ローン危機は「結婚もできず、子どもをもつこともできない」人びとをうみだし「とめどない米国の基盤の解体」を招くという言葉を思いだしてほしい。原因も結果も計算ずくだ。

国家による子どもの養育

これはあきらかに家族の終焉と関連している。より長期にわたる計画では、人間の生殖自体が終了となる。これについてはまた後ほど。膨大な数の子どもたちが、愛する親の元から文字どおり盗まれている。非公開の「家庭裁判所」ではとんでもない虚偽の説明とうそがまかり通り、それによって福祉が子どもを奪って計画を遂行している。内通者オルダス・ハクスリーは、予言的な『すばらしい新世界』で、親というものの終わりを描いている。

人びとはどの職に就くべきか指示される

ジョージ・オーウェルは、おふざけでビッグ・ブラザーの世界を描いたわけではない。奴隷のような労働など、あらゆることが指示される人間生活が、ここに記されているではないか。

移動の大幅な制限

カルトに仕え、操られている気候変動過激派が、なぜ飛行機や車の利用を標的にするのだろうか？「パンデミック」による移動への影響を考えてみてほしい。コンピューターがどこへ行けるかを決める、自律走行車の押しつけにやっきになっていることも、これで説明がつく。各国政府はガソリン／ディーゼル車の販売を禁止し、とうていグリーンとはいえない電気自動車を支持している。本格的な自律走行の電気自動車への足がかりとするためだ。「地球を守る」というのが、このアジェンダを進める唯一の口実だ。英国、デンマーク、アイルランド、オランダ、スウェーデンは、2030年までにガソリン／ディーゼル車の新車販売を禁止するとしている。これに伴い、自動車業界の雇用は大量に失われることになるだろう。電気自動車の生産に必要な人員は、従来の自動車より少なくなるからだ。職を失った人びとはどこへゆくのか？　ハンガー・ゲーム社会の話はもう、したっけ？

「人間居住区」の創設

オーウェル語から翻訳すると、これは人びとが24時間監視下にあるメガシティや、先に述べたマイクロアパートメントにぎゅうぎゅう詰めにされる、ということだ。コードネームは「スマートシティ」である（繰りかえしになるが、中国を見よ）。すし詰めの街は、無秩序で悲惨なありさまだ。カルトの「神々」が食いものにする、低振動のエネルギーの発生源ともなることだろう。

人びとは暮らしている地を追われ、大量移住させられる

今地方で起こっている、コミュニティやビジネス、求人、店や銀行の撤退のことだ。高騰する移動コストや、人びとを都市に向かわせる圧力もそうだ。

バカをつくる教育

これはすでに達成されていて、ニューウォークな考え方がプログラミングされている。「教育」が教化と混同され、カルトの知覚プログラムをダウンロードすることが「すべてを知っている」のだと認識されてしまう。（またもや）国連教育科学文化機関（ユネスコ）が発表した、気候変動の

ための「バカをつくる教育」の口実を熟読していただきたい。

一般的に、高学歴で高所得な人ほど、低学歴で低所得の人より資源を消費する傾向がある。この場合、高い教育を受けることがサステナビリティへの脅威となる。

まだわからないか？　ニューウォークよ。

上記すべての実現に向けた世界的な大量人口削減

ＡＩ世界の到来により、もはやこれほどまでの数の人間はカルトに必要とされなくなった。生殖終了により、さらに必要数は少なくなる。世界人口の大量淘汰計画は、多くのカルト関連文書に登場し、「人口抑制」や「持続可能な人口」などと呼ばれている。計画は、意図的に免疫系をむしばむことで遂行されている。食べもの、飲みもの、ワクチン、放射線などを使うさまざまな方法がある。ひとたび人間の脳がＡＩに接続されるようになれば、簡単に削減できるようになる。ボタンをひと押し、あるいはマウスをクリックするだけで一掃できるのだ。

ここであらましを述べた、ぞっとするようなさまざまな側面をもつ対人類アジェンダは、「気候危機」と人類の「存在への脅威」によって正当化されている。しかし、**そんな事実はない**。私たちが目にしているのは、集団ヒステリーだ。「集団心因性疾患、集合的ヒステリー、集団ヒステリー、集団強迫行為。現実であれ想像であれ、脅威の集団幻想を、噂や恐怖の結果として社会内の集団に伝達する」と定義されるものだ。集団ヒステリーは、個々のヒステリーがからみあう集団に流れこみ、集団的ヒステリーをうみだすという波動のからみあいの例のひとつだ。

火事だとけしかける者があれば、群衆は走りだす。科学、学界、メディアでは今も火事だと叫びつづけている者がいる。みんなが火事だと叫んでいるのだから、誰にも煙が見えなくても、火は燃えているのだろう（「ウイルス」ヒステリーを見よ）。

「ヒステリー」という言葉が現状を完璧に表現しているため、ドイツの言語学者の委員会は、気候変動と関連してこの言葉を使うことを「禁止」すると決定した。委員会では、毎年新しい単語やフレーズを選んで「禁止」している。「気候ヒステリー」は、「気候保護努力と気候保護運動を中傷し、気候保護に関する重要な議論の信用を落とす」という理由で禁止された。これは、オーウェルのニュースピーク〔『１９８４年』で描かれた架空の言語〕である。「誤った」考えを表現する言葉は、削除されるのだ。他に「委員会」が禁止した言葉には「もうひとつの事実」、「空想的社会改良家［口だけ」というニュアンスがある］」、「うそつきメディア」、「ウェルフェア・ツーリズム」（社会福祉目当ての移住者）などがある。パターンは簡単に見てとれるだろう。

もうひとつおかしいのは、自由削除のターゲットの中心にいるのは結局、エクスティンクション・リベリオンのような組織であることだ。自分たちや、子どもや孫を集団奴隷にすることを要求し、反対する者は黙らせるべきと主張しているのだ（図２７６）。さいわいすべての人ではないも

図276：ストックホルムにあらわれたハーメルンの笛吹き。

のの、人類の大部分は精神病に陥っている。これは誇張ではない。

行き過ぎた環境運動を評した、パトリック・ムーアの言葉は正しかった。「私は啓蒙（けいもう）の終わりをおそれる。グリーンピースが看守となる、知の強制収容所をおそれている」

これが本当の計画だ。だが、従う必要はない。学校での絶え間ない気候プログラミングによって、この考えが若者たちに吹きこまれてきた。大きなうそがすっかり定着して、老若男女を全世界で完全にコントロールする、というカルトのアジェンダを受けいれ、なんなら要求するように。

絶妙のタイミングでグレタの登場

19歳のスウェーデン人グレタ・トゥーンベリは、若者にターゲットを絞って、結集して大人に対し気候変動への抗議という反乱を起こさせるためかつぎ出された。これは、若者たちのその後の生涯にわたって自由をなくすよう迫るものである。トゥーンベリがその意味を知っていたとは思えない。彼女は痛ましい操り人形で、そのストーリーはカルトのアジェンダを押しつける組織とつながっている。だが彼女はカルトが存在することも、自分がそのお先棒をかついでいることも知らないだろう。しかし彼女の傲慢（ごうまん）さからは、自身の知名度やフィーバーを信じる傾向がますます強まっていることが透けて見える。

トゥーンベリはあまりものを知らないようで、「科学に耳を傾けよ」などといったお題目や常套（じょうとう）

句を、わけもわからず繰りかえすばかりだ。「科学」とはなんなのか、まったくわかっていない。彼女は科学のことを詳しく語らないし、主流メディアのおべっか使いもそこにツッコむことはない。「科学的には決着がついている」というお題目は、まったくのでたらめだ。しかしこれによって、気候変動の正統に疑問を呈する人びとは、気候変動の宣伝活動家から「科学を否定している」と非難されるのをおそれ、口をつぐんでしまう。とくに、学界で守るべき仕事のある人にその傾向がある。もし「科学」が、まったくもって「科学」でなかったとしたらどうだろう？　もしそれが、主流「科学」のほとんどが長らく魂を売ってきた「カルト」が書いた筋書でしかないとしたら？　まあ実際そうなのだが。

グレタ・トゥーンベリは、強迫神経症、自閉症、アスペルガー症候群と診断されている。気候カルトで超ニューウォークなスウェーデン人オペラ歌手である母親のマレーナ・エルンマンは、娘には神秘的な力があると信じている。いっぽう父親のスヴァンテ・トゥーンベリは、タレントエージエントおよびメディア会社の経営者である。

グレタの「力」のなかには、肉眼で二酸化炭素を見ることができるというものもある。煙突から流れでて、大気を変える様子が見えるのだという。私はふざけているわけではない。彼女には、CO_2が増加して、植物が大きく丈夫に育っているところも見えているのだろうか？

なんともばかばかしいが、新しい宗教的なアイコン（偶像）をつくりたいのなら、最高の逸材である。10代の少女を利用することで、若者とつながり、彼女を主流メディアにただ乗り（フリーライド）させることになる。

エリートが演出した彼女の言動のインパクトは世界的なもので、人類社会の変革の根幹にかかわるというのに。

対照的な扱いを受けているのが、同世代のドイツ人ナオミ・ザイブトだ。彼女は、いったんは気候変動のうそを信じたものの、でっちあげであることを見抜いて声をあげた。ザイブトは「アンチ・グレタ」と呼ばれ、よく調べあげ、考えをはっきり言う。

つまり、エリートのイベントには招かれないということだ。それどころか、彼女は白人民族主義者の過激派の一味であるという匂わせや連想とともに紹介されている。もちろん、「反体制的」を標榜する、骨の髄まで体制派の『ロンドン・ガーディアン』などお馴染みの面々は、よくいる「反ユダヤ主義者」としている。驚きであろう。トゥーンベリとザイブトの公開討論を開催して、若者みんなに見てもらうべきだ。

あるネット動画では、トゥーンベリが街で「科学」について質問されたときに使うサインが暴露されている。彼女が帽子を取ると、すぐにボディーガードがやってきて、連れていってしまう。感じが悪く攻撃的な私服のセキュリティが、トゥーンベリを見守っている。スウェーデンでは、彼女と一緒にいる抗議者よりセキュリティのほうが多いこともある。こうした用心棒は、誰にもトゥーンベリのそばで本当の質問をさせない。彼らに給料を払っているのは誰だろう？　グレタ現象全体のカネをまかなっているのは？　1％のメンバーや手先が、このあからさまなプロパガンダ作戦の資金提供に絡んでいることはまちがいないだろう。『Greta Thunberg Incorporated: The Expose』

というユーチューブ動画をおすすめしたい。トゥーンベリを取り巻く「セキュリティ」のなかにいる、傲慢な権威主義のチンピラどもを見ることができる。

スウェーデンでたったひとり抗議する16歳［当時］の少女が、突然1%に招かれてスイス・ダボスで開催された世界経済フォーラムでスピーチし、気候変動についてエリートに説教した。これを偶然だと信じるような世間知らずなど、本当にいるのだろうか？　気候カルトが糸を引く**国連の**舞台で、世界に訴えかける機会を得たことも？

国連本部に行くためにヨットで大西洋を横断する、というばかげたパフォーマンスはどうだろう？　動いたのはモナコ王室につながる者たちで、使われたのはモーリス・ストロングが環境運動の生みの親というエドモン・ド・ロスチャイルドの名で呼ばれていた、数百万ドルもするヨットだ。注目のドキュメンタリーを撮影するクルーが、スウェーデン議会の前で少女が「自発的に」「ひとりで」座りこみをしているときから追っていたことはどうか？

彼女の「ひとりぼっちの抗議」を「偶然見つけた」人物が、広報と金融の専門家で、気候変動デマをうみだしたローマクラブと深いつながりのあるイングマール・レンツホグであったことは？

彼は、トゥーンベリがスウェーデン議会前ではじめて「学校ストライキ抗議」をおこなった直後に「偶然」通りかかったと主張している。笑えるではないか。レンツホグは、気候変動の世界的伝道者、アル・ゴア率いるクライメート・リアリティ・プロジェクトでトレーニングを受けた。そして気候変動のストーリーを売りこむため「We Don't Have Time（もう時間がない）」という、ソーシャルメディアプラットフォームを創設した。レンツホグがグレタを２０１８年に「見つけた」２か月後、ローマクラブはレンツホグと「We Don't Have Time」とともに合同会議を開いた。

トゥーンベリに「学校ストライキ」と議会前での抗議を始めるようすすめた人物は、エクスティンクション・リベリオン（絶滅への反逆）のスウェーデンのリーダーだ。「持続可能な社会への転換のペースを速めるため若者の協力を得る」ために、若くて可愛らしい「顔」が必要だったのだという。

トゥーンベリの気候変動のメンター（師）が、ドイツの気候活動家ルイーザ・マリー・ノイバウアーであることも、偶然のひとつなのだろう。ノイバウアーは貧困対策を求める国際ＮＧＯ、ＯＮＥのスパイである。ＯＮＥは、ビル・ゲイツやジョージ・ソロス（またもや）といったカルトのスパイが資金提供し、そのお仲間で意識高い系ロックシンガーのボノ［Ｕ２のボーカリスト］らが設立した。ソロスは、ほかのトゥーンベリの関連組織にも資金提供している。ルイーザ・マリー・ノイバウアーは、トゥーンベリとともに多くの公のイベントにあらわれている。

ＯＮＥは、考えうる最もあからさまなニューウォークのアストロターフ（偽「草の根」）作戦だ。ビル＆メリンダ・ゲイツ財団のウェブサイトでは、ＯＮＥは「政策アドボカシー（提言）や草の根動員、コミュニケーション、そしてクリエイティブなキャンペーンによって目標を追求します」としている。

ニューウォークの操作マニュアルそのままである。ウェブサイトはこう続く。「ＯＮＥはまた、３２０万人［現在は７００万人超］の会員を動員して政策立案者に働きかけ、主にアフリカにおける疾患や貧困撲滅のためにいっそう尽力し、責任を負い、透明性を高める活動をおこなっています」

ビリオネアらは、貧困を深く憂慮しているようだ。ONEは「テクノロジーとソーシャル・メディアを最大限に活用している……**また、国際保健**と開発について人びとを教育し、援助とその影響についての認識を変える牽引役（けんいんやく）となっている」

ONEキャンペーンが並べるきれいごとをわかりやすく言うなら、カルトのアジェンダのためのものだということだ。ソロスのオープン・ソサエティネットワークと同じである。

トゥーンベリと両親は、他のニューウォークセクター（部門）との「インターセクショナリティ（交差性）」において「アンチ・ファシスト」であると公言している。親子3人とも、暴力的な「アンチ・ファシスト」ファシスト集団、アンティファのTシャツを着ているところを写真に撮られている（図277）。「知らなかった」とグレタは弁明した。そうか、しかしご両親はどうかな？　人為的気候変動はエリートの詐欺である。こうしたエリートとプロパガンダ姫の間に、つながりがないなどということがあるだろうか？　トゥーンベリは無知で日に日に傲慢さを増す、エリートの手先にすぎない。

私の考えでは、気候過激派の両親は、娘を利用して中心的役割を演じさせていることを恥ずべきだ。グレタが強迫神経症であることは、気候変動による世界の終わりを疑いもせず、取りつかれたようになっていることからはっきり見てとれる。こんなひどい利用のされようを見ていると、悲しくなる（図278）。

グレタ教は、ニューウォークと糞まみれのサンフランシスコを軽蔑（けいべつ）のまなざしで見下ろす彼女の巨大な壁画をも用意した。グレタの公的な動きは、すべてメディアによって記録されている。とくに若者をターゲットとした、大がかりなPRプログラミングなのだ（図２７９）。

エリートがトゥーンベリをもちあげることには、老人と若者、大人と子どもを離反させるという、さらなる重大な目的がある。以下は、入念に書きあげられた彼女の２０１９年の国連でのスピーチだ。ここに、気候カルトのアジェンダのすべてが詰まっている。［（　）内はアイクのツッコミ］

私が伝えたいことは、私たちはあなた方を見ているということです。なにもかもまちがっています。私はここにいるべきではないのです。私は海の反対側で、学校に通っているべきなのです（では、行けばいい）。あなた方は、私たち若者に希望を見いだそうとしています。よくもそんなことを！（起こってもいないことで老人を糾弾することで、若者と老人を分断する）あなた方は、空虚な言葉で私の夢や子ども時代を奪いました（違うよ、グレタ、きみを利用している者がきみの子ども時代を奪ったんだ）。それでも私は幸運なほうです。人びとは苦しんでいます。命を落としています（人為的気候変動が原因ではない）。私たちは、大量絶滅の始まりにいるのです（いや、います（人為的気候変動が原因ではない）。なのに、あなた方が話すことは、お金のことや、永遠の経済成長というおとぎ話（カルトが大衆のためになくしたいと願っているもの）ばかり。よくもそんなことを！（お前も、な、グレタ）

図277：グレタと両親は、アンティファを宣伝している。ニューウォークに大変愛されている暴力的な「アンチ・ヘイト」ヘイト集団だ。

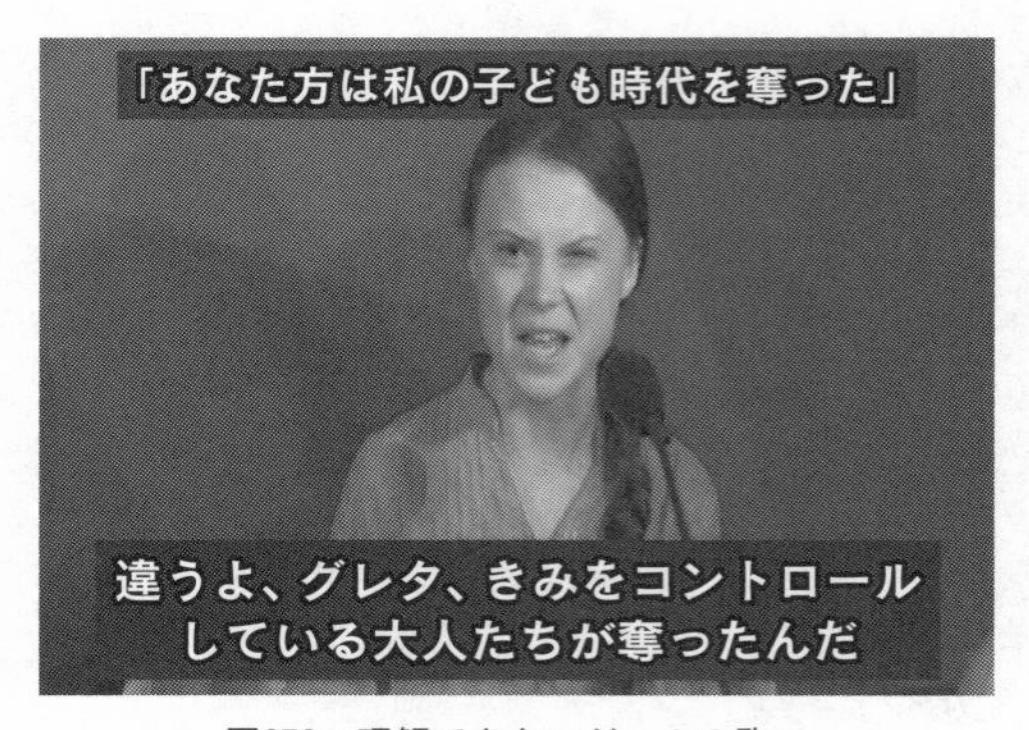

図278：理解できないゲームの駒。

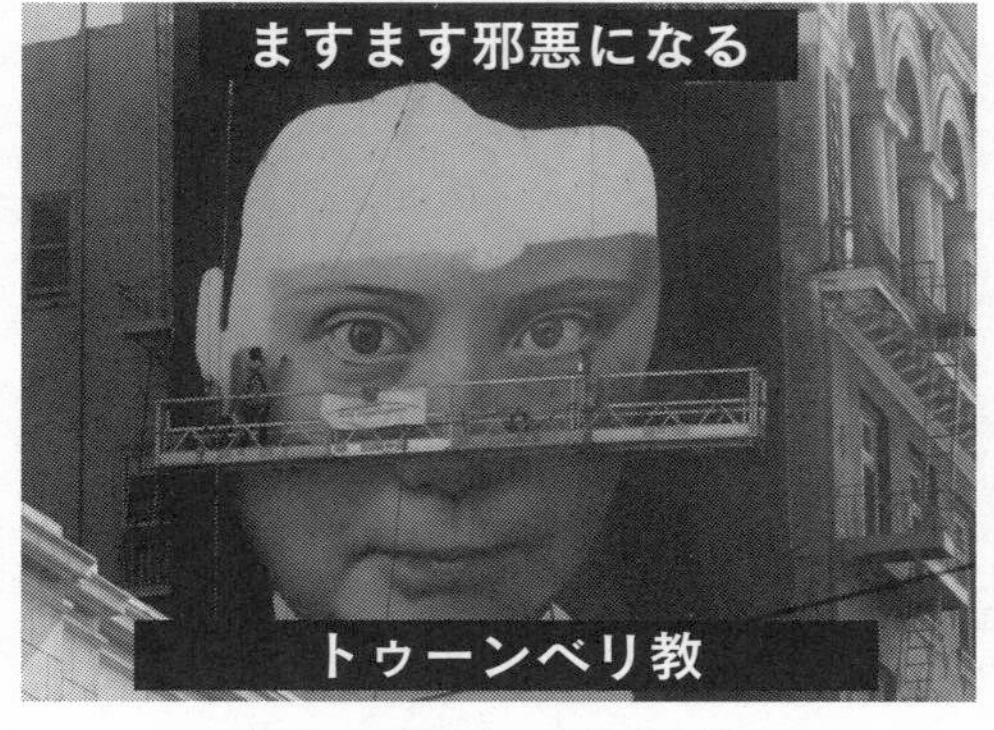

図279：聖グレタ、気候の女神。

30年以上にわたり、科学が示す事実ははっきりしていました（ありえない）。あなた方はそこから目を背けつづけていたのに、よくもここに来て「十分やってきた」などと言えたものです。必要な政策や解決策がまったく見えていないのに。あなた方は、私たちの声は届いている、緊急であるとわかっている、と言います。悲しく、怒りを感じますが、私はそれを信じたくありません。もし、この状況を本当に理解しているのに、行動を起こしていないのならば、あなた方は邪悪です。だから私は、信じることを拒むのです（では、世界が終わると言って若者を脅かそうとする者は、どれほど邪悪だろうか？　すべては自由を奪うための壮大なでっちあげだというのに）。

今後10年間で温室効果ガスの排出量を半分にしよう、という考え方が一般的です。けれども、それによって世界の気温上昇を1・5度以内に抑えられる可能性は50％しかありません。人間のコントロールを超えた、けっして後もどりのできない連鎖反応が始まるリスクがあります（存在しない連鎖反応）。あなた方にとっては、50％という数字は受けいれられるものなのかもしれません。ですが、この数字には、気候変動が急激に進む臨界点を意味する「ティッピング・ポイント」（CO_2の影響がないことを説明するためにつくられた）や、ほとんどのフィードバックループ（同上）、有毒な大気汚染に隠されたさらなる温暖化、そして公平性や「気候正義」の観点は含まれていません（これもナンセンス）。この数字は、私たちの世代をあてにしています（分断、分断）。何千億トンものCO$_2$（生命のガス）を、現在まだ存在しない技術で吸収することが前提なのです。私たちには、50％のリスクというのはけっして受けいれられません。その結果と生きていかなくてはいけないのは、私たちなのです（分断、分断）。

（カルトがつくった）IPCCが出した最も楽観的な試算では、気温の上昇を1・5度以内に抑えられる可能性は67％とされています。しかし、それを実現しようとした場合、2018年の1月1日にさかのぼって数えて、あと420ギガトンのCO$_2$しか放出できないという計算になります。今日、この数字は、すでにあと350ギガトン未満となっています。「これまでどおりの取り組みで」解決できるとか、なんらかの技術が解決してくれるとか。よくもそんなことを言えますね。今の放出レベルのままでは、あと8年半たたないうちに許容できるCO$_2$の放出量を超えてしまいます。

今日、これらの数値に沿った解決策や計画はまったくありません。なぜなら、これらの数値はあなた方にとってあまりにも受けいれがたいからです。そして、それをありのままに伝えられるほどあなた方は大人ではないからです（言われたことをそのまま繰りかえすきみは大人だというわけか、グレタ?）。あなた方は私たちを裏切っています。でも、若者たちはあなた方の裏切りに気づきはじめています（分断、分断）。これからの世代の目は、あなた方に向けられています（分断、分断）。もしあなた方が私たちを裏切ることを選ぶなら、私は言います。「絶対に許さない」と（分断、分断）。

私たちは、今ここで線を引きます。ここから逃げることは許しません。世界は目覚めています。変化が迫っています。あなた方が好むと好まざるとにかかわらず。

そうだ、グレタ。カルトの変化は迫っている。もし私たちや、きみらの世代がそんなくだらない話を信じるならだが。

私たちは、またも逆転を目のあたりにしている。子どもが大人に、なにをすべきか言って聞かせるのだ。ばかな大人はたくさんいる。多くは政界にいる。カルトの知覚プログラムを受けいれない、目覚めている子どももいる（グレタ・トゥーンベリは違う）。だが、数十年の人生経験と知性のある大人より、子どものほうが普通にものを知っているという考えはばかげている。私は6歳や12歳、16歳のころ、自分が世界に向けてなにをすべきかを話そうなどとは夢にも思わなかった。今の子どもたちだって同じだが、**確かにわかっていると言えるほど、長く生きていなかったからだ。**

カルトには、若者と老人を逆転させたい理由がある。今の若者たちは、極度に知覚プログラムされている。カルトはその知覚に天下を取らせ、社会を自分たちのイメージどおりに変えたいのだ。

子どもをプログラムして、その意思を今ほどプログラムがされておらず、それ以前の暮らしを経験している大人に押しつけるのだ。

グレタ・トゥーンベリに、彼女のCO_2削減目標が達成された場合に雇用や食料、暖房が失われることで何億人が死亡するかを、誰も訊ねようとしない。気候変動デマはその提唱者と「否定論者」を分断する。そして、老人は若者に対して「絶滅の危機」の責任があるという理由で、若者と老人を引き裂く（図２８０）。

グレタ・トゥーンベリがたちあげ、著作権をもつ学校ストライキ組織フライデー・フォー・フューチャーのドイツ支部は、このアジェンダを推進するこんなツイートをした。「おじいちゃん、おばあちゃんが毎年語りかけてくるのはなぜ？　もう長くないから」

ドイツの公共放送局ＷＤＲ（西部ドイツ放送）は、少女の合唱隊が気候変動や肉食について年寄りを叱りつける歌の動画を制作した。ドイツの童謡を替え歌で歌い、祖母を「環境を考えない豚」と呼び、「逃がさない」と警告する。ＷＤＲは気分を害した人びとに対して、これは「風刺」だと言ったが、狙ってやったことはあきらかだ。「風刺」というのは、洗脳の試みがあまりにもあからさまで、大衆に見透かされてしまったときによく使われる言い逃れである。16歳［当時］のカルトの操り人形トゥーンベリが、大人たちを「よくもそんなことを！」と叱りつけるのも、その一例だ。

そうとも、グレタ。年寄りや昔の人たちが産業社会を築いたおかげで、何百万ドルもするヨットがきみのプロパガンダのために作られた。きみのヨットの乗組員を乗せて（**シーッ**）、こっそり大

図280：カルトは若者を老人に敵対させようと必死だ。

図281：計画はいまや見え透いている。

西洋を引きかえす飛行機も、だ。それなのに、私は二酸化炭素を排出しないようにしています、だなんて、よくもそんなことを!

カルトが若者と老人を戦わせようとするのには、たくさんの理由がある。ひとつは、年寄りは気候変動デマが始まるずっと前に生まれていて、操作や矛盾を見抜いてしまうからだ。若者には、年寄りの智恵や経験に耳を傾けるのではなく、彼らを消えるべき悪者、敵と知覚させなければならない(図281)。

ブームを煽る

トゥーンベリは、2020年にふたたびスイス・ダボスでの世界経済フォーラムに招かれた。1%とカルトのための100%フロント機関、気候変動デマをしかけ、AIがコントロールするオーウェル的な世界国家をつくろうとする者たちだ(図282)。なぜビリオネアらは自分たちの会議に10代の少女を2年連続で招いて説教させ、「私たちの家はまだ燃えている」などというでたらめを繰りかえさせるのだろうか? その答えは、この章で述べてきたとおりだ。目的が達成されたあかつきには、彼らはトゥーンベリを石ころのように放り捨てることだろう。

彼女は、私たちが彼女の言うとおりにしないなら「子どもをいちばんに愛しているように」行動していないということだと、とんでもない主張をした。さらに「私たちは、2050年とか2030年とか2021年に実現してほしいのではないのです。今すぐにおこなってほしいのです」と続けた。この「**私たち**」とは誰のことだろう？　ダボスで彼女の演説を聞いている1％は、もちろん一般大衆ではない。

ドナルド・トランプもこのエリート・プロパガンダフェスに登場し、気候の「破滅を予言する者」を信じることを警告するスピーチをおこなった。これはあきらかに、客席に座っていたトゥーンベリをさしている。しかしながら、トランプの意見はかなり少数派だった。

その代わりといってはなんだが、チャールズ皇太子［当時］のたわ言が炸裂（さくれつ）していた。覚えているだろうか？　彼は2009年、修復不可能な気候と生態系の崩壊から世界を救うには、あと12年しかないと言っていた（図283）。チャールズは、気候カルトの要求を喧伝（けんでん）するスピーチをするため、プライベートジェットと電気自動車でダボスへやってきた。このスピーチの直前2週間の間に、チャールズはプライベートジェットやヘリコプターで4回飛んでいる。飛行距離は合わせて約2万6千キロメートル、英国の納税者のカネを28万ドル［約4千万円］使ったことになる。これが、**200キロメートル**の距離をヘリコプターで飛んできて、航空機のCO_2排出についてスピーチをおこなった男である。

チャールズは、恥ずかしげもなく環境の擁護者としてダボス会議に登場し、「環境税」や自然を中心とした世界経済（自然を維持するCO_2を削減するというのに）、新しいＡＩ技術などを訴えた。

これらはすべてカルトのサンタ、あるいはサタンへの手紙に書かれていることだ。彼はもちろん「サステナビリティ」を唱え、気候変動によって正当化される世界経済の変革を提案した。それはまさに、カルトのアジェンダを反映したものだった。チャールズはこう述べた。

今こそ次のレベルへと進むときです。私たちの未来を確保するために。経済モデルを発展させられるよう、栄えてゆくために。

気候変動の「暴走」による世界の終わりの期限は、何度も訪れては去っていった。優れたカルトの常だが、ある期限が何事もなく過ぎ去れば次、また次と、新しい期限が発表される。最新版の滅亡の日は、２０３０年あたりだ。これは非常に重要な日付であり、さまざまな形であらわれている。チャールズのダボスでのスピーチでも触れている。

例を３つ挙げよう。「地球を守れるのはあと12年」という最新の日付がはじめて発表されたとき、それは２０３０年頃をさしていた。気候変動から地球を守るために、グローバル社会を中央集権独裁に変換するという国連の目標リストは、アジェンダ２０３０と呼ばれている。グーグル幹部のレイ・カーツワイルをはじめとするシリコンバレーのテクノクラートらが、人間の脳を人工知能に接続できるようになるとしている年は、２０３０年だ（図２８４）。これもやはり偶然なのだろうか？

図282：なぜ１%がグレタ・トゥーンベリを招き、気候変動について非難させるのか？これがその答えだ。

図283：同じ楽譜、違う歌手。

偶然？

アジェンダ2030―国連は「気候変動」を
口実に社会を中央集権圧政へと
変換しようとしている

2030年―人間の脳が AI に接続される予定

「地球温暖化から地球を救うには
あと12年しかない」―2030／31年

偶然だって？　ありえない

図284：カルトがアジェンダを施行したいとしている年。

ＡＩが気候変動への答えとして奨励されたら、あなたはどう思うだろうか？　このデマは、ほとんどすべての政治家をなんらかの形で追従させてきた。このうそを信じ、「なにかしなければ」というのが多数派だ。あとの者はいくらか、あるいは完全に懐疑的だが、選挙や世間体のために茶番に付きあわざるをえないと感じている。ひとたびカルトが「規範」を定め、植えつけるとこうなってしまうのだ。それを見抜いている者でさえ、たいてい怖くてなにも言えずにいる。

正統とされる説がわけもなくこんなに繰りかえされるはずはない、という考えもある。言っていることがすべて正しいとは限らないが、と、こうした手合いは言う。なんらかの根拠がなければ、みなが同じ主張を繰りかえしたりしないだろう、と。では、疫病が（本当に）蔓延（まんえん）したら――この場合は知覚の疫病だが――みな同じ疫病にかかるだろうか？　イエス。支配層は、みな口をそろえてイラクは大量破壊兵器をもっていると言った。そこに**1ミリでも**真実はあっただろうか？　ノー。ひとたび人為的気候変動とか、それが引きおこすとされているこの世の終わりのようなものが（一部ではなく**全部**）真っ赤なうそだとわかれば、霧は晴れ、とてつもない策略が姿をあらわす。

ウォーク（目覚めた者）よ、目を醒（さ）ませ。あなた方は催眠術にかけられ、暗示にかかって、騙されている。私はあなた方に罵倒されながらも、あなた方の残りの人生の自由が危険にさらされていることを気にかけている。

第10章
あなたはニューウォーク？

神々は、滅ぼしたい者をまず狂わせる

――エウリピデス

生命のガスが死のガスとされるとは、なんとおかしなことか。しかも世界最大のCO_2産出国である中国は、気候カルトの憤りの対象ではない。中国の2019年の排出量は米国、EU、日本の合計を上回り、世界全体の約**27%**を占めると報告されている。

憤りは中国ではなく、欧米諸国のみに向けられている。おかしなことに、責められているのは「カーボンフットプリント」を減らす努力をしている国々だ。あるコメンテーターはグレタ・トゥーンベリについてこう言った。「北京やデリー［インドの2019年CO_2排出量は世界第3位］では活動していませんね」

それには理由がある。中国は世界支配のモデル国である。世界は、このニューウォークのユートピアを模倣しようとしている。批判などされてはならない。

ニューウォーカーは、「いやだ、中国みたいにはなりたくない」と叫ぶかもしれない。しかし、エビデンスがそう示している。ニューウォークと気候カルトによるディストピア的な要求に次ぐ要求は、中国共産党やスターリン主義ロシアの脚本にそのままあてはまる。「ウイルス」ロックダウンも、あらゆる面においてそうだ。

毛沢東主席は1949年、中国の膨大な人民に共産主義を押しつけた。毛はカルトの工作員であり、その後の数十年間、中国は世界的な技術監視独裁を育む場となった。

第二次世界大戦はカルトがしくんだ問題－反応－解決で、あらかじめ計画された大がかりな政変を引きおこした。中国は共産主義国になり、スターリンのロシアが東欧を席巻した。イスラエルが建国され、世界政府への布石として国際連合その他世界的中央集権機関がつくられた。

中国では、容赦ない中央集権的政治・軍事統制によって、カルトのオーウェル的社会が欧米よりも急速に発展していた。欧米では（「ウイルス」によるロックダウンまでは）、口先だけでも自由と「民主主義」という建前が必要だった。中国では、新たな段階のディストピア的コントロールを押しつけたいと思えば、ただ実行するだけだ（いまや欧米でもそうなっている）。

明日世界がどうなるか知りたければ、今日の中国を見ればいい。「ニューウォーク」なビリオネア（兆億長者）や、カルトが所有するグーグルなどの企業が、「価値観」を大切にすると言いながら、中国の独裁者と密接に働いているのはそのためだ。

『ウォール・ストリート・ジャーナル』のある記事には、グーグルやIBMなどの米テクノロジー大手企業が、中国の数十億ドル規模の監視システムを支えてきたことが書かれている。「シーゲイト・テクノロジー、ウエスタンデジタル、ヒュレット・パッカードなどの米企業は、中国の監視システム業界を支援し、すり寄り、そこから利益を得てきた……一部は同業界の初期段階からかかわってきた」

IBMは、ナチスと強制収容所に技術提供していたことが暴かれている（カルトに国境はない）「同社は、ユダヤ人を特定し強制収容所での管理をおこなうソリューション（解決策）としてパンチカード機器を提供した」。

欧米で中国の模倣が盛んになっている。パンデミック詐欺のおかげである。中国は、ロスチャイルドとロックフェラーによる気候変動デマの提唱者である、モーリス・ストロングが晩年を過ごした地だ。私たちは、中国はあちら側の国であり、欧米社会は「こちら側」にあると信じこまされている。カルトのレベルでは、あちらもこちらもない。「ウイルス・パンデミック」はどこから始まった？ **中国**だ。

「キャピタリズム(資本主義)」はカルテリズム(企業独占主義)

資本主義のもとで盤石(ばんじゃく)の支配階級にあるカルトと1％が、なぜ共産主義とマルキシズムにもとづいたグローバル社会を望むのか？ もっともな疑問である。矛盾しているように見えるが、そうではない。

第一に、カルトはテクノクラシーと呼ばれる、中央集権的な専制政治、選挙をおこなわず技術専門家(テクノクラート)のエリートが社会と産業を支配することを望んでいる。これはシリコンバレーから急速にあらわれたグローバル・コントロール・システムである。テクノクラシーの背景については、のちほど説明するとしよう。まずはおなじみの共産主義／マルキシズムだが、テクノクラシーとはこれらを科学技術で具現化、発展させたものだ。いずれもファシズムと互換性がある。大衆にとってはどれでも同じで、トップダウンの独裁である。

「資本主義者」であるはずの1％がなぜ共産主義的な社会を望むのか、という問いへのふたつ目の答えは、カルトは世界の権力を資本主義ではなく**カルテル**（企業独占）主義によって得てきたということだ。資本主義とは、最も効率的で効果的かつ創造的な者が勝つ自由市場のことだろうか？　私たちの住む世界は、それとはまったく違う。

ケンブリッジの学者パトリシア・マコーマックは、「資本主義」のヒエラルキー（階層組織）が問題であり、人間を絶滅させる原因だと糾弾した。だがマコーマックは、大切なことを見落としている。すべてを「自由市場」に委ねてしまうと、問題が頻発する。欠かすことのできない公共サービスは、悪意をもって人を破滅させる「自由市場資本主義」にさらされるべきではない、と私は思う。

しかしさらに悪いのは、そもそも市場が「自由」であるとすら言えない場合だ。カルトは「自由」市場などに関心はなく、すべてを完全にコントロールしようとしている。それどころか、不正なカルテルが資本主義に取って代わるまで競争相手をつぶすか買収して拡大を続ける企業を使い、つねに人間の生活をあらゆる局面で独占しようとしてきた。

独占をゆるぎなくするまでは価格を安く抑え、競合を切り捨てる。独占が完了すれば、価格はつりあがる。（ソーシャルメディアやグーグル、ユーチューブ、フェイスブック、ツイッターなどの場合は**検閲**がおこなわれる）。値上げが気に食わないって？　残念、他に売ってくれるところはある？　検閲が嫌だって？　他に行くあてはある？

カルトの無尽蔵のカネをもつ企業は、独占を目指す過程で利益をだす必要はない。いっぽう「競合」他社は採算を確保する必要があり、そこを度外視するカルトと競争はできない。アマゾン、グーグル、ユーチューブ、ツイッターとフェイスブックが良い例だ。

ビッグファーマ、ビッグバイオテック、ビッグオイル、ビッグメディア、ビッグフード、などカルテルは数多（あまた）ある。カルテルは力をもつようになり、気前良く政治献金をする。そうすれば、政治家が公式の場でなにを言おうとも、政府はカルテルのものだ。

フェイスブックのマーク・ザッカーバーグは、キャピトルヒル（連邦議会）でフェイスブックからの献金を受けとっている政治家から「質問」を受けた［2018年、ザッカーバーグはフェイスブックのユーザーデータ流出疑惑について上院公聴会で議員らの質問に答えた］。これが民主主義と呼ばれるものらしい。

カルトのカルテル主義とカルトの共産主義／マルクス主義をくらべてみよう。いずれもマコーマックの言うヒエラルキーのトップ、あるいは中心に権力を積みあげるものだ。共産主義中国の指導的エリートが、他の国民よりはるかに恵まれた生活を送っていないと思う人はいるだろうか？　同じことが、スターリンのロシアや、その他のマルキシストのユートピアで起こっていないと思うだろうか？　なぜニューウォーカーは、共産主義／マルクス主義／社会主義が、カンボジアの大量殺戮（さつりく）、シベリアの強制収容所、中国の文化大革命の「再教育」収容所での約1億人の死に責任があると考えるのだろうか？

欧米のカルテル主義と中国の共産主義は、どちらもエリートによる支配体制だ。共産主義のほうが、エリートの計画としてより効果的である。欧米のカルテルは、競争相手の買収と排除を繰りかえすことで成立している。いっぽう共産主義では、政府の独裁があらゆる人、ものにその意思を強要するトップダウンのヒエラルキー的な支配構造を押しつけている。共産主義／マルクス主義の政府は、ひとつの巨大な**カルテル**以外のなにものでもないではないか？

このことから、カルトは共産主義構造を好み、そのハイテクバージョンを世界全体に押しつけようとしているのだ。気候変動や「パンデミック」デマが、その主たる口実である。マルクス主義は、「人民のための政府」ではなくカルトの政府であり、警察／軍事国家による強制というおまけもついてくる。

そろそろニューウォーカーは、ジョージ・ソロスのような冷酷な「資本家」（カルテル主義者）が、ニューウォーカーや気候変動組織に何百億も注ぎこみながら、なぜこんなことを言っているのかわかりはじめたかもしれない。「私は基本的にカネ儲(もう)けのために動いている。その社会的影響に目を向けることはできないし、そんなことはしない」ウォーカーよ、ソロスはきみたちを**まんまと**騙(だま)しているんだ（図285）。

知覚のゲームによって、資本主義、共産主義／社会主義のどちらを支持するかという考えが刷りこまれてきた。彼らが知られたくないのは、どちらに転んでもカルトであり、エリートがつねに主導権を握っているということだ。どちらの「極」がいい？　いずれにせよ、統治者は**われわれ**だ。

私は１９９０年代に「偽装敵対者」という言葉をつくった。敵対しているように見えるが、実際は同じもののことだ。共産主義とファシズムがわかりやすい例だ。ふたつは違う名前だが、基本的

図285：こんなことを言う男が、世界中で何百億ものカネを「社会的正義」やニューウォークの団体に注ぎこんでいるって？　心配ご無用、彼はカネをだしているだけだ。

には同じ支配体制である。

この観点から見れば、マルクス主義を打ちたてたカール・マルクス（1818－1883）はカルトのスパイであり、使い走りだと聞いても驚かないだろう。具体的には、サバタイ派フランキストと呼ばれるカルト内の主要なネットワークのフロントマンを務めていた。サウジアラビアの偽王室やイスラエルの政府、諜報機関、軍隊の制御ネットワークが代表的なサバタイ派フランキストだ。彼らは米国および世界中の政府、諜報機関、軍隊に大きな影響力をもっている。私は『The Trigger』で、カルトとカール・マルクス、マルクス主義の形成のかかわりについてあきらかにしている。

ニューウォークはどのようにつくられたか

カルトは社会主義運動のため、世間知らずのニューウォーク軍を結成した。社会主義とは、マルクス主義の子どもだまし的な言い換えである。そして「教育」のコントロールによって調整してきた。

米国で28年間教師を務めたレベッカ・フリードリックスは、教員組合の仕事もしていた。彼女は著書『Standing Up To Goliath』で、組合がいかに子どもたちに政治的洗脳を押しつけてきたかを詳細に述べている。このアジェンダこそ、まさに私がカルトのアジェンダとして暴いてきたものだと判明した。

元ソビエトKGBのユーリ・ベズメノフは、今から何十年も前の**1985年**に、社会を共産主義で折伏させるには、4段階のテクニックが有効であると語っている。彼は第一段階を「頽廃」と呼び、15年から20年ほどかかるとした。少なくとも3世代の学生が学校で望ましい知覚とイデオロギーを教えこまれ、その他の情報は伏せられ、危険視される。イデオロギーは異議や疑問をもたれてはならず、自明の理として受けいれられる。ベズメノフは危険視の段階についてこう言っている。

真実の情報にさらされることはもはや問題ではない。頽廃した人間は真実の情報へはアクセスできない。事実を知ったところで、意味をなさないからだ。情報をシャワーのように浴びせかけても無駄だ。確実な真実に証拠となる文書や写真を添えてもだめだ。むりやりソビエト連邦へ連れていって、強制収容所［第二次世界大戦時に日本をふくむ敵国捕虜がシベリアなどに抑留されたほか、自国の政治犯も収容された］を見せようとも、尻を蹴飛ばされる（自国がマルクス主義の政府に乗っ取られていることに気づく）まで信じようとはしないだろう。軍靴の音が聞こえてきて、やっと理解するのだ。

私はかねて、ニューウォークが要求するディストピア社会が実現したとき、最初に尻を蹴りあげられるのは彼ら自身だと強調している。エクスティンクション・リベリオンがロンドンの街中でやったことを、北京でやってみるといい。

ユーリ・ベズメノフは、そのような「市民革命」についてこう述べている。「彼らは力を手にできると考えているが、もちろんそんなことは起こらない」彼らは、カルトの意思を押しつけるための駒にすぎない。用済みになれば彼らも標的にされ、排除される。

その動きはすでに始まっている。フェミニストはかつてニューウォークのヒエラルキー上位にいたが、今ではトランスジェンダー活動家が女性の自由を廃止することについて誤った意見をもったとして攻撃されている。

米国の軍事史家でカリフォルニア州立大学フレズノ校古典学名誉教授のビクター・デービス・ハンソンの考えには、同意できないところも多い。しかし2019年の、「革命家たち」が自分たちの「革命」の標的になってゆくことについての記事は100%正しい。ハンソンは「リベラリズム（自由主義）と革新主義」（実際は、リベラリズムを乗っ取ったニューウォークイズム）もその道を辿（たど）るだろうと述べている。

ウィンストン・チャーチルは「ワニに餌（えさ）を与える者はそれぞれ、たらふく食べさせておけば自分がワニに食べられるのは最後のはずと願っている」と言った。私は『The Trigger』に、ジャコバン派はカルトの隠れみのであったことを書いている。ジャコバン派とは、フランス革命を乗っ取り、1793年、94年に1万7千人の「革命の敵」を殺した「恐怖政治」として知られる統治をおこなった政治結社である。ビクター・デービス・ハンソンはこう記している。

ひとたびリベラリズムと革新主義がジャコバン派に取って代わられれば——フランスや中国、ロシアの革命のようにそれが常だが——いかなる左翼もイデオロギーの共食いへと下降するスパイラルから逃れられない。昨日熱狂的な信者だった者が、今日は反革命、明日は人民の敵となる……。

……穏健派の声は、たいてい過激派の理論と軌道で回っている革命のサイクルのなかで打ちくだかれる。最後には、混沌（こんとん）と共食いが過激派自身をも自滅させる。

私たちは、ベズメノフの言う頽廃の段階に来ている。アレクサンドリア・オカシオ＝コルテス下院議員とそのグリーン・ニューディール・マルクス主義のように、ニューウォークの知覚ダウンロードの創造物が政治に入りこんでいる。彼女の考え方の影響が民主党をニューウォーク党に様変わりさせ、オカシオ＝コルテスや、ミネソタ州のイラン・オマル下院議員、マサチューセッツ州のアヤナ・プレスリー下院議員、ミシガン州のラシダ・トライブ下院議員ら、いわゆる「スクワッド（分隊）」の支配がますます強まっている。

同じことが英国の労働党、自由民主党、緑の党、スコットランド民族党や、世界中の類似政党で起こっている。ドイツやスウェーデンなどがまさにそれだ。ニューウォーク政党がカルトの大量移民アジェンダに門戸を開き、その影響に疑問を呈する者をナチス、偏屈者、差別主義者と決めつけている。

米大統領エイブラハム・リンカーンはこう言った。「ある世代が学校で教えられたものの見方が、次の政府の見解になる」このことを、カルトはなんと熟知していることか。

ベズメノフの言う頽廃に続く段階は、「動揺」「危機」そして「常態化」だ。かつては正気でないと一蹴（いっしゅう）されていたことがニューノーマル（新しい常態）となり、社会が変容するのだ。

ここ15年から20年（もっと短いかも）の間に、気候変動ヒステリー、ポリティカル・コレクトネス、検閲、大量移民、そして人種差別、性差別、ジェンダーの定義のすさまじい拡大がいっぺんに起こっていることは誰も否定できないだろう。ニューウォークは、ハンガー・ゲーム世界を現実にするために必要なあらゆるものを要求している。「気候変動から私たちを救うため」の経済破壊、脱産業化、そしてグローバル・コントロール。現実に起こっていることを明るみにださせないよう、人びと自身を黙らせるポリティカル・コレクトネス。

ベズメノフの一連の事件の前には、若者たちは言論の自由を求めて抗議していたが、いまやニューウォークが支持するカルト企業によって、ウォークでない情報や意見の検閲がおこなわれている。カルトの分割統治と国家消滅計画を遂行するための、大量移民と国境の開放。そしてこのあと触れる、深い悪意によるジェンダー観の転換だ。

私は「ウォーク」と称する者を非難しているように見えるかもしれないが、そうではない。**人**ではなく、**おこない**を非難しているのであって、これはまったくの別物だ。

彼らが**なぜ**あのようなことを言ったり、したりするのかは理解できる。生まれたその日から知覚プログラムが始まり、「教育」という洗脳マシンをくぐり抜けるほどに、プログラムは強まってゆく。プログラミングは容赦（ようしゃ）なく、休みなく続いてきた。

何年も言いつづけているが、私たちが今目にしているのは、人類史上最も知覚操作された世代である。テクノロジーやソーシャルメディアは、そのために使われている。驚くべきことに、これほどまでの苛烈（かれつ）なプログラムを受けながらも、多くの若者がそれを見抜いている。今こそ勇気を奮（ふる）いおこして声をあげ、自分たちの世界とキャンパスがニューウォークの狂気によって圧制に変えられることを拒否すべきだ。

プログラミングによって動いているコンピューターを、誰が非難するだろうか？　おかしな言いまわしに聞こえるかもしれない。だが今日の人間プログラミングの規模を考えれば、このアナロジー（類推）は妥当である。

私はニューウォークのおこないの結果と、彼らが知らされていない事実を指摘している。世界を違う視点で見ることを提案する。「プログラム」が社会にどのような影響を及ぼしているのか、考えてみてほしいからだ。

私は**彼ら**を非難しない。彼らの幸福など考えないサイコパスで悪魔的な体制に、押しつけのための消耗品として利用されていることに同情しているのだ。

再教育が効いている

２０１９年に米国の18歳から24歳を対象におこなわれた調査によると、61％が「社会主義社会」に前向きだとわかった。別の調査では、ミレニアルズ（１９８１年から１９９６年頃に生まれた世代）の70％が、社会主義の候補者に「やや、あるいはとても」投票したいと思っていることがあきらかになった。ほかのふたつの調査では、18歳から39歳の米国人の42％が社会主義の大統領に投票し、若い米国人の50％近くが社会主義政府を望むということだった。

社会主義者を公言し、ビリオネアでプライベートジェットで飛びまわるバーニー・サンダースは、若者を支持基盤としている。２０２０年の米大統領選では、打倒トランプを掲げて民主党からの出馬を表明した。結局党内での指名争いで敗退したが、「サンダース現象」を引きおこしたことはご承知のとおりだ。そして、「新型コロナウイルス」デマの結果として、「社会主義」（共産主義／ファシズム／テクノクラシー）はさらに推進されてゆくだろう。

ほかに関連した調査結果として、若い人たちが資本主義を重視しなくなってきている、というものがある。彼らが社会主義を**望み**、資本主義に**反対する**のは、「教育」洗脳（共産主義の「再教育」の別バージョン）と、カルトが押しつけた経済状況に原因がある。

まず、若者にカルテル主義が資本主義であると教える。つぎに、生涯の大半を「資本主義」企業への学生ローン返済に追われるようにしむける。そうすれば、資本主義を憎むようになるのは無理もない。しかし、彼らはカルテル主義を資本主義と取り違えている。

そう教えこんだ学校では、社会主義（共産主義／マルクス主義）がすべての問題を解決する特効薬だとも吹きこんでいる。歴史の軽視、ごまかしによって、マルクス主義者／社会主義者の全体主義体制というおそろしい現実が意図的に隠されている。歴史から学ばない者は、過去の過ちを繰りかえす運命にあるからだ。なにしろ、過ちを**繰りかえさせる**ことこそがカルトのもくろみなのだし、今回は全世界を巻きこんでいる。

カルトは、人びとに社会がいかに不公平であるかを**見せつけたい**。そうすれば、社会主義者の「変革（チェンジ）」という形での「変革」の要求に拍車がかかるからだ。それは、1％支配の本質を変えることにほかならない。

このテーマは、さらに強調されているようだ。米国のシオニストであるエデルマン通信社が28か国で3万4千人を対象におこなった調査では、56％が資本主義は善よりも害をなしていると答えている。資本主義をよそおったカルテル主義によるダメージは、はるかに深刻だ。そして資本主義（とされているもの）がカルトのターゲットとなっている今、この「調査」とその結果は完璧（かんぺき）なタイミングであると言えるだろう。

カルトはあらゆる場面で真実を反転させ、文字どおり、そして象徴的にも、すべてを白か黒かの二者択一として提示しようとする。資本主義（カルテル主義）か社会主義（共産主義）の、どちらかを選ばなければならない。貧しい者、困窮者を保護し（貧しく困っていない者も視野に入れて）、必要不可欠なサービスを公的に管理し、カルテルなしに活気のある真の自由市場をもつことは可能だ。しかし、その事実は問題にならない。

中央から権力を譲りわたして、人びとが自分たちのコミュニティ内の生活に関する決断をできるようにすることも然(しか)りだ。それは、カルトやエリートにとっては悪夢である。少数が多数を支配するために不可欠な、中央集権を否定するのだから。あらゆる解決策はさらなる中央集権だとされるが、事実は逆だ（例によって例のごとく）。国際機関は、国とコミュニティの協働のためにあるのであって、中央集権独裁の手段ではない。

多くのニューウォークが結果の平等［人びとがほぼ同じ物質的富と所得をもち、生活全般の経済状況が同等であること］を求めるが、それは自由や生き生きとした創造性、意欲を失わせるものだ。ソビエト連邦には結果の平等があったが、それは一般国民の手が届くものはすべてクソということだった。結果の平等は、つねに最下位争いを引きおこすが、それはハンガー・ゲーム社会が世界に押しつけなければならないものだ。みなが平等に貧しく、おこぼれをくださる1％に依存する世界である。

機会の平等こそ、私たちが求めるべきものだ。みながあらゆる才能やスキルを平等にもっているわけではないのだから。できないことはできない。大事なことなので2回言う。**できないことはできないのだ。**

これほど議論の余地がない主張もないと思うが、ニューウォークにとってはそうではない。いかなる状況でも、合理性などおかまいなしだ。彼らにとっては、すべては差別のせいだ。人種差別、性差別、同性愛嫌悪、トランスジェンダー嫌悪、とにかくなんらかの差別や嫌悪なのだ（図286）。能力、意欲、専門性とはなんの関係もない。黒人女優が白人男性の役をもらえないのは、単なる人種差別。それだけが考えうる説明だ。この例は極端だが、私たちがどれほどニューウォークの狂気に陥っているかを考えれば、こんなことがいつ現実になってもおかしくないではないか？

カナダでは、男の身体をした野郎が女性向けエステサロンに来て、私の性自認は女だ、と女性スタッフに性器の脱毛を要求した。私の例はそれより極端だろうか？

もし私がほんの数年前に、世界中の学校で、性別の混乱と教化を目的としてドラァグクイーン（女装のパフォーマー）が幼い子どもたちに読み聞かせをする、と言ったとしたら、人びとはそんなとんでもないことは絶対にありえないと言っただろう。だが、**ありえるのだ**［米国に本部を置くドラァグクイーン・ストーリー・アワーなどが日本を含む世界各地で絵本の読み聞かせをおこなっている］。

カルトの洗脳と急進主義は、とどまるところを知らない。ハリー王子のかみさんのメーガン・マークルが、人種差別（ニューウォークの正統）によって英国を追われたという主張も、とんでもなくばかげている。マークルが混血だからということだが、彼女は最初から北米への移住を計画していたという事実があきらかになっている。

私に言わせれば「あきれたニューウォーク」の弁護士ショラ・モス＝ショグバミムは、テレビに

最も大きな声で
「レイシズム」を叫ぶ者が

最も人種にとらわれている者だ

図286：誰か鏡を持っていないか？

出まくって（なんたる特権）論陣を張った。プライベートジェットで飛びまわって気候変動を説く、超特権階級のマークルに対する「人種差別」を訴えたのだ。

モス＝ショグバミムは、自身についてこう述べている。「政治および女性の権利の活動家。女性難民や亡命希望者にインターセクショナル・フェミニズム［人種、経済状況、障がいなど、女性であることに加えて個人のさまざまな属性が交差することによって起こる差別や抑圧を理解するための枠組み］を教えている。政府政策をジェンダー、ダイバーシティ、インクルージョンの視点から精査する。また、女性のデモやソーシャル・キャンペーンを共同主催する」ウォークのデパートである。

モス＝ショグバミムは、マークルに対する「人種差別」の例を求められたのだが、その答えは模範的ニューウォークだった。「私に聞かないでください。あなたに人種差別について教えるのは私の仕事ではありません」言い換えると、例などないということだ。

レイチェル・ボイルという「人種・民族の講師」は、BBCの番組でマークルのカナダへの出国は「人種差別」の結果だと主張した。英国の俳優ローレンス・フォックス［父、伯父、祖母も俳優］は、ボイルにこう言った。「人種差別じゃないでしょう……英国は、欧州一寛容で素晴らしい国だ」。ボイルはこう応えた。「あなたが白人特権をもつ男性だからそう感じるのでは？」

私たちは、怒濤のような洗脳のうえに成りたつ脊髄反射社会に生きている。なにかあれば、脊髄反射でニューウォークが人種差別者、性差別者、トランスジェンダー嫌悪者、気候変動否定論者と言う。白人特権と言われたフォックスのリアクションは、もっともなものだった。

なんてこった。自分ではどうにもできないのに。生まれながらの、変えることのできない特徴なんだから。私のことを、白人特権をもつ男性と呼ぶのは差別じゃないですか、あなたが人種差別しているんでしょう。

ニューウォークな精神構造は、フォックスが指摘したような自己認識からは完全に遮断されているので、この言葉は逆ギレを引きおこした。フォックスの家族がターゲットにされ、ひとりは「アンチ・ヘイト」に路上で唾を吐きかけられた。バッシングに遭ったフォックスは、ツイッターをやめた。キャリアが傷つき、家族を養っていけなくなることをおそれたためだ。それと同時に、彼は非ニューウォークの大多数から広く支持を得た。主流メディアのマイクの前で話す機会のない人たちだ。

多くの人は、最もプログラミングされている若者たちでさえ、ニューウォークの極論など受けいれない。メディア論調の独占と、偽「草の根」であるエリート出資のアストロターフ団体が、一般大衆にひどく誤った印象を与えている。

ジューン・サーポンという黒人女性は、白人特権にしいたげられた末に、BBCのクリエイティブダイバーシティディレクター（やれやれ）に就任した。サーポンは、ローレンス・フォックスについてこう発言した。「彼には、有色人種であるということがどういうことかわからないのでしょう」

そういうご自身も、人種差別政策下（アパルトヘイト）にあった米国や南アフリカの黒人奴隷の気持ちはわからないだろう。ニューウォークは、今日の人種差別は最悪だ、とたびたび主張するが、奴隷制に苦しめられた人びとをばかにしているのだろうか。もちろん、いまだに存在する不均衡には対処が必要だし、それは白人にとっても言えることだ。しかし、今日の人種差別は史上最悪だ、という主張があきらかに幻想であることは言うまでもない。

カナダの臨床心理学者でトロント大学の心理学教授、ジョーダン・ピーターソンは、広く支持されつつ、ニューウォークからは罵倒（ばとう）されている。男らしさと真の人種の平等を擁護しているためだ。ピーターソンが逆人種差別についてまとめたものがこれだ。

個々の無罪／有罪を考慮せず、ある民族をまるごと集団的な罪に問えるという考え方ほど、人種差別的なものはない。まったくもって忌まわしいことだ。

ハレルヤ！　なぜニューウォークが彼を嫌うのか、おわかりいただけただろう。

あたおか（頭がおかしい）の脊髄反射（エンターキー）

ニューウォークは、ソフトウェアのようなマインドのなかに囚（とら）われている。そのソフトウェアには、必要とされる現実感覚が組みこまれて（エンコード）いる。掟（コード）は、かつてないほど度を超えてとんでもない方向へと拡大している。文字どおり、カルトの操作による波動のからみあいによって、完全な精神疾患への道へと導かれながら。

形成期の間じゅう毎日知覚プログラミング（「教育」）を受けることで、その目的が達成された。友だちや同僚も同じプログラムをダウンロードしていて、それを肯定するのでさらに後押しされる。ユーチューブなど、インターネットの主要な情報源は、アルゴリズム（AIが表示するものを判断するしくみ）を使って検索履歴に合う「おすすめ」をしてくる。その他の情報や意見に触れにくくするためだ。

ニューウォークな学生たちは「スノーフレーク（雪片）」［雪の結晶のような多様性の尊重、また粉雪のようなもろさを揶揄（やゆ）した呼び方。2010年代に大人になった世代をさす］と呼ばれる。自分と違う見解に脅（おびや）かされることのない、セーフスペース（安全な場所）を要求するためだ（図287）。公の場から締めだす検閲というキャンセルカルチャー（断罪文化）も、けっして異論にさらされることのない、**私が正しい**という帰結へと導く。

私はゼリー世代（お豆腐メンタル）という現象に触れているが、これは本当の意味での世代というわけではない（図

２８８）。まともな若者も多いが、社会を動かすに十分な数がそこに属してしまっている。そしてカルトにコントロールされた体制と支配階級を後ろ楯（だて）に、彼らが人間社会を塗り換えている。大学での「セーフスペース」の要求は、急速に出現したモノカルチャー（単一の価値観）の近視眼のあらわれだ。少数派の意見をバン（排除）、「締めだす」抗議も同じだ（図２８９）。あるコメンテーターはこう言った。「私たち（ニューウォーク）は、しょっちゅう人をクズ認定（キャンセル）したり、つぶしたりします。24時間前までは誰もが思っていたことを口にだした、ということで」

ニューウォーカーは情報のシャボン玉のなかに閉じこめられ、それはやがて知覚のシャボン玉になる。見聞きするものが、自分が知覚プログラミングされたものだけならば、自分は正しくてすべてを知っている、と確信してしまうのも不思議はない。

私たちはニューウォークの信念を吹きこまれ、ニューウォーク思想警察によってそれを公に強制される。ニューウォークの被害者ヒエラルキーに属する者を傷つけたり、怒らせたりしてはいけないというのが法律だ。ニューウォークが同意しないことを言ってはならないのだ（図２９０）。

これは、言論の自由をなくすというカルトのアジェンダを完璧に満たすものだ。いっぽう、被害者ヒエラルキーに属さない者や信仰（白人男性やキリスト教など）を攻撃・非難する場合は、好きなだけ口汚く差別的になってかまわない。「インクルーシブ（包括的）」「アンチ・レイシスト」といった仲間たちも加勢してくれる。

私たちはみな、途方もなく行きすぎたウォークの「被害者」保護が、オーウェルのビッグ・ブラザー（独裁者）

図287：ぼくが聞きたくないことは言わないで。

図288：さいわい、一世代の全員というわけではない。たくさんの若者が操作を見抜いているが、そうでない者がマイクを独占し、カルトのアジェンダを喧伝（けんでん）している。カルトの存在すら知らぬままに。

図289：いやぁぁぁ！　信じるようにプログラムされたことしか聞きたくない。

国家のように、いかに人間の言葉や対話をこわすようになってきたかわかっている。ポリコレ「違犯」のどうしようもないばからしさは、とどまることなくさらなる過激と滑稽を極めつづけている。なかには、あまりにイカれているために、ウォーカーですら「マイクロアグレッション」と呼ぶようなものもある。「マイクロアグレッション」とは、コロンビア大学心理学教授のデラルド・ウィング・スーの定義によると「有色人種に対して白人から悪意なく発される思いこみや日常的な軽視、侮辱、非礼、中傷」である。私が見たところ「すべての白人は特権的でレイシストのナチス」という思いこみは「マイクロアグレッション」としてリストアップされていないようだ。言うまでもなく、マクロなアグレッションともされていない。私の見落としかもしれないが。

異文化にかかわるものは、いまやすべて「文化の盗用」である。旅先でメキシコ人から買ったソンブレロ［メキシコのつばの広い男性用帽子］をかぶることもそうだ。売り子は**売りたくて**売ったのだが、ウォーカーは買うべきではないという。**彼ら**がメキシコ人の代わりに腹を立てているからだ。当の本人は、怒ってなどいないのに。

ポリコレとは、被害者のいないでっちあげ「犯罪」の世界である。そこでは、無関係の者がなにによって傷つくべきかを決める（図291）。被害者文化が反復と脅迫によって操作するほどに、その勢いは増してゆく。以前は気にならなかったことが、どんどん気に障るようになる。黙れと要求する人びとによって傷つけられることは、カウントされない。

気分を害するということは、害してきた者に自分の力を渡すことだ。気分をどうするか**選択**する

図290：傷つくこと——最も手っ取り早く自分の力を他者に引きわたす方法。

図291：「すべてに傷つくべき」プログラム。傷ついた？　なら、そう感じないことを選択すればいい。

のは自分だというのに、愚の骨頂である。**心乱されないことを選択**する、それで一件落着だ。嘲笑(ちょうしょう)や罵倒(ばとう)がどのようなものか知りたいプロ被害者には、この30年来の私を見てもらいたい。

私は傷ついたか？ **ノー**。私は、**なにものにも**自分を傷つけさせないことを選択した。とりわけ、シャボン玉マインドからの嘲笑や罵倒には取りあわないと決めた。自分を笑い飛ばせるということは、内側のバランスと安心感の揺るぎないあかしだ。ニューウォークはそれができず、ばか正直に受けとめてしまう。他人の言動で傷つく、というのは私にはないことなので、どうも解せない。

誰かが気にいらない、あるいは同意できないことを言った。**それがどうした**？ 必要だと思えば発言し（たいてい不要だ）、自分の道を歩もう。なぜ**傷つく**という見当違いなことで、自分の感情や波動場を乱すのか？

秩序立った狂気

本当に子どもや若者の幸福を思うのなら、傷つくと言われていることから彼らを守ったりはしないだろう。誰になにを言われてもかまわず、気にせず、怒らない。そんな強く自立した個人であるよう、励ますだろう。

ニューウォークとは、猛毒で伝染(うつ)りやすい心理的ウイルスである。マインドと五感を超えて、意識的(精神)であればおそれることはないが。

これが、私たちがなぜニューウォーカーがあのように考えたり、行動したりするのか理解する必要がある理由だ。彼らは、ニューウォーク（知覚的コンピューターウイルス）という牢獄に囚われている。

ノーベル賞を受賞した英国の生化学者ティム・ハントは、いわゆる「ミソジニー・ジョーク」のおかげで中傷され、キャリアに深刻なダメージを受けた。そのジョークは、プロ被害者のニューウォーカーによって報告されたようなものではないとわかった。なんと言ったか、もっといえば、**なにを言いたかったのか**は問題ではない。ツッコみどころはないかつねに目を光らせるニューウォークが、その言葉をどう捉えたか。それだけがぐっすり眠っているウォーカーにとっての問題だ（図292）。

イングランドのある医師は、都合がつかなかった妻の代わりに娘を診察に連れてきた父親を「男らしい」と褒めた。ところが家族から「男らしい」は性差別だと苦情があり、医師と病院は謝罪した（父親は男性）。「育児は女性の仕事」であり、男性のすることではないとほのめかす言葉だ、ということらしい。男性に「男らしい」ということを問題だと思うとは、なんと悲しい人びとか。このような事態を目の当たりにした医師たちは、患者の医学的問題に集中できなくなってしまうだろう。言葉を口に出す前に、念入りに頭のなかで準備するようになるだろう。

世界中のあらゆる場面で、このような言葉にかかわる薄氷を踏むようなやりとりがおこなわれている。自然な会話ができなくなって人びとは対立し、日々自分の言葉に不安を感じている。これも

図292：なんでも反対 !!!（ベン・ギャリソン画、Grrrgraphics. com より）

また、カルトが要求し、ニューウォーカーが実行してきたものだ。人びとは、「まちがった」ことを口にせぬようつねに不安にかられている。その原因となる会話の萎縮（いしゅく）はごまんとあるが、いくつか例を挙げてみよう。

オックスフォード大学の平等・多様性ユニットは、他人とのアイコンタクト（目と目をあわせる）を避ける人を「人種差別的マイクロアグレッション（無意識での小さな攻撃）」と非難しようとした。

トランスジェンダーの活動家は、「男性として生まれた」「女性として生まれた」という表現を、不正確で侮辱的だとして非難する。

「生物学的男性」「生物学的女性」という言葉は「問題がある」と米国のゲイの権利に関する「メディア監視」団体。

英国サフォーク州では「猫目撤去済」という昔ながらの警告板の表記を「道路鋲（びょう）撤去済」と改めた。猫目とは、道路の中心線や外側線に使われる反射材のついた鋲のことだが、これを作るために猫が殺されているのか、と問いあわせが頻発したためだ。

英国学生連盟女性キャンペーンでは、拍手が禁止された。神経質な学生の「不安を引きおこす」ことを懸念したためで、歓声や応援の声も禁止された。代わりに、「ジャズハンド」で称賛するようにということだが、これは静かに空中で手を振る、というまぬけなものだ。

白人が「黒人のような」編みこみのヘアスタイルにするのは「文化の盗用」である。「エキゾチック」という言葉は「人種差別感情」のこもった「重大な言葉のマイクロアグレッション」らしい（私もそうではない）。

「肥満解放活動家」は、「肥満（ファット）」という言葉は「私たちの社会の従来の美の基準から外れた人びとを辱める」が、もし自身が**太っていて**それをよしとするなら、その言葉を「力を与えるアイデンティティ」として「取りもどす」ことができる、と言う。

ニューヨークの私立大学ニュースクールが発行したガイドには、椅子のサイズは太った人へのマイクロアグレッションとみなされるとある。大きな尻が収まりきらないサイズの椅子、ということだろうか。

ケンブリッジ大学の英国史講師ルーシー・デラップは、「天才（genius）」「素晴らしい（brilliant）」「センス（flair）」といった言葉には「ジェンダーや階級、民族の不平等という前提」があるため、使わないほうがよいと言う。誰もデラップ女史**ご自身**を天才だと非難していないことは確かだ。

不法入国した移民を「不法入国者」と呼ぶことはできないが、「白人はすべてレイシストのナチスだ」は問題ない。

ジャマイカ人でもチュニジア人でもないのに「ジャマイカンシチュー」や「チュニジア風ご飯」を作る人は、「文化の盗用」というマイクロアグレッションを犯している。フープ（輪っか）ピアスをした白人女性もそうだ。ジャマイカ人が「イングリッシュ・ブレックファスト」を作るのは問題ない。やれやれ。

あるルイジアナ州立大学の学生は、メイクで眉毛を［有色人種のように］濃くみせようとする［白人］女性は（［眉毛文化］）「文化の盗用」の一例だと学生新聞に記した。

「母」という言葉はダメ、トランスジェンダーの活動家に不快感を与えるから。

英国医師会は会員に対し、これから母親になる人は不快感を与えないように「妊娠中の人」と呼び、「多様性を祝う」べきだと助言した。正気とは言えないかもだが。

「マン（man）」という言葉を含む言い回しは全部重罪なんだよ、性差別野郎。

シンガーソングライターのエリー・ゴールディングは、ネイティブアメリカンの羽根飾りをかぶった写真をツイートしたところ、人種差別だと炎上。ニューウォークは「滅びゆく民族をばかにするな、無知で無神経な言い訳野郎」と反応した。

米国を「機会の地」と呼ぶのはマイクロアグレッションである。なぜなら「成功に人種やジェンダーは関係ないと断言している」から。

ハーバード大学法学部のある講師は、ある学生から「法を犯す（law violation）」など、「犯す（violate）」という言葉を使わないように言われた。レイプにまつわるトラウマを引きおこすかもしれないというのが理由だ。別の学生は、**法**学生を「苦痛」から守るため、レイプ法を教えるべきではないと言った。こうした学生たちが、のちにスーパー弁護士や裁判官となる。

サセックス大学学生組合は、「彼（he）」や「彼女（she）」といった代名詞を使わないよう警告した。外見からの思いこみを避けるためだという。「彼ら（they/them）」というのが、適切でジェンダーニュートラルな言い方だ。こんなところにいなくてよかった。私なら「くそくらえ」と言ってしまうだろう。この言い方は、誰もがマイクロアグレッションをもっているという事実によってマイクロアグレッションを回避するものだが、長い目で見てやってくれ。

「どこから来たの？」「出身地は？」と訊（き）くのは、人種差別的マイクロアグレッションになりうる。カリフォルニア大学バークレー校によると、こうした言葉は「あなたはここの者ではない」の言い換えなのだという。

オタワ大学学生連盟は、ヨガのクラスを禁止した。ヨガのクラスは、インドのヒンドゥー教を起源とする宗教実践を西洋が「文化の盗用」したものであり、「植民地主義や西洋至上主義による抑圧、文化的なジェノサイド（浄化）、ディアスポラ（移民）」に関連する「実践にからむ文化的問題」があるのだと言う。

クレムソン大学の多様性トレーニングでは、「時間を守れ」というのはマイクロアグレッションとされる。文化によっては「時間は流動的であると考えられる」ため。

シアトルのあるカウンシルマン（市議会議員）（カウンシル「パーソン」では？）は、路上の汚物をホースの水で流すのは無神経ではないか、「公民権活動家を消防ホースによる放水で制圧したイメージがよみがえるから」と懸念を表明した。

やめて！　やめて！　どうかご勘弁を。ほんの少し前までは、こんなことが起こるだろうといったら笑い飛ばされ、忘れ去られていただろう。それがあたりまえになってゆくだなんて、誰が想像できただろうか。

笑いごとではない

ただ首を振って笑い飛ばし、すべてとてつもない狂気だ、とお決まりの「ポリティカル・コレクトネスはどうかしてる」の一言で片づけられれば簡単だ。大きな計略と関連しているなどとは考えもせずに。だが、関連はある。狂気の潮流は人間社会と会話を一変させ、急速に言葉を書き換えている。まさにオーウェルが『1984年』で描いたように。

米軍が、AIによる「マイクロアグレッション」識別装置の開発に150万ドル［約2億2千万円］の助成金をだしたことから、真の意図がうかがえる。なぜ殺戮(さつりく)を目的とする軍が、マイクロアグレッションによって人びとが心を乱されることをそんなにも気にかけるのか？　もちろん気にかけてなどいない。行動修正がすべての目的なのだ。助成金は、クリストフ・リードルとブルック・フーコー・ウェルズというふたりの准教授に支給された。3年がかりのマイクロアグレッションセンサー開発のためだ。もう絶対存在しているはずだ。リードルはこう言っている。

私たちの頭にあるのは、アマゾンのアレクサのような装置です。机に置いておいて、問題解決にあたるチームメンバーを観察し、さまざまな方法でサポートします。その方法のひとつが、チームメンバー全員が平等に参加できるようにすることだと考えています。

言い方を変えれば、AIが**すべての**決定を下すようになるまで、行動を修正し、意思決定における発言力を高めてゆくということだ。このような軍（カルト）が関心をもつ理由がはっきりした。私たちは、暗く危険な道を下っている。

ニューウォークの英『インディペンデント』紙は、「誤った」ジョークを言うコメディアンにヘイト法を科すよう求める、というパロディ記事を掲載した。この記事は本物だと思われていた。私たちの状況は、そんなところまできている。記事は偽名で寄稿され、書いた本人であるコメディアンのアンドリュー・ドイルが「あきらかな悪ふざけ」と言っているにもかかわらず、内容の事実確認はされていなかった。

ドイルは、ニューウォーカーのティターニア・マグラスという架空のキャラクターをつくりだしたことで知られている。このキャラクターを通じ、彼はニューウォークの極端さを暴いている。コメディアンがヘイト法の対象になることを示唆する記事が掲載されたのは、『インディペンデント』自身のスタンスをアピールするものだったからだ。ニューウォークが横暴をきわめる現実においては、もはやパロディは体をなさない。

たとえば英国のフェミニストライター、ヴィッキー・スプラットは、「男性がウォーク女性と付きあおうとしないことが、『いつしか』テロリストに女性が殺されるという風潮につながってゆく」

と言った。どうやって男性を、魅力を感じない女性とデートさせるというのか——国が強制する？　合同結婚式なんてどうだろう？

ニューウォークな考えかたの邪悪な本質とその押しつけが、カイル・ジュレックの発言にあらわれている。ジュレックは、社会主義者と公言しているバーニー・サンダースの米大統領選「フィールド・オーガナイザー（現場担当者）」だった。プロジェクト・ベリタス［「ゲリラ・ジャーナリスト」ジェームズ・オキーフのNGO団体。潜入取材で隠し撮りした映像や音声を公開している］のカメラが、ジュレックがサンダースのニューウォーク政権下の米国について語る姿を捉（とら）えた。

> ドイツはイカれた奴らがナチスにならないよう、再教育に数十億ドルを費やした……ここでもきっとそうするハメになるだろう。バーニーもそんな感じさ……「やあ、みんなの教育をタダにするよ」だって、くそナチにならないよう教育しなきゃならないんだから。

誰が「くそナチ」とはなにかを決めるのか？　**彼らだ**。そうした決断は、文脈やグレーゾーンを理解できない、黒か白かの二元論によってなされる。そうである／そうでない。あなたは◯◯／◯◯ではない。あなたは「身内」／「他人」。

オーウェルが描いたビッグ・ブラザーの警察国家は圧政をおこなった。共産主義東ドイツの残忍な悪名高い秘密警察「シュタージ」のように独裁体制を強化し、「罪を犯した」者を密告させるため、国民のなかに大量のスパイを配置した。ポリコレ検閲、監視カメラ、指紋／虹彩認証技術が学校に導入されるのは、ビッグ・ブラザーの圧政を「あたりまえ」にすることを意図してのことだ。そこで教育された子どもたちが大人になれば、その「あたりまえ」を国際社会でも受けいれるだろう。

今日の大学には「ダイバーシティユニット」とかいう名前の組織があり、ポリコレ正統の再教育を学生たちに強要している。いっぽう、友人や同僚のポリコレ違反をスパイして当局に通報するようけしかけ、なんなら報酬もだすという。学者が講義やコメントにおいてポリコレに配慮しなかった、と告発することもその一環だ。告発された者の多くが解雇されたり、寛大な措置として降格されたりしてきた。あとに残された者は、なにか失言をするのではとおそれて固まってしまう。

英国のシェフィールド大学は、キャンパス内での「人種差別」（口を開くだけでそうなる）的な言葉を取り締まるために学生20人を雇うという案を発表した。時給9・34ポンド［約1600円］で「人種平等の擁護者」としてマイクロアグレッションを探すのだ。「悪意はなくとも、マイノリティを傷つける可能性のある言葉や行動」のことである。では、マジョリティを傷つけることはどうなのか？　いや、それは問題ない。平等とか包括ではなく、排他性こそがニューウォークの求めるものだ（図293）。

シェフィールド大学副学長のクーン・ランバーツは、自身の方針がシュタージのような暴政を真似ていることに気づけるだけの自己認識をもちあわせていないようだ。ランバーツは、この構想は

図293：包括だけではだめ。それはカルトのアジェンダではないからだ。

「人びとの人種差別についての考え方を変える」ことを目指していると述べた。もっと単純に、人びとの考え方を東ドイツやソビエト連邦、北朝鮮、中国のように変える、ということではないだろうか。大学が対象とするマイクロアグレッションのなかには、「なぜすべてが人種問題でなければならないのか」「なぜ人びとは不快に思うことを探すのか」と問う人が含まれる。自分の考えを押しつけ、疑問を呈することを犯罪とする。

「自分とは似ても似つかない黒人セレブと比べられること」もマイクロアグレッションだそうだ。このような人たちは、いつになったら大人になるつもりなのだろうか。もうすぐ、というわけにはゆかないようだ。

「私が正しい」の横暴

ニューウォークが自分はすべてわかっていると信じるのなら、彼らと違う意見の者は当然まちがっている、もしくは人種的／性的偏見など、良からぬ意図をもっているということになる。唯一の正解は「私」。**私が正しい**、それ以外の可能性はない。このことからニューウォークは、自分と違う「まちがった」視点をもつ者の言論の自由を忌み嫌う。**私が正しい**なら、私に同意しない者はまちがっているということになる。まちがっている者に言論の自由を与える意味などあるだろうか？ましてや、人類が気候変動によって絶滅に瀕（ひん）し、見境のない人種差別や性差別という危機的状況にあるときに?

私たちの自由を守るために、言論の自由はなくすべきだ。それは明白だし、**私が正しい**のだから真実に違いない。こうしたふるまいは、カルトの多くの情報源からダウンロードされたものだ。そして、自己愛と権利意識の奨励によってさらに深く浸透させられた。私、私、私だけに価値がある、というわけだ。

自己愛パーソナリティ障害と呼ばれるものの、公式に認められている特徴をいくつか挙げてみよう。極端なニューウォーカーのふるまいとの間に、驚くほどの相関が見いだせるだろう。

- 肥大した自尊心

(**私が正しい**)

- 権利意識

(**私が正しい。私が言うとおりにすべき**)

- つねに過大な賞賛を求める

(**私が正しい**。それを認め、私を精神的にも知的にも優れたものとして尊敬すべき)

- なにも成し遂げていなくても、優れていると思われたい

(**私が正しい**。根拠は必要ない。**私が正しい**というだけで十分)

- 業績や才能を誇張する

（**私が正しい**。なぜなら私にはすべてわかっているから）

●自分は優れていて、同じように特別な人としか付きあえないと思っている

（**私たちが正しい**）

●自分ばかり話し、劣っていると思う人を軽蔑（けいべつ）したり見下したりする

（**私が正しい**。そう思わないならお前は劣っている）

●特別扱いを期待し、当然そうされるものと思っている

（**私が正しい**。私が言うとおりにすべき。グレタ・トゥーンベリを見よ）

●自分が望むものを手にするため他人を利用する

（**私が正しい**。他人がどうなろうと、**私の正義**はつらぬかれるべき）

●他人の要求や感情を認識することができない／したくない

（**私が正しい**。歯向かうなら、罵倒（ばとう）し、悪者扱いし、ツイッターを炎上させ、職を奪い、家族もろとも破滅させてやる）

●横柄、傲慢（ごうまん）にふるまい、うぬぼれ、自画自賛、見栄っぱりである

（**私が正しい**。それだけ）

●特別扱いされないと我慢ならず、怒りだす

（**私が正しい**。**私がそう言うのだから**、ただちに産業システムを解体せよ。結果がどうなろうとかまわない）

- 対人関係に顕著な問題があり、すぐに侮蔑されたと感じる

（**私が正しい**。異論があるのか⁉）

- 激怒や軽蔑で反応し、自分が優れているように見せるため相手を軽んじようとする

（**私が正しい**んだよ、まぬけ）

- 感情や行動の抑制が難しい

（**私が正しい**。違うことを言う者がいれば**ぶち切れる**。そんな奴に発言の場を与えるべきではない。**黙らせろ！**）

- ストレス対応に大きな問題を抱えている

（**私が正しい**。それを認めない者がいるとひどくストレスを感じる）

- 自信がなく傷つきやすい感情を隠している

（**私が正しい**。そうでないと証明されては困るので、事実にもとづいて異議を唱えられても受けつけない）

自己愛的で自信がなく傷つきやすい？　なんと精神障がい的な組みあわせか。自己愛は確かに自信のなさを覆（おお）い隠すものだ。私は彼らをとても気の毒に思う。知覚的、感情的にひどい扱いを受けてきたのだから。ニューウォークとして生きるということは、悪夢に違いない。

あらゆるものから守って

ニューウォーカーは、本当に傷つきやすい。講義や試験の内容に、不安を引きおこしうるあらゆるきっかけがあれば「閲覧注意警告」をつけるよう要求するほどだ。「あらゆる」とは、文字どおりあらゆるものになりつつある。若者たちは、どんどん増えつづける恐怖と知覚されるものや不適切な言葉のリストによって、動揺したり気分を害したりするように圧力をかけられている（図294）。

閲覧注意警告は、いつも不安や恐怖を感じている人に対し、本、動画、講演、舞台などになにかトラブルになりそうなことがでてくるときに警告する。それが今日では、これほど異常なレベルにまでできてしまっている。

神学を学ぶ学生は、磔刑（たっけい）の画像や議論が嫌なら退席できる。

考古学を学ぶ学生は、「考古学的に良好な保存状態の遺体」に「ちょっとぞっとする」かもしれない。

法科学の学生は、血痕（けっこん）や犯行現場、死体にまつわる講義の前に警告を受ける。

カナダのカールトン大学では、キャンパスのフィットネスセンターから体重計を撤去した。自分の体重を目にすることに特別デリケートな人びとを守るためだ。ある学生はこう語る。「体重計に

図294：ニューウォークの常態。

すごく反応してしまうんです」なら、使わなければいいだけじゃないか。

『ガーディアン』ロンドンの記事には、不安のきっかけとして警告されているものがリストアップされていた：ミソジニー［女性嫌悪］、死刑、食品のカロリー、人の体重、テロ、飲酒運転、人種差別、銃犯罪、ドローン［安全な場所からドローンを操縦して殺戮をおこなうことで精神を病む兵士が多いという］、同性愛嫌悪、ＰＴＳＤ［心的外傷後ストレス障害］、奴隷制度、被害者叩き、虐待、暴言、児童虐待、自傷、自殺、ドラッグ使用の話題、医療行為の描写、遺体、頭蓋骨、骸骨、針、「差別的」な議論、晒しあげ、侮蔑（「バカ」「うすのろ」など）、誘拐、歯科外傷、性に関する議論（合意があっても）、死に関すること、クモ、昆虫、ヘビ、嘔吐、妊娠、出産、血、ナチスに関するもの、粘液質のもの、穴（やれやれ）、その他「強迫神経症の人の心を乱す思考をいだかせる可能性のあるもの」。

『ニューヨーク・タイムズ』は、煙草の箱に表示されている健康勧告のように、古典作品にも閲覧注意警告を表示せよと活動家らが要求していることを報じた。シェークスピアの『ヴェニスの商人』［研究社ほか］には「反ユダヤの描写あり」との表示が必要になるだろう。ヴァージニア・ウルフの『ダロウェイ夫人』［みすず書房ほか］には、自殺の言及があると警告しなければならない。チヌア・アチェベの『崩れゆく絆』［光文社古典新訳文庫］にも「人種差別、植民地主義、宗教迫害、暴力、自殺などを経験した読者を触発する」可能性がある。

「反ユダヤ」産業とイスラエルの用心棒は、「聖書」と「コーラン」に閲覧注意警告を挿入するよう要求している。聖典に「反ユダヤ」の記述があるというのだ。世界人口の0・2％の自称「リーダー」の自意識過剰と権利意識は、まさに異常である。「反ユダヤ」用心棒は、ニューウォーク以前からニューウォークであり、それをうみだすうえで非常に重要な役割を担ってきた。

ケント大学教授のフランク・フレディは閲覧注意警告現象とそれに関連する「スノーフレーク（デリケートで敏感な）」精神を、セラピー・カルチャー、セラピー的検閲、読書の医療化、と的確に呼んでいる。「トリガー（引き金）」という言葉は、洗脳産業の用語からきたものだ、と私は数十年来言いつづけてきた。この言葉がポリコレニューウォーク文化で使われるようになるより、ずっと前からだ。「トリガー」とは、米国の悪名高いＭＫウルトラ計画のような政府／軍／情報機関の洗脳プログラムにおいて、洗脳された者が、あらかじめプログラムされた「影なき狙撃者（Manchurian Candidate）」［リチャード・コンドンのスパイ小説。この作品のヒットを受け、タイトルのManchurian Candidate（満洲からの候補者）は「洗脳された人」の意味をもつようになった］のような行動を引きおこすキーワード、フレーズ、音のことだ。

私たちは若い世代のために、彼らが学校でシステマティックな大規模洗脳の対象となっているという事実に向きあわなくてはならない。洗脳の大部分は、自分自身を被害者だと知覚させるというものだ。ニューウォークな言葉遣いは、つねに被害者である理由を探し求めている。

カルトが被害者意識を植えつけるのはなぜか？　いったん被害者になってしまえば、自分の力を放棄し、検閲という形で国の保護を求めるようになるからだ（図２９５）。

多くのニューウォーカーが、被害者であることを甘んじて受けいれている。そして多くの人が、不平不満や被害者文化という人生ドラマを生涯繰りひろげることになる。

自分は被害者だって？　ならば、被害者になることを選択しなければいい。気分を害したって？　その選択をしなければいい。そうすれば、力がもどってくるはずだ。

ニューウォーカーが不安に悩まされつづけているのも不思議はない。動くもの、動かないもの、あらゆるものからの保護を求めるよう操作されているのだから。まわりにあるものすべてが危険をもたらす可能性があるから、保護してもらわなければならない。なかでも、気候変動による地球生態系の崩壊が懸念されている。

このテクニックは子どもや若者を洗脳し、増えつづける危険をおそれ、ビッグ・ブラザー当局に悪のはびこる世界から守ってくれと求めるようしむけるものだ（図296）。これが英国の「安全衛生」文化の本当の狙いだ。かつて日常茶飯事だったことが、いまやたいへんな危険と知覚される。人びとが発する言葉は暴力の一種であり、保護が必要とされる。これに、ポリコレ違反やおそれのリストに照らして人びとを検閲するというおまけもついてくる。多くの親が子どもを甘やかし、あらゆる不安から守る。その結果、子どもたちは人生の課題にぶつかったり、誰かにみずからの知覚の確かさを問われたりした際に対応できるだけの、感情的スキルも度胸ももてなくなってしまう。

元欧州議会ブレグジット党員でライターのクレール・フォックスはこう述べている。［《　》内はアイクによる］

図295：守ってほしいなら自由をよこせ。あとは任せろ。

図296：すべての人から自由を剝奪(はくだつ)するよう要請する。あなたがたが話してくれた、私たちを怖がらせたり不快にさせたりするものから、私たちを守るために。（ベン・ギャリソン画、Grrrgraphics. com より）

> なぜ私たちは10代の若者がセーフスペース（安全地帯）を要求することに驚くのでしょうか？　歴史上、青年期の若者はリスクを冒し、冒険を求めてきました。しかし今日、私たちは子どもたちを世界はどこまでもおそろしい場所だと知覚するよう育てています。ＮＧＯやチャリティー団体《つまりカルト》は、とりわけパニックを煽っています……災害の大げさな話を聞かされて育った子どもたちが、自分の影におびえるようになるのも無理はないでしょう……。
>
> 今日、親は子どもの人生からあらゆるリスクを取り除こうと、ばかばかしいほど躍起（やっき）になっています。必然的に子どもたちの視野は狭められ、突出しないよう教えられます。安全衛生を追求しすぎたがために、若者たちは屋外で遊ぶ、木登りする、送り迎えなしに歩いて学校に通うなど、過去の世代が享受したレジリエンス（適応能力）を高める自由を否定されることになります。

フォックスは、現代の甘やかしとは、子どもたちを馬跳びやビー玉、トチの実割り［ひもに通した実を振り相手の実を割る］などの遊びから遠ざけるものであると言う。いっぽう児童保護業界では、子どもたちに虐待の可能性をあらゆるところに見つけだすよう積極的に働きかけているという。学校は監獄のようなフェンスとシステムに囲まれ、つねに危険なイメージを植えつけられている。フォックスは、子どもとかかわるあらゆる組織で安全対策が最優先事項となってきたと述べている。水泳競技会では親が自分の子どもの写真を撮ることを禁じられ、多くの公園では「子ども同伴の場合のみ」大人の入園が許されるといった具合だ。彼女はこう続ける。

従順な学生たちの不条理には、不思議はありません。そのような世代が突然出現したことも。私たち大人の社会は、子どもを批判から守り、批判的な判断を保留して、自尊心をくすぐります。終わりのない恐怖のリストを「大惨事」扱いして、震えあがらせます。大人や友だちからの虐待の可能性に過剰反応させせます。罵(のの)りと肉体的な暴力は同じであると考えさせます。要するに私たちが、心配しすぎで傷つきやすく、批判的で過敏な、フランケンシュタインのようなモンスターをみずからつくりだしたのです。私たちが、スノーフレーク(雪片)世代をうみだしたのです。

スノーフレークと呼ばれることさえも、メンタルヘルスに悪影響だという学生もいる。多くの人が「メンタルヘルスの問題」と診断されていることをふまえ、子どもと若者の心理的健康に特化した、まったく新しい産業が誕生している。若者の自殺が急増している。

こうしたすべてには理由がある。多くの子どもと若者は、冷酷なカルトがコントロールするシステムによっておかしくされている。カルトは子どもたちの気力をくじき、大人になってからもずっと言いなりにさせようとしているのだ。

確信を求めて

不安はその不安をなだめるために**確実性**を求め、そこからニューウォークの「道徳的」かつ事実にもとづかない「確実性」が生まれる。「私が正しい」には、「私はまとも」「私は善良」そして「私はエシカル（倫理的）」ということも含まれる。すべて、私と違う考えの者は誰も正しくないし、まともでもエシカルでもないという条件つきだ（図297）。

英国の活動家ジョルディ・カサミチャナは、「エシカル・ヴィーガニズム（倫理的菜食主義）」を「法に保護される哲学的信念」にするため、雇用主を法廷に提訴した。カサミチャナはもちろん勝訴した。［2019年12月、カサミチャナは勤務先のLeague Against Cruel Sports（スポーツハンティング反対連盟）の企業年金が、動物実験をおこなう企業に対し投資すると話したところ不当に解雇されたとして告訴。英雇用裁判所は解雇を不当とはしなかったが、エシカル・ヴィーガニズムは宗教・信条などを理由とする差別を禁止した2010年平等法の下で保護される信条であると認めた］

「保護される信念」とは、人びとが選択する権利のあるライフスタイルである「ヴィーガニズム（菜食主義）」ではなく、「エシカル・ヴィーガニズム」であることに注目しよう。カサミチャナは、これは動物性食品を食べないこと以上に重要だといっている。「これは哲学であり、私の人生の大半を占める信念体系です」これがニューウォークのインターセクショナリティ（交差性）だ。

図297：ウォークの自己欺瞞(ぎまん)。

カサミチャナのライフスタイルをご紹介しよう。バスに乗るより歩く。「昆虫や鳥との衝突」を避けるためだ（歩いていて気づかず虫を踏んでしまったことはないのか？　車で移動することはないのか?）。バスに乗る際には、革でできた吊り革にはつかまらない。肉ではないが、イチジクは食べない。なぜならイチジクは「小さなハチと共生しながら育つ［イチジクの花は未熟な果実のなかにあり、イチジクコバチはイチジクの実のなかに産卵する。ふ化、交尾を経たメスは受精卵を宿して実の外にでてゆき、花粉を運ぶ。オスは実のなかで死ぬ］」から。そのため、「熟したイチジクのなかにハチの幼虫が残っているかもしれないし、イチジクを食べることはヴィーガンと矛盾すると思う［野生のイチジクのなかにはハチが入っている可能性が高いが、市販のイチジクは受粉を必要としないため入っていない］」意識はあらゆるものにある、と彼に教えてやってくれないか？

それとも私が言うべきだろうか？

「エシカル」を確実に定義できなければ、「エシカル・ヴィーガニズム」を定義することもできない。ある人にとってのエシカルは、別の人にとっては狂気である。辞書には、エシカルとは「道徳または道徳の原理に関するもので、行動の正誤に関係するもの」とある。誰が正誤を判断するのか？　誰がエシカルとはなにかを決めるのか？　カサミチャナは、生命のガスを悪魔化し、子どもたちに気候メルトダウンが迫っていると告げることをエシカルだと考えているようだ。だが私にとって、それはとんでもなく無責任で、エシカルでない行為だ。

ニューウォークの考えでは、**彼ら**が考えることと「エシカル」とは同じものでなければならない。

それ以外ないだろう? 対して私の考えは、「エシカル」であるという主張を法律に明記したい者は、「思いあがり」の定義を確認したほうがよかろうというものだ。

ヴィーガンの権利擁護活動家、ジャネット・ローリー博士は、彼女の直接の経験から、「ヴィーガニズムとは生き方です。たとえばキリスト教徒だとかイスラム教徒だというのと同じくらい、ヴィーガンだといえば、その人がどういう人なのか明確にあらわしているのです」と述べている。

ニューウォークは、まさに宗教だ。最終的に、他のすべての宗教と置き換わるようにつくられた宗教だ。ローリーは『エシカル・ヴィーガン』(エシカルであることと、ヴィーガンであることは同義である)は、みずからの世界観が感覚をもつ人間/非人間の共同体における正義、尊重、義務、配慮、同情にもとづいていること、相手を傷つけず、守る努力をするということを明確に表明する」と述べている。

肉でなければ、植物の意識は傷つけてもよいのだろうか? 自分たちの生き方の選択を全員に押しつけ、違う選択をする者を罵倒(ばとう)することも多いが、それは「尊重」だろうか? ヴィーガンに転向した人には、健康に悪影響がでる可能性がある。ある食品がすべての人に合うという考えは幻想であり、エビデンスと食い違う。世界が終わると信じさせて子どもを怖がらせ、人類を救うためにはヴィーガンにならなければといって、自分のアジェンダを押し通すのはどうなのか? ほとんどのプラント(植物由来)ベース製品生産には、人工授粉(「移動式養蜂(ようほう)」として知られる)、除草剤、殺虫剤が欠かせない。その結果、(動物とともに)死んでゆく膨大な数のミツバチや昆虫[人工授粉に使われるハチは、受粉が終われば巣箱ごと処分される」についてはどうか。自分たちが食べる植物をうみだす生命のガスを抑制する、というばかげた要求によって、人間社会と雇用が荒廃することは？まだまだある。ヴィーガンが食べるものの多くは、大豆や豆腐のようなまったくのクズだ［アイク的には大豆製品はクズらしい］。

ひとたび誰かが自分だけが「エシカル」だと主張すれば、すぐに偽善や矛盾というボロがでる。自分だけが完璧で純潔だという押しつけがなければ、もっと効果的に人びとを説得できるだろう。しかし、それがニューウォークの基盤である。彼らは私たちを説得しようとしているのか？　それとも**彼ら自身**を？

なぜ事実がそれほど危険なのか

ナルシストはつねに不安を抱え、傷つきやすい。自己愛とは、不安を覆い隠すカバーである。他人もそうだが、自分自身から隠すということが最も重要だ。私がこれまで出会ったなかで、大げさなほど自己主張の強い人物はすべて、そのうわべの裏側にはおびえた少年少女が隠れていた。

本物の自信があれば、自己愛はいらない。他人の反応で自分のアイデンティティを確認したり、自己宣伝したりする必要はない。私に同意し、知的で賢いと思う？　オッケー。私はまちがっていて、愚かだと思う？　それもオッケー。本物の自信にとっては、このふたつは双子のペテン師のようなものでしかない。

まずは自分自身を納得させるために、自信(security)のように見えるうわべを必要とするのが**不安**(insecurity)である。同じように、**私が正しい**、というのはまちがうことをおそれている状態だ。そしてこれが、ニューウォークが事実に関心をもたないもうひとつの理由である。

ニューウォークは、あらゆることを感情と道徳的優越感というフィルターを通して知覚するように操作されているが、これは簡単に誘導できる。事実はこうした感情的な確信の不倶戴天(ふぐたいてん)の敵であり、排除しなければならない。

ニューウォークの米下院議員アレクサンドリア・オカシオ＝コルテスのこの言葉が、それをよくあらわしている。「道徳的に正しいことよりも、正確で、事実上、意味として正しいことにこだわる人がたくさんいます」

事実以外のいったいなにが「道徳的に正しい」のだろうか？　**起こってもいない**人為的気候大災害について、道徳的に正しくある意味などあるのだろうか？　事実は、白か黒かという知覚をすぐにグレーの濃淡に変えてしまう。だから事実は時代遅れなのだ。事実しか口にできないとしたら、いったいどうやって、起こってもいない気候変動による大量絶滅が迫っていると信じさせられるだろうか？　不可能が可能になるのは、うそをついたり事実を曲げたりできるときだけだ。そして、**私が正しい**というのが真っ赤なうそであるとバレてしまう、事実にもとづく反応は検閲ではじく。

このテクニックは、いたるところに見ることができる。気候変動、人種、セクシュアリティ、トランスジェンダー運動など。たとえば、自分のスタンスや要求を事実で裏づけることができず議論に負けてしまうと、罵詈雑言（ばりぞうごん）を浴びせてレッテルを貼り、公の場から締め出し、メディアの検閲で議論を封じこめる、といった具合だ。

人間の生物学を書き換えた、と事実上正当化する必要はない。それは良かった。なぜならそんなことは無理なのだから。その代わり、男性はそう宣言するだけで女性になれるし、逆も然（しか）りだと主張する。反対意見を唱える生物学者を解雇し、キャリアをぶちこわすためにキャンペーン（運動）する。ひとたび少数の科学者や学者が袋叩きに遭えば、あとの者はキャリアや収入を守るためおとなしくしているか、なんならニューウォークのたわ言を受け売りしたりする。さまざまなテーマや状況において、このようなことが起こっている。

ユーリ・ベズメノフの「頽廃」は、猛スピードで「常態化」へと突き進んできた。このようにして学校はカルトのニューウォークに侵略され、蹂躙（じゅうりん）されてきた。「教育」の場であるはずの場所は、生涯にわたるラ・ラ・ランド（夢の国）への入り口になってしまっている。

リー・ジャスパーとかいう英国の「社会活動家」（とかなんとか）が、ガイ・リッチー監督のギャング映画「『ジェントルメン』（２０１９）」について、「よりインクルーシブな感覚の英国国民性の未来を反映していない」と言っているのを見た。リッチーは「もっと広い社会意識と責任」をもつべきだというのだ。ギャングはニューウォークのようなふるまいはしないし、この映画は**ギャング**を描いたものである。それが**事実**だ。しかし事実は、すべてをありのままに描写するのではなく、望ましい姿に描写する必要があると考えるニューウォークのフィルターを破ることはできなかった。

　事実は、カルトの集合的・感情的・現実構成概念においては致命的に危険なものであるから、検閲・削除しなければならない。これがカルトの「教育」、主流メディア、シリコンバレー、政府の法律を通じておこなわれている。なににおいてもひとつのバージョンだけが強調され、最終的にはそれ以外耳に入ってこなくなってしまう。信念にもとづく信条、無条件の確信、そして不敬な者は黙らせる。こうした観点から総合してみれば、これはまさに宗教である。

　ニューウォークとは、信念にもとづき、事実を必要としない宗教、あるいはカルトである。信徒を洗脳し、反対意見を受けつけないことによってその意思を押しつけるものだ。火あぶりの刑は、フェイスブックの垢バン（アカウント停止）や、ツイッターでの炎上に姿を変えた。水の上を歩くイエスの現代版は、生命のガスが致命的な汚染であるとか、「私は女」といえば男が女になれるとかいう奇跡である。気候カルトはニューウォークの一部門であり、さまざまな意味でその大黒柱といえる。状況からわかるように、気候カルト自体がひとつの宗教と化している。

組織的検閲

　結果を知って、行程を理解することに立ちもどろう。言論と情報の面でカルトが計画した結果は、最終的に世界政府に認められていないものは誰も見たり聞いたりしなくなるということだ。カルトの所有するビリオネアによる、主流でない情報を排除するシリコンバレーの検閲（ロックダウン以来急速に進んだ）が、その方向へどんどん進めている。ニューウォーカーは、自由な言説を封じこめる新たな極端な手段があらわれるたびに、拍手（いや、「ジャズハンド」か）している。

私は他の著書で、１９２０年代のカルト（ロスチャイルド）のフランクフルト学派社会研究所にさかのぼって、「突然」（長きにわたる計画のすえ）ポリティカル・コレクトネス（ポリコレ）が出現した事の次第を述べている。

ポリティカル・コレクトネスは、ターゲットがみずから口をつぐむようしむけるカルトの策略である。羊の群れの統制がとれていれば、牧羊犬は必要ない。ニューウォークのアジェンダは、あらゆる面でカルトのアジェンダに追随するものだと先に述べた。もちろんそれが、カルトがニューウォークをつくりだした理由だ。

ポリティカル・コレクトネスと言論の自由の終焉も、そのひとつだ。言論の自由とは、自由に発言できることだ。これがあると、当局が許可したものしか見聞きできないという状態が実現できない。言論の自由のもとでは発言権があり、公式の物語の化けの皮が剝がれてしまう。そのため、言論の自由はカルトとその特攻隊であるニューウォークのターゲットとなっている。なぜカルトが動かすニューウォークが、**私が正しい**という信念に疑問を呈する事実を冷ややかに退けなければならないのか、そしてなぜそのような事実の検閲を要求するのかが見えてくるだろう。

真実を追求するということであれば、あらゆる見解や情報を受けいれ、見つけだすことができるだろう。しかし、ニューウォークは真実などどうでもいいのだ。**うそ**を吹きこむのが目的であり、事実は致命的ダメージとなる。ゆえに、事実と反ポリコレの意見は封じなければならない。そして事実は、感情によって引きおこされる「気持ち」に置き換えられる。事実や「真実」は、抑圧状態の規範にすぎないとされる。

自分の考えに自信のある者は、違う意見が耳に入っても動じない。言論の自由は、あらゆる考えを伝えあい、議論し、異を唱え、疑問を投げかけることができてはじめて存在できるとわかっている。そうでなければ言論の自由はなく、検閲が許容する範囲内での自由があるだけだ。

キングス・カレッジ・ロンドンの研究では、学生の5人に1人、つまり22%がキャンパスで自分の意見を言えないとし、保守的な考えをもつ学生の59%が意見の表明に消極的であるとわかった。対象をニューウォークでない学生に絞れば、このパーセンテージはもっと高くなるだろう。ニューウォークの意見は、正統の受け売りなのだから検閲対象ではない。だから学生たちは、意見を自由に表明できると思っているのだろう。ニューウォークならそうだ。だが、そうでない意見を口にしてみたらどうなるだろうか。

教えられたことを言う**自由**はある。教えられたことをする**自由**もある。重要なのは、発言が主流と**異なる場合**だ。発言はできるのか、それとも未然に封じこめられるのか？　その違いが、自由と抑圧の違いだ。後先考えず、なんでもかんでも自由に発言してもよいというのではない。人やものを物理的に傷つける煽（あお）るような発言は許されない。問題は、**いつ**それに対処するかということだ。

カルトは、アルゴリズムその他の投稿検閲は、「受けいれ難い」考えや情報を見聞きできなくするために使われていると思わせようとしている。しかし、誰が「受けいれ難い」という基準を決めるのか？　当局、つまりカルトである。

忍び足の全体主義は、まずはほとんどの人が受けいれるような検閲の事例をつくる。たとえば、テロ対策などだ。ひとたび投稿検閲の先例ができれば、どんどん適用を拡大してゆく。「フェイクニュース」「ヘイトスピーチ」「人を動揺させる」などなど。その言葉がなにを意味し、その名の下になにが検閲されうるかについて、忍び足の全体主義によって定義がどんどん広がってゆく。

「私が正しい」の自己愛的な不安は、**「私はまちがっている」**と暴いてしまう可能性のある事実を封じこめようとする動機になる。逆に、発言がなされたあとで異論がでるなら、当局が見聞きできるものを決定できるという状況にはなりえない。すべてが公の場にでて、衆人環視のもとで論じられる。

テロや暴力を煽（あお）ることを禁じる法律があるのだから、異論や意見を封じこめるために検閲を拡大するなどと極端なことをせずとも、法を発動すればいい。また当局は、公開討論や法廷で言論に関する主張の正当性を示さなければならない。異論をはさませず、ひそかにアルゴリズムが処理するのではいけない。これらすべては、発言がなされた**あとで**異論がでる限り可能である。いずれにせよ、テロを陰に追いやるよりも、誰がテロのキャンペーンをしているのかが知りたいのではないだろうか？

「反ユダヤ」の新しい定義に、それをかいま見ることができる。公正かつ正確な定義は、「ユダヤ人がユダヤ人であることに対する嫌悪や差別」だろう。しかしこれは、極右サバタイ派フランキストが支配するイスラエル政府や、パレスチナを壊滅させようとするシオニズムの政治哲学を批判したり、暴露したりすることを排除するものではない。カルトはそのふたつを含めるよう定義を拡大して、みずからとその手先を守っている。皮肉なことに、多くのニューウォーカーは大学のキャンパスでイスラエルとそのパレスチナ人の扱いを批判している。ニューウォーカーは、時代に先駆けみずから検閲を受けている。自分たちの理想郷が実現し、こちらから要求する必要がなくなったときには、もっと大規模な検閲がおこなわれることだろう。

イスラエルがタニマチとなって子飼いにしているドナルド・トランプは、２０１９年末にある大統領令に署名した。「ユダヤ」を国籍として再定義し、禁止されている「差別」対象のリストに加えるというものだ。これはイスラエルとシオニズムへの批判を禁止するためにつくられたもので、とくに大学での反ユダヤ主義を封じることを目的としている。同時にトランプは、「反ユダヤ」の新しい定義を支持した。イスラエルとシオニズムへの批判もそこに含まれている。

英国政府のボリス・ジョンソン首相［当時］は、元労働党庶民院議員でイスラエル狂信者のジョン・マンを「反ユダヤ」担当官に任命した。イスラエルへの批判に「反ユダヤ」という汚名を着せるためだ。ジョンソンはまた、ボイコット（Boycott）、投資撤収（Divestment）、制裁（Sanctions）（ＢＤＳ）運動をターゲットとした法を成立させた。ＢＤＳとは、多くのニューウォーカーが批判するイスラエルのアパルトヘイト体制に対するボイコットを呼びかける運動だ。
ニューウォーカーよ、なにを望むかには気をつけたほうがいい。うっかり叶（かな）ってしまうかもしれない。イスラエル批判に関しては、すでに叶ってしまっている。

あなたはどんな人？　私はLGBTTQQFAGPBSM

ニューウォークのキモは、自己認識である。見出しに掲げた文字の羅列は、増殖しつづける自己認識をあらわしたもので、実際に米国の大学で使用されている。アルファベット26文字をそれぞれ何度でも使うことができるわけで、まだまだ増えてゆくのだろう。あなたはどんな人？　私はＬＧＢＴＴＱＱＦＡＧＰＢＳＭ。**存在する、存在した、存在する可能性のあるすべて**である、という知覚からはほど遠い。カルトは笑いが止まらないことだろう。

英国自由民主党のある政治家が、２０２０年初頭に「パンセクシュアル（汎性愛）」［あらゆる性別を恋愛対象とする］であるとカミングアウトしたが、私にはフライパンと関係しているとしか思えない。

カルトが、アイデンティティへの強迫観念やアイデンティティ・ポリティクス［ジェンダー、人種、民族、性的志向、障がいなどあるアイデンティティをもつ集団の利益のためおこなう政治活動］を唆（そそのか）すことには、たくさんの理由がある。

まずは、人びとをかつてないほど細分化された自己認識の近視眼のとりこにするためだ。知覚を五感の現実のなかだけに閉じこめ、拡大意識から遮断することが人間支配には不可欠だ。ニューウォーク以前は、カルトは男女、人種、文化、宗教というラベルに限定して五感のアイデンティティを陥れ、本当の「私」、つまり**「ワンネス」**へとアイデンティティが拡張するのを妨げていた。

アイデンティティ・ポリティクスの発明で、カルトはこうしたラベルを無限に細分割できるようになった（図298）。細分割された人びとはそれぞれ、さらに事こまかに定義されたラベルのもとで自己認識するようになる。これまで以上にちっぽけな知覚のシャボン玉のなかに押しこめられ、ワンネスからはさらに切り離されることになる。ひとつなぎの羅列の一文字で定義されている自分が、どうやって本当の「私」に気づくことができるだろうか。

そもそもなぜ人はそのようなディテールで自分を定義しなければならないのか？　アジェンダー［無性］だの、アンドロジニー［両性具有］、アロマンティック［他人に恋愛感情を感じない］、アセクシュアル、バイキュリアス［性的関係を両性ともつことに好奇心がある］、バイジェンダー［男女両性の行動、特徴、仕草を示す］、バインダー／バインディング［胸を押さえて平らに見せるためのものを装着している］、生物学的性別、バイセクシュアル、ブッチ［男性的なレズビアン］、シスジェンダー［性自認と生まれもった性別が一致している］、デミロマンティック［ごく稀に精神的つながりを感じた場合のみ恋愛感情を抱く］、デミセクシュアル［ごく稀に精神的つながりを感じた場合のみ性的欲求を抱く］、ジェンダークイア［既存の性別の枠組みにあてはまらないまたは流動的］、ジェンダーヴァリアント［既存の性別に適合しない］、ジーンセクシュアル／ジーンフイリック［女性的な人に魅かれる］、パンセクシュアル［あらゆる性別の人が恋愛対象となる］、クイア［セクシュアルマイノリティ］、クエスチョニング［性自認、性的志向が定まっていない］、サードジェンダー［男性でも女性でもない］だのと？

だからどうした？　どう生きたいかを決め、そう生きればいい。なぜ、人はその選択に細かく名前をつけなければならないのか？　さらにいえば、なぜ自分たちで好きにやっていればいいものを、他人にまでその選択を押しつけなければならないのか？

英国の著名なテレビ司会者フィリップ・スコフィールドは、27年の結婚生活ののちに「ゲイ」であることを「カミングアウト」し、大騒ぎになった。なぜ私たちが、彼が自分のモノをどこに突っこんでいるか聞かされなければならないのか？　彼と家族以外、誰がそんなことを気にするというのか？　好きに生きればいい。私たちには関係のないことだ。

5年ぶりにセックスした、とみなに告白する必要があると感じたセレブもいる。**なぜ？**　ご本人とお相手以外、いったい誰がそんなことを気にするというのか？

ニューウォークのアイデンティティへの執着という観点から、自己愛は確実に考慮すべき問題となる。注目されたい、私を見て、見て、物事は私が望むようでなければならない、というわけだ。細分化されたラベルを公言する理由がなんであれ、結果は同じだ。彼らの「私は〇〇」というシャボン玉は、サイズのうえでも知覚的にもどんどん小さくなってゆき、それによってカルトのアジェンダはずんずん進む。

アイデンティティ・ポリティクスは、人びとに「私」というものを性的志向によってのみ認識するようけしかけている。どこに突っこむか、それとも突っこまないか。それが自分のアイデンティティだと、みんな本当に思っているのか？　**そんなばかな。**私たちはなにをしにきたのだろう？　これは偶然のできごとではない。カルトがしくんだことだ。

私の発言へのニューウォーカーの罵倒（ばとう）はよろこんで受けいれよう。「ウォーク（目覚め）」ではなく、本当に覚醒しなければ、彼らやその子どもたちは、私が無限の永遠に移った後も、テクノロジー・ディストピアで一生を過ごすことになるのだから。

カルトがアイデンティティ・ポリティクスを推すあとふたつの理由は、分断統治による部族主義への転落、そしてビッグ・ブラザー国家の押しつけだ（図299）。

カルトが世界全人口をコントロールするためには、人数が多すぎる。人間の脳を人工知能に接続することで、近いうちにコントロールを成し遂げる計画ではある。しかし今のところ、人びとが協力しないと選択したなら、80億人に意思を押しつけるためには手駒が足りない。この問題もこれまで同様、人びとを操作し、カルトのアジェンダによって互いに統制させることで乗り越えてきた（ロックダウンのときにはそうした光景が数多く見られた）。

ニューウォークがつくりだした対立には、あきらかに人種、文化、セクシュアリティへの執着がうかがえる。これは一般人口を無限に分断しつづけることができるようにするもので、なんなら自己認識をさらに細分化したりもできる。

図298：「ちっぽけな私」から「もっとちっぽけな私」へ。

図299：ニューウォークはもはやパロディを超えている。

革命（レボリューション）がその崇拝者（チルドレン）を呑みこんでゆくなかで、このようなことがますます増えてゆく。ニューウォークのあかしとは、自分は**なんでも**好きにするが、他人がそれをすれば非難するということだ。

宗教界にはそうした先例が多くある。何百万もの人びとを迫害し、拷問し、殺害したさまざまな形の異端審問は、「やさしいイエス」の信者なる者、そして「邪悪なサタン」の敵なる者によって組織された。

彼らはみずからの清廉を確信し、「神の仕事」をしていると考えていた。しかしその実態は、「平和の君」の名の下に男も女も子どもも殺すという、悪魔の子のような所業だった。信じがたい逆転、あるいは自己欺瞞（じこぎまん）だが、誰かが異端審問官にそれを指摘しても、彼らはその矛盾に気づくことはなかっただろう。みずからの正当性を信じるあまり、鏡に映った自分を見つめなおすことができないのだ。

私たちが**正しい**。それに同意しない者は、抹消されなければならない。それが「神」の望みだ。火あぶりに熱したヤットコ、親指締め［拷問具］の時代は過ぎ去った。今日の異端審問は、悪者扱いや辛辣（しんらつ）な罵倒（ばとう）といった手を選び、靡（なび）かない者の人生やキャリアをぶちこわそうとする（図３０）。手法は変わっても、基本的な態度やイデオロギーは変わらない。相も変わらず、**私**の考えに全員が従うべき、というものだ。

図300：ニューウォークはもはやパロディを超えている［ダーレクはBBCのドラマ『ドクター・フー』に登場する地球外生命体。憎悪以外の感情がなく、自種以外の全生命を抹殺しようとする］。

偽の「社会正義(ソーシャル・ジャスティス)」

ファシズムを強いるためには、徹底した自己欺瞞が必要だ。「反ファシスト」であると主張する者は、冷たく無情で不寛容、他人やその家族を傷つけ、痛めつけ、崩壊させてよろこんでいる。それなのに自分を、親切で寛容で愛にあふれ、心から動き、「社会正義」に深く思いを寄せていると認識しているのだ。

ウォークの「寛容」とは、「誤った」意見をもつ「敵」を見つけだそうとする、不変の怒りと激情の状態である。自己欺瞞はニューウォークのペルソナ（「役者の仮面」）の基盤であり、その支持者は広く「ソーシャル・ジャスティス・ウォリアー(社会正義戦士)」と呼ばれている。ニューウォークの過激派や活動家（主要な資金提供者ジョージ・ソロスも）が、ロシア革命や中国革命の背後にいる、社会正義の痕跡(こんせき)すらないカルト工作員以上に、「社会正義」などどうでもよいと思っていたとしても。

同じように、彼らは「反レイシスト」であり「反性差別」でありながら、人種とセクシュアリティに完全に取り憑(つ)かれていて、人間の行動、やりとりのすべてをその色眼鏡を通して見ている。肌の色や性別で人の扱いを変える**彼ら自身**がレイシストであり、性差別者なのだが、それに気づくことはないのだろう。私たちはみなひとつの意識であり、人種とは、その意識が短い体験をする際のラベルにすぎないのだということを、思いださせてやるべきだろう（図３０１）。

ウォークの活動家は、実際にはなにも社会正義にかかわることをしていない。ただ「ぶちこわせ」というコンセプトのもと、ダウンロードしたソフトウェアに鼓舞され踊らされているだけだ。ネット上に、社会正義を追い求める本物の活動家と、ニューウォークの「ソーシャル(社会)・ジャスティス(正義)・ウォリアー(戦士)」の違いを説明したこんなコメントがある。

社会活動家「あっ、この建物には車椅子用のスロープがない。スロープを作ろう」

社会正義戦士「階段を使う人を迫害して、足があることを申し訳なく思わせよう！」

そうなるのも無理はない。ソーシャル・ジャスティス・ウォリアーは、ホームレスのための家、貧困層のための仕事、貧しい人びとのための食料、大量殺戮戦争の終結などを求めてキャンペーンや行動などしている暇はないのだ。自称「女」の男が、「彼女」「彼ら(they/them)」と呼ばれることを勝ち取るという、壮大な歴史的戦いに忙しいのだから。**私、私、私、**自己認識が最優先だ。

本物の左翼のなかには、本当に公正と社会正義を気にかけている人もたくさんいる。彼らはニューウォークのエセ社会正義による乗っ取りを許している。体制全体、つまり1%とカルトがニューウォークを支持し推進しているからだ。

ニューウォークは、レイシストであることによって「レイシズムと闘う」。啞然(あぜん)とするほどの不

図301：本当のインクルーシブ。私たちはみなひとつなのだと気づくこと。

図302：ヘイトするお前をヘイトする。いや、よく考えたものだね。

寛容でもって寛容を要求する。そして憎しみ(ヘイト)の表情を浮かべ、悪意を抱きながら「ヘイトと闘う」（図３０２）。

ニューウォークは、スペインの異端審問同様、みずからの逆転や偽善が見えていない。当然、異端審問も自分たちも、同じカルトに操られているということを見てとるだけの自己認識や情報、謙虚さに欠けている。

あるオーストラリアのテレビ番組で、ニューウォークのフェミニスト過激派らがこう問われた。「大きな変化をもたらそうとするとき、攻撃や暴力がより良い選択肢となるのですか？　自己主張、有力な論拠、そして自分が相手に期待する行動を率先しておこなうよりも？」

返ってきた答えは、ニューウォークの唱える精神が本物ならば**ありえない**ものだった。ひとりめはこう答えた。「他の手段でうまくいかなければそれしかない」もうひとりはこう言った。「家父長制がフェミニズムをおそれるようになってほしい。フェミニストとして、私にとっていちばん大切なのは家父長制の撲滅」

そして彼女は訊(たず)ねた。「男が女をレイプするのをやめるまでに、あと何人の男を殺さなければならないのですか？」

答えのなかに「ぶちこわし」が多いと指摘され、彼女はこう答えた。「そうですね……自分がレイプされたり、殺されたりしない世界をつくるためです」

彼女にはいずれの経験もない。後者については、誰の目にもあきらかだ。

ニューウォーク過激派が、カルトに使われていることはまちがいない。自由と民主主義を「ぶちこわし」、ハンガー・ゲーム社会の地ならしをするためだ。過激派はかつてないほど極端になり、他のニューウォーカーにも拡大する過激主義をシェアするよう強要する。もしくは彼ら自身が「差別主義者、レイシスト、ナチス、そして家父長制の手先」になるだろう。レボリューション園が、お子さまをお預かりします。

言語破壊と自己検閲

広告には、ニューウォークのカルトアジェンダのあらゆる側面が吹きこまれている。なぜなら、どこでも目に入る広告は、知覚と行動の矯正にうってつけの媒体だからだ。

広告はさまざまな理由で非難されてきた。女性がでてこないとか、「ガール」という言葉を使った「成人女性に対し「ガール（女の子）」を使うことは軽視や弱者扱いを意味する」とか、赤ちゃんの世話をする女性は「ジェンダー・ステレオタイプ（性別に関する固定概念）」を描いているとか。広告が描く人びとはもっと「多様」でなければならないと言われている。つまり、ありのままの世界を無視して、カルトが望む世界を描くということだ。

ムスリムのロンドン市長で、超意識高い系のサディク・カーンは２０２０年の「広告におけるダイバーシティ」賞を発表したが、白人はひとりも入っていなかった（図３０３）。狙いはおわかり

図303：ニューウォークの包括性。ひとたび白人を打ち負かしたなら、次は他のターゲットへと移ることだろう。(黒人をターゲットとした下着ブランド「ヌビアンスキン」の広告。多様な肌の色や体型にあわせたラインアップが特色)

いただけたことだろう。「ロンドンの最大の強みは多様性です」というカーンの言葉には、みじんの皮肉もない。

広告には多くの異人種カップルが登場する。異人種カップルにはなんの問題もない。素晴らしいと思う。ただ、実際よりはるかに多い割合で大衆に提示されるということは、知覚操作が働いているということだ。

ポップカルチャー（大衆文化）と言語をポリティカル・コレクトネスがハイジャックし、人間社会をつくりかえている。ポリコレとは、対話と表現の自由をぶちこわすためにカルトがつくったものだ。それには、人びとがコミュニケートする言語を規制することが鍵となる。自分の意見をあらわすための言葉を抹消されてしまったら、その後どうやってその意見を言語化できるだろうか？

ジョージ・オーウェルは『1984年』で、「ニュースピーク」という架空の言語を描いた。ビッグ・ブラザーのディストピアで、「オールドスピーク」に取って代わる言語だ。オールドスピークは旧言語で、思想や意見を詳しく表現する語が含まれている。いっぽうニュースピークは大幅に手が加えられ、検閲された言語だ。詳細を描写する語は削除され、不都合な話題やテーマは対話から完全に排除されている。

今日ポリティカル・コレクトネスが意見を検閲して、ヘイトスピーチやフェイクニュース、マイクロアグレッションなどといった口実のもとに言葉を抹消しているのは、まさにニュースピークである。世代が変われば、そのような言葉はもはや検閲される必要はない。歴史のなかに埋もれてしまって、誰も知らないし、使われることもない。

私たちは言葉によっても**考え**ている。あたりさわりなく、意味のないポリコレ（政治的に正しい）な決まり文句だけが残っていると、突きつめて**考える**ための言葉さえなくなってしまう。五感の現実の言葉が、思考を可能にする。言葉をコントロールすれば、どのように考えるかまでコントロールできる。

政治的に正しい脅迫が、最も狡猾（こうかつ）な形の検閲、すなわち自己検閲へと導く。人びとはみずから口を閉ざし、正統にとって不都合な意見や情報は消え去ってしまう。誰もが、家族でさえ、シュタージのスパイや密告者である可能性がある。サイバー監視は24時間体制だ。スマートテレビやスマホ、コンピューターや街灯にもマイクがついていて、誰かに「誤ったこと」を言えばいつでも拾われてしまう。それをおそれ、公式のストーリーと一致した言葉以外は発されない。

雇い主が求職者のソーシャルメディアの投稿をさかのぼってチェックし、ポリコレ的に問題ないか調べることがある。若いころの投稿がポリコレに反するとして、いい大人になってから中傷されたり解雇されたりする人もいる。当時は問題ない投稿だったとしてもだ。

このように強まるポリコレ圧力のすべては、望ましくない意見や議論を抑えこむためにつくられたものだ。現状、ウォーカーはシュタージの役を務めているが、本物のシュタージがやってくればお役ごめんとなり、次は**彼ら自身**がターゲットとされるだろう。

著者や出版社は、「センシティビティ・リーダー」［出版前の原稿を読んでポリコレ的にアウトな部分がないか検閲する人］を雇ったりしている。私がそうしたものの世話になっていないことにはお気づきであろう。

コメディもポリコレシュタージによってつまらなくされてしまったが、ごく一部の誇り高く肚(はら)の据(す)わった「コメディアン」は、そうした横暴に立ちむかっている。

セレブなラビー(俳優)は、ニューウォークな演出に必死だ。ひとたび新しい正統が定着すれば(「気候変動」を見よ)、このようなことが起こる。好感度がほしくてたまらないセレブや政治家は、自身のウォークっぷりと純粋さを確認するためにこの正統を支持し、大衆に押しつけている。彼らは「良い人」と見られたいし、それを支持する大衆も自身を「良い人」だと信じている。いずれも同じ「良い人」だが、ハート(心)もマインド(精神)も閉じている。ニューウォークの正統に従わない者には憎悪をむきだしにし、人生をぶちこわすのだ。

セレブや政治家のように、好かれること自体が目的になってしまうと、自主的な思考や行動ができなくなってしまう。自分自身の真実を語らず、フェイスブックでいいね！　をもらえるであろうことしか言わなくなる。私はそうはしない。私のことを嫌いな人がいるって？　どうでもいいよ(図３０４)。

他にニューウォークのポリコレが人びとを黙らせる策略としては、「お約束」や「ドッグホイッスル」というものがある。

お約束とは、言葉やフレーズが文字どおりの意味とは異なる意味を伝える(あるいはポリコレ狂信者がそう解釈する)言葉のあやのことだ。

図304：あー、自由。

ドッグホイッスルは、「一般には無害に見えるが、わかる人にはわかるような言外の意が含まれる表現」（あるいはポリコレ狂信者がそう解釈する）と定義される［犬笛は、犬には聞こえるが人には聞きとれない音を発する］。

ポリコレで守られたグループを批判する言葉はほとんどすべて、お約束やドッグホイッスルだとされる。人びとにレイシストやナチスの烙印（らくいん）を押し、断罪や検閲を正当化するさらなる口実を提供するためだ。

このジャンルの典型的な例として、エリートの秘密結社（カバール）が世界を支配していると言う者はみな「反ユダヤ」のレッテルを貼られる、というのがある。ユダヤ人が銀行システムやメディアなどを支配しているというのが「お約束」だ。ユダヤ人に触れていなくてもいいし、なんならユダヤ人のことを意味していなくてもかまわない。レッテルを貼られた者はどのみち罵倒（ばとう）され、検閲される。「反ユダヤ」業界とイスラエルの用心棒は、なんでも「反ユダヤ」だと主張するのだから。これもまた、拡大しつづける検閲を正当化するためのいんちきだ。

『カナダユダヤニュース』のある記者は、クリスマス戦争［クリスマスはキリスト教徒がイエスの誕生を祝う日であるため、他教徒に配慮してメリークリスマス→ハッピーホリデイズと言い換えることにまつわる論争］と言ったり（お約束）、「ニューヨークの弁護士（銀行家）」「ハリウッド文化」「世俗主義者」「国際主義者」［いずれもユダヤ人やその文化とされる］という言葉を使ったりすれば「反ユダヤ」だという。このうちのどれかを口にすれば、「反ユダヤ」だというのだ。

私は、反捕鯨（ウェイリング）運動が、「反ユダヤ」と非難されるのを待っている。反捕鯨とは、ユダヤ人が慟哭（どうこく）しにゆくエルサレムの「嘆き（ウェイリング）の壁」のドッグホイッスルではないか？「反捕鯨派は、本当はユダヤ人に嘆くなと言っている。反ユダヤだ！」というわけだ。そんなばかなって？次章も目が離せない。世界はもはや、むちゃくちゃなどという状態を超えている。狂気と診断されるレベルだ。

●デーヴィッド・アイク著『答え』各巻案内

David Icke "THE ANSWER", 2020.8.13 英語版

第①巻高橋清隆訳
第②巻〜第④巻渡辺亜矢訳

【コロナ詐欺編】

第①巻　人類奴隷化を一気に進める偽「ウイルス」大流行（パンデミック）

序章

著者が30年来論述主張してきたことが、「新型コロナ」騒動の現実に直面してどうにも否定できなくなってきた。「陰謀論」は大衆を真相から遠ざけるためにCIAが常用する手垢（てあか）にまみれた誑（たぶら）かし宣伝用語。人類はメディア情報によって近視眼にさせられ、ピラミッド監獄下の区画化された檻（おり）のなかで働き、全体がまるで見えない。無限の意識から切断され、職業や宗教、性別などに規定される存在を自己だと思っている。

どのようにそれは行われるか／クモ／死のカルト／永久政府（＝影の政府（ディープステート））が本当の政府／カルトの戦争／心を解き放つ／偽の自己認識（レッテル）

第15章　彼らはどのようにして偽の「大流行（パンデミック）」をやりおおせたのか？

この本の85％は「新型コロナウイルス」（COVID-19）の「大流行」前に書いた。ここでは「新型コロナウイルス」が存在しないことを説明したい。公式でも半公式でも、自然あるいは中国のウイルス研究所由来

のウイルスが存在し、感染性の肺炎を起こしたとしている。これを裏づける証拠はなく、都市封鎖によって独立した生計を破壊し、カルトが牛耳(ぎゅうじ)る政府への依存を強めるためにうそをついたと考える。「ハンガー・ゲーム(殺し合いの飢餓管理)」社会に誘導するため。

英国で最初に新型コロナ感染症と診断された1人は、イタリア旅行からもどった男。ＢＢＣが報じた。彼は頭痛と関節の痛みがして病院に行ったが、それまでにインフルエンザの症状は消えたと証言している。「死ぬ」とはお笑いだ。あるドイツ人記者が英国のコロナの救急病院にカメラをもって訪ねたが、空(から)だった。同じことをした英国人は、真実を暴露するのを妨げるため逮捕された。英国政府は木曜夜に病院前で医療従事者に拍手を送る行為を奨励している。しかし、中は休暇を命じられた職員が多いためがらがらで患者もなく、医師が机を指でたたく。〝病院ダンス〟のビデオを撮っているのは暇だからで、密になっても感染は聞かない。

米ニューヨークの医学者、アンドリュー・カウフマンは「新型コロナは存在しない」と明言する。中国の研究者が一握りの最初の患者の肺から取った単離してない遺伝物質は、無数の人びとの体内にある細菌や真菌その他生物にも見つけられるものだと指摘している。また彼は、新型コロナはエクソソームのことではないかと提起する。エクソソームは細胞に化学的や電磁的な毒素が入ってきたときに細胞外の余剰スペースに排出される。

ＰＣＲ検査を発明したノーベル賞学者、キャリー・マリス博士は、「これは感染症の診断に使ってはならない」と言っていた。彼は２０１９年8月に亡くなっている。

公式見解／クモの巣——米国・カナダは中国に数百万ドルを渡し、「大流行(パンデミック)」詐欺を調整／事実なき宣伝／空(から)の「戦場」病院／おめでたい拍手人／詐欺がどう働くか、医師が説明／「致死性ウイル

ス」は自然免疫系の反応／ウイルスに「感染」できるか？／詐欺がどのように働くか、科学者が説明／数字と「予測」はどこから来る？／「誤差」の喜劇／悪魔のゲイツ／人々は「新型コロナウイルス」でのみ死ぬ／「それはコロナ、ばかな――常にコロナ」／医師や専門家は思い切って言った／老人殺し／聡明(そうめい)な医師と専門家が一致、大衆はだまされた／わざと弱めている自然免疫力／5Gはいかが？／5Gと酸素／事例研究／肺の症状は「ウイルス」によって起きない

第16章　ビル・ゲイツはなぜサイコパスか

ビル・ゲイツは世界の「保健」産業をカルトが命じたとおりに喜んで熱心に実行している工作員である。世界保健機関（WHO）はロックフェラーとロスチャイルドによって第2次大戦後つくられて以来、心底腐りきっている。2020年3月の新型コロナウイルスの「パンデミック宣言」の発表も常套(じょうとう)手段だった。ゲイツは数億ドルをここに注ぎこむとともに、数百万ドルを米国疾病予防管理センター（CDC）に出して同国のウイルス政策を差配している。それで医師たちは、患者が運ばれてくると、エビデンスなしに〝新型コロナ〟と診断している。

メリンダ・ゲイツはBBCラジオに出演し、夫がコロナの感染爆発に備えて「何年も準備していた」と発言した。ビルは2015年、『テッド・トークショー』に出て、世界的な大流行がおきて多くの人びとが死に、世界経済が壊滅的な打撃を受けると予言していた。中国で「感染爆発」がおきる6週間前、1％が運営する世界経済フォーラム（ダボス会議）が開かれ、コロナウイルスの大流行をシミュレーションしている。「イベント201」とよばれるもので、ビル＆メリンダ・ゲイツ財団とジョンズ・ホプキンズ大学が主催し

た。ゲイツは「大流行」がはじまる前から、人類全員にワクチン注射を接種したいと語っていた。

ロバート・F・ケネディ・ジュニアは次のように述べている。「ビル・ゲイツにとって予防接種は、多くのワクチン関連ビジネス（世界のワクチンID企業を支配したいマイクロソフトの野望を含む）を潤す戦略的慈善事業であり、世界の保健政策——企業による槍(やり)の穂先(ほさき)——に対する独裁的な支配を彼にあたえる。

ゲイツは2000年から2017年のあいだインドで、ワクチン接種により約50万人の子どもを麻痺(まひ)させ、1200人の少女を不妊にし、7人を殺している。ワクチン接種のために2万3千人が村を出た。

誰のWHO(紳士録＝フーズフー)（世界保健機関）？　えーと、ビル・ゲイツ／ゲイツと「ダボス」の暴力団——その「予言」／ロックフェラーの予言／ゲイツのワクチン／ロバート・F・ケネディ・ジュニアによるゲイツワクチン恐怖物語／最大の死亡原因——都市封鎖(ロックダウン)／「ハンガーゲーム(殺し合いの飢餓管理)」の大もうけ／ニューシステム／全ての要求を満たす／シークエンス(塩基配列)（連鎖）／お金の動き依存関係を追え／生存反応が作動した？　そう——今や、われわれは何でもできる／文字通りの分断統治になった／警察軍事国家／メディアが独裁を可能にする（ドイツでやったように）／ユーチューブとフェイスブックから追放——連続／アイクを黙らす「デジタルヘイト」ネットワーク／ネオコンのニュースガード／次は何？／食料支配

あとがき

「感染爆発」について、私の暴露を黙らせようとする体制の捨て身の攻撃は、この本が印刷される直前、新たな段階に到達した。英国議会の保守党議員ダミアン・コリンズが、公式見解に反する違法なものだと言ってきた。コリンズは下院デジタル・文化・メディア・スポーツ委員会の前委員長で、なにかに取りつかれたように、うそを暴こうとする私を黙らせようとして、ゲイツとカルトの所有するWHOの言説を世界中の黒スーツを着た政府やテクノクラートのようにおうむ返ししていた。

「ヘイト」検閲ネットワーク／英国政府の世界規模の心理作戦「チーム」／「肘（ひじ）でそっと突（つつ）く」、というより背中をピシャリとたたく

［世界の仕組み編］

究極無限のワンネス愛「心（ハート）」は、

カルト操作のマトリックス（幻影）を見破り、

現実（リアル）にリセットする

第②巻

第1章　現実とは何か？

私たちは無限の宇宙とつながったひとつの存在だが、個々の身体（からだ）が経験する認識を生きている。五感で捉（とら）える現実は、波動領域にある情報を脳が解読したホログラム（立体画像）の電子信号にすぎない。「物理的」現実が幻想であることを支配カルトは知っていて、私たちの現実意識を狭い領域に閉じこめている。映画『マトリックス』で脳をコンピューターにつながれ水槽に浮かぶネオのように。時間は存在せず、光の速さは人間の肉体が知覚できる限界にすぎない。しかし、多くの臨死体験者が語るように、私たちの意識は無限で、なんにでもなれる。

「神」とはなにか？／幻想（イリュージョン）を解く／聞くための耳？　味わうための舌？／幻想の混乱／志村〜！

後ろ！／脳は情報処理装置／時間？　なんの時間？／光の速さ？　歩く速さでは？／証拠は山ほど／あなたが信じるものがあなた

第2章　私たちは何者？

ほんとうは無限の「私」のほとんどは、カルトの情報操作によってハイジャックされている。開いたマインドは拡張された意識に接続されているが、閉じたマインドは五感の殻のなかで、科学や学術、メディアなどあらゆる主流に命令される。チャクラは無限意識と「自己」をつなぐ。「第三の目」とよばれるチャクラは第六感をつかさどるが、カルトは水道水や歯磨き粉に混入されたフッ化物によって脳梁のあいだにある松果体を石灰化することで、機能を止めている。宗教が抑圧する前の古代人は、経絡を刺激することで、チャクラを開くことができた。人間の電磁場は地球の電磁場の縮図であり、脳の活動は私たちのホログラム現実の宇宙とそっくり。

ワンネス／無は全／「人間」とはなにか？／「蛇神」／波動をおくれ／原子神話／「物理的」現実はどのようにつくられるか／ホログラフィックな幻想／電気的な現実／言葉では

第3章　謎とは何か？

私の説明で現実を見通せば、いわゆる人生の不思議は氷解する。肉体－精神は水面のふたつの波紋の干渉と同じく、肉体の波動場と精神の波動場のあいだにある波動のからみあいである。両者の波動の均衡がくずれた状態が病気だ。主流医学はこの原理を無視するため、外科的な切除を繰りかえす。心の波動は知覚に規定されるので、カルトは情報を重視する。5Gは直接振動を乱す。私は「爬虫類人（はちゅうるいじん）」説で笑われたが、人間の狭い視覚領域にあらわれる周波数とそうでない周波数があることを述べたもの。王権神授説やギリシア神話の「ネフィリム」は、両方の領域を行き来する存在の血統を描く。恐怖や敵対などの低次元の感情の引き金を引く爬虫類（レプティリアン）脳の名は、この名残である。

遺伝子（ジーン）の精（ジニー）／自分自身でオン・オフする／信じたものが見える／生まれながらの勝者／敗者？　それともマインドがすべてを決める？／人間関係の（波動）場／あなたに憑（つ）いているものはなに？／変身は波動場現象である／ありえない？　いいえ、ありえます／ちょうど同じことを考えていた／わぁ、なんて偶然だ！／私個人のこと／人生設計／超常は完全に正常である（「正常」は正常ではない）

第4章　愛とは何か？

愛は無償で与えられるもので、求めるものではない。肉欲を超えた、無限で無条件のものだ。私は30年来、人間社会を差配するサイコパスを暴露してきたが、彼らを憎んではいない。人を憎むと憎む相手になり、闘えば闘う相手になる。反対運動がどこでも起きているが、憎悪の連鎖を生むだけ。ハートのチャクラはひとつの無限意識の入り口。頭は考え、心はわかる。私たちの思考や感情は集合意識の領域に放出され、私たちはコンピューターがWi-Fiと相互作用するようにこの領域と相互作用する。カルトはその原理を知っていて、私たちを低い波動レベルに抑えこむため、ナチスや911のような暗いニュースを流す。

アンチ・ヘイト　アンチ・ラブ／愛なき「カネ」／デザイナーラブ（設計された愛）／愛の源（みなもと）／心（ハート）─ワンネスへの

第5章　私たちはどこにいるのか？

世界はあなたの思考と切り離された物理的構造物だと思っていないだろうか。ボン大学のサイラス・ビーンのグループは、現実を立方体の格子構築物のシミュレーションとして提示した。私たちはプラトンの「洞窟の寓話」のように、壁に映る影（シミュレーション）を現実と信じているのかもしれない。サイマティクスは音や固有の振動がつくる形象だが、この世界は、人体を含めた世界の内側での定常波、すなわちホログラムといえる。数字や図形もまた波動を発振する。カルトはそれを知っていて、人類の潜在意識に低い周波数を送る。六芒星や黒い立方体は土星の象徴で、人間の心を閉じこめる。

第③巻　地球温暖化と反差別運動は飢餓社会建設の口実　[偽の社会正義編]

第6章　なぜ私たちはわからないのか？

人生でもっとも重要な要素は知覚である。知覚したものを信じ、それが行動様式を決め、私たちの経験するものになる。知覚は教育によって仕込まれ、メディアによって促進され、科学や企業群、医薬、政府、そして大衆の信念体系の基礎になる。カルトは私たちの現実の本質を知っていて、知覚をハイジャックしている。教育カリキュラムは彼らの代理人であるロックフェラーやビル・ゲイツらによってつくられ、思考を左脳偏重にすることに重点が置かれている。その費用も個人に負担を押しつけ、何十年も学費返済を迫られている。逃げたくなる子どもには精神障がいの烙印を押し、リタリンなど向精神薬の投与を促進する。メディアは大資本が援助する偽の「草の根」運動も宣伝する。気候変動やトランスジェンダー、ポリティカル・コレクトネス、反人種差別など。ウィキペディアも正体不明の500人の者が独占編集し、金銭を要求する事件までおきている。インターネットはカルトが人類管理の目的でつくったもので、最終的にはすべての情報をネットに移す予定。検閲ができるからだ。

ダウンロードの始まり／「教育」：組織的プログラミング／遊びの時間？　なんの遊び？／知覚ロボトミー／狂気の沙汰／切手サイズの社会／メディア・ソフトウェア／偽の「草の根」プログラミング／森林保護局／少数による、少数のための／悪魔の遊び場―メディアの最終局面／シリコンバレーの検閲／魔法使いの呪文／つねに波動場にもどろう

第7章　私たちはどのように操られているのか？

日々の出来事を真に知るには、カルトの目的を知る必要がある。偶然と思われているできごとが計画されている例を挙げる。サバタイ派フランキストとして知られるカルトは、イスラエルを牛耳っている（彼らはユダヤ人ではない）が、サウジアラビアの偽「王家」だ。アメリカ新世紀プロジェクト（PNAC）にも浸透し、911事件を起こした。ビン・ラディンではなく。少数者が多数者を支配するために村をなくし、国家をつくってきたが、究極のかたちは世界政府。悪辣で無慈悲な警察と軍が1%の超特権階級を支え、マイクロチップを埋めこまれた残りの民衆が奴隷として働く。これが「ハンガー・ゲーム」社会。その一環としてジョージ・ソロスが出資し、「アラブの春」や東欧の崩壊を進めた。目的を早く達成するため、大量の移民を欧州や北米に送りこみ、文化・伝統を破壊するとともに、農奴が住むマイクロアパートを建設している。

問題をつくれば解決策を押しつけられる／カルト映画／ハンガー・ゲーム社会／『ハンガー・ゲーム』―現実を描いた映画／グローバルなブラック工場／都市に押しこめろ／強制収容都市／貧困を保障し、管理する／カルトの銃規制／国境を開け／ぬき足、さし足／集団保護／多いほど楽しい／乗っ取りの流れ／ソロスのカネ／「ソロスの春」戦略

第8章　なぜ生命のガスを悪魔化するのか？

ニューウォークはカルト宗教で、「人為的な気候変動」部門はその総本山である。二酸化炭素は悪魔という教義がひとたび主流で保証されれば、「イケてる」常識になる。俳優のディカプリオはプライベートジェットで温暖化防止賞を受けとりにいった。セレブはカルトの宣伝に使われる。英国のヘンリー王子とメーガン妃が「財政的に独立した」のは、気候カルトに利用されたから。ハリー王子は気候変動詐欺の脚本を自身の考えなく一語一句読み上げているだけ。クイーンズランド大学のジョン・クックは気候学者の97％が気候変動人為説を信じるとの情報を拡散したが、彼の調査報告書全文1万1944編を見れば、66・4％が見解を示していない。今より暖かい中世温暖期が1千年前に始まり、16世紀から19世紀の小氷期を経て今にいたるのが真相。テムズ川が凍っている絵が描かれたクリスマスカードが今もある。

カルトの教義とその多くの顔／ニューウォークな気候セレブのカルト教団／途方もないうそ／なんて言ってたっけ？／神話のでっちあげ／でっちあげた神話を守る／生命のガス／CO_2が多すぎ？いや、足りない／気温上昇はCO_2のせいではない――あべこべだ／カルトのストーリー「人類は敵」／気候カルトの菜食主義―そう単純ではない

第9章　なぜ「気候変動」が担がれてきたか？

気候変動詐欺は2003年のイラク侵攻同様、無問題―反応―解決の手法で「ハンガー・ゲーム」（殺し合いの飢餓管理）社会への口実を与え、極端なオーウェル的支配のためのアジェンダ（実現目標）に寄与した。大きなうそほど信じられる。世界政府をつくるという解決策には地球規模の問題が必要で、最終目標は新型コロナ詐欺と不可分だ。警察・軍事政府は、悪い人間からその他の「善良な人間」を守る名目で登場する。気候カルトは電気自動車を推進するが、リチウム電池に使うコバルト鉱山では、4歳からの子どもが防護マスクもなしにただ同然でグローバル企業に働かされている。世界政府の母体になるのが国連で、トロイの木馬としてカルトによってつくられた。アジェンダ21は1992年のリオ地球サミットでモーリス・ストロング（ロスチャイルドとロックフェラーの代理人）によって発表された。同文書には、次の項目が含まれる。
・私有地の廃止
・家族の「再編成」
・国家による子どもの養育
・人びとは暮らしている地を追われ、大量移住させられる
・上記すべての実現に向けた世界的な大量人口削減
16歳のグレタ・トゥーンベリは国連で演説する前、世界経済フォーラム（ダボス会議）に出ている。彼女のメンター、ルイーザ・マリー・ノイバウアーはビル・ゲイツとジョージ・ソロスが出資した国際NGO「ONE」の要人。グレタとその両親は「反ヘイト」のヘイト集団、アンティファのTシャツを着ていた（写真あり）。

「地球に優しい」の悲惨な結末／いかにして気候カルトはビリオネア（兆億長者）によってうみだされたか／あるインサイダー（内部者）は語る／国連のダブルパンチ／アジェンダ21／2030／絶妙のタイミングでグレタの登場／ブームを煽（あお）る

第10章　あなたはニューウォーク？

中国はEUと米国、日本を合わせた以上の二酸化炭素を排出しているが、公に非難されることはない。ニューウォーカーは怒るべきではないか。そうならないのは、世界政府のひな形だからだ。国中に張り巡らされた監視カメラの整備には、カルト所有企業のグーグルやIBMがかかわる。カルトは中央集権独裁を選挙

で選ばれないテクノクラート（技術官僚）にさせたい。カルトは社会主義の宣伝にマルクス主義の名を用いず、ニューウォークの名を考えた。KGBは3世代にわたる社会主義の浸透を実行した。実際、米国の世論調査では、18歳から24歳の61％が社会主義を前向きだと答えている。ニューウォーカーは被害感情が旺盛（おうせい）で、人種・性などなんでも差別されたと訴える。カルトがポリティカル・コレクトネス（政治的公正）やSNSの普及で犠牲者を増やしたのは、検閲を通じて国家による保護を促進するためだ。

「キャピタリズム（資本主義）」はカルテリズム（企業独占主義）／ニューウォークはどのようにつくられたか／再教育が効いている／あたおか（頭がおかしい）の脊髄反射（エンターキー）／秩序立った狂気／笑いごとではない／「私が正しい」の横暴／あらゆるものから守って／確信を求めて／なぜ事実がそれほど危険なのか／組織的検閲／あなたはどんな人？ 私はLGBTTQQFAGPBSM／偽の「社会正義（ソーシャル・ジャスティス）」／言語破壊と自己検閲

第④巻　心を開き、トランスジェンダーもＡＩも無効に　［世界の変え方編］

第11章　なぜ白人、キリスト教徒、男性か？

ニューウォークネス（被害妄想症）とポリティカル・コレクトネス（政治的公正）がカルトにより仕掛けられたものであることは、両者共通の目的を見ればわかる。

- 世界権力の集中（ニューウォークが地球を気候変動から救うために求めた）
- カルトとその人類へのアジェンダに対する批判と暴露への検閲（ニューウォークがポリティカル・コレクトネスを通じて要求した）

・より小さな自己認識に知覚を閉じこめる（ニューウォークがアイデンティティ・ポリティクスを通じて促進した）

など。

被害者意識からの告発が横行すると、白人で成人男性であることが最悪になる。この倒錯は問題にされない。職場では女性に対し、一言一句、気を使わなければならない。スーパーボウルの広告には、「有害な男らしさ」と掲げられた。カルトは性のない人類を求めている。すべては「ハンガー・ゲーム（殺し合いの飢餓管理）」社会に誘導するためだ。

男の白い影／ポリコレ禁止区域／グループ・ダイナミックス（集団力学）／ウォークはジョークではない／♫イエスの十字を外し♫／有害な男らしさ／「反ファシズム」のファシズムとビリオネア同盟

☆カラーグラビア　ニール・ヘイグ〈ギャラリー〉

第12章　私たちはどこへ向かっているのか？（流れにまかせた場合）

私たちは人工知能（ＡＩ）として知られる合成人間という結末に誘導されている。それには「スマート（奴隷誘導化）」テクノロジーとトランスジェンダーがかかわる。テクノクラシーは単一文化の世界を目指してあらゆる国境をなくしているが、男女の生物的境界をなくすことも含まれている。テクノクラシーとは社会工学。国際決済銀行（ＢＩＳ）は現金廃止による単一の仮想通貨を導入しようとしている。ビル＆メリンダ・ゲイツ財団は世界の学校でＩＴ教育を導入するための資金を提供している。これからは人より機械に話しかけるようになるだろう。元グーグル重役でシリコンバレーにあるシンギュラリティ・ユニバーシティの共同設立者のレイ・カーツワイルは人間の脳とAIを接続し、5Gのクラウドにアップロードするプログラムを2030年からはじめると唱える。最終的に人間の肉体は処分される計画だ。

隠れたるより見るるはなし『礼記』／イスラエルのグローバル・テクノクラート／サイバー空間の軍事支配／（もちろん）内部者のドナヴァンは知っていた／悪魔の遊び場と「教育」支配／AI「人間」／シミュレーションのなかのシミュレーション／人をばかにする「スマート」グリッド／最「先端」技術はすでに存在していた／ネコちゃん、おいで……／インターネットはトロイの木馬／イーロン・マスクの仮面の裏／悪魔化する民主主義／サイバースペース、それは（自由の終わりへの）最後のフロンティア／5Gがあなたの街にやってくる／ヒト生物学を解明する／変わりゆく世界／子どもにスマホをあたえる？／カリフラワー状の血液／5Gは兵器／空から毒が降ってくる／AI世界軍／暗黒郷のヴィジョン

第13章　トランスジェンダーヒステリーの真相

「生物学的な」合成人間に性はない。合成遺伝子工学は急速に進展したが、支配カルトの地下倉庫にすでにある技術を提供しただけ。ビル・ゲイツの「ウイルスワクチン」はこれを加速するよう設計されている。トランスジェンダーを叫ぶヒステリーは、あらゆるものを合成に導く忍び足だ。「世界を救う」菜食の圧力は、「ウイルスヒステリー」での操作された食糧難によってさらに促進されるだろう。学校でもメディアでも強調されているトランスジェンダーは性をなくした合成人間に現在の人間を取って代わらせるため。D・ロックフェラーの盟友、リチャード・ディ医師は1969年、「セックスのない出産が奨励されるだろう」と計画を明かしている。どうしてユニセックスの服が並んだのか思いだしてほしい。学校や警察、軍の服装も中性化している。女子スポーツは女性らしい体型をなくしている。

性別を混乱させ、融合する／子どもを使った生体実験が横行／文書には……／「差別」？　そうですね／促進と規制／J・K・ローリング（ハリー・ポッター作者）バッシング／ニューウォークの秘密警察（シュタージ）が迫る／ひとつの陰謀にはさまざまな側面がある／親たちを黙らせよ、教師を洗脳せよ

第14章　新世界交響曲とは何か？

私たちの現実の基礎は振動の波に書きこまれた情報であり、それらの周波数が情報の性質を表現している。憎しみは遅く稠密（ちゅうみつ）な周波数であるいっぽう、愛や喜び、感謝は早く、高く、広がりのある周波数を生み出す。『マトリックス』や『すばらしい新世界』は前者が支配する。スマート（極小）技術やWi-Fiは人間の周波数に干渉し、AI依存症にすると同時にAI機器の周波数に人間の周波数を同化させるために放出されている。カルトは私たちの生活のいたるところに波動の操作を押しつけている。ピラミッドと万物を見通す目の類（たぐい）は、子ども向けのテレビ番組や漫画にあふれている。シンボルは隠された言語で、カルトは自分たちの周波数を人間のエネルギー場に送信している。

覚醒（かくせい）する波動／鏡よ鏡……／周波数は自由／デジタル依存症／バーチャル「人間」／マトリックスをつくっているのは私たち／AIと脳が同期―スマート！／ワクチンも食べものも飲みものも毒／ワクチンで免疫（イミユーニティ）ではなく、訴追を免責（イミユーニティ）／集団免疫が問題なのではない／ワクチンの波動／ワク

チンでナノチップを人体へ／ワクチン監視／マイクロプラスチックはどこにでも／「人大杉（ヒト多すぎ）」／波動を操る

第17章　答えは何か？

支配体制それ自体は、複雑ではない。その基礎は、人間の知覚と感情を低い振動状態に制御することである。私たちが高い波動状態に拡張すれば、シミュレーションの外側を認識するレベルと再接続できる。

自己認識として幻想のラベルを貼（は）ると、悲劇的な結末が待つ。自分がそのラベルであるとの信念が、感覚の制限に反映する。人にあなたは誰かと尋ねるとたいてい、自分の性別や人種、職業、年齢、出身地などを答える。しかし、あなたは異なる経験をしている同じすべてだ。見えない殻のなかに自身を閉じこめておかず、殻を破れば、ひとつの無限の意識があなたに話しかける。

どうすれば、人類の終わりであるポストヒューマンを回避できるか？　人類を超えればいい。自分自身が誰かを思いだし、その自己認識で生きよう。自身を変えれば、人生が変わる。十分な人間がそうすれば、「世界」が変わる。「時間」や「進化」は幻想だ。心を開いて英知と対話する人はみな、いつもそこにいる。

マインドの限界は知覚の限界にすぎない／偽りの自己を解明する／おそれは管理システム／一歩、二歩／潜在意識の知覚／真実の振動／ワンネスの愛／ハートの愛は人間の愛にあらず／心（ハート）は「体制」が無力だとわかっている／無限の不確実性のなかに確実性を求めて／己を愛せば、世界を愛せる／心（ハート）を脅す？　ありえない／ハートはわが道をゆく／ハートを開き、ハートで生きる／なにが重要か理解する

付録1　リチャード・デイ博士の予言

付録2　ノアの7つの戒め

参考文献

訳者あとがき

ここまで読み進めてくださった読者のなかには、本編に登場する「狂人」「キチガイ」といった言葉や、LGBT／有色人種擁護を否定するような物言いに違和感を感じた方もあるかもしれない。訳者として、私も気になる部分はあるが、字面だけでは判断できないところもあると感じている。理解の一助となればということで、私の個人的な解釈をここにシェアさせていただければと思う。

アイクの過去の著作を読まれたことがあれば、彼の思想の根底に「無限の愛」が流れていることはご存じであろう（本書では第2巻第4章にまとまっている）。私たちはみなひとつの意識で、人種・性別その他もろもろはほんの一瞬の体験にすぎない、とアイクは言う。誰かとあなたは別のものではなく、同じ意識が異なる姿であらわれているだけだ。誰かを否定したり憎んだりするのは、自分自身に腹を立てて腕を切り落とすようなことだ。相いれないからといって憎むのではなく、相手は相手なりの学びの途上にあるということを理解しつつ、自分は自分の道を進む。無限の愛とは迎合することではない。正しいとわかっていることを貫くことだ。

本書第1巻冒頭に、「私は30年間狂人（マッド）だった。やってごらん。素晴らしいから」という言葉がある。アイクの論は常軌を逸しているとされ、彼は30年来「キチガイ」呼ばわりされてきた。そうした立場から発する「狂人」「キチガイ」といった言葉には、精神疾患に対する差別的な意図はまったくない。無限の愛が本来の姿で、それに反するものが「狂」、というアイクの考えに沿って使われる言葉だということを、お含みおきいただければと思う。

アイクの物言いには、心地よいとは言えない部分もある。だからこそ信頼できる、という人もあるようだ（詐欺師なら、不快にさせるようなことは言わないだろうということ）。デーヴィッド・アイクという英国生まれの白人シスジェンダー［性自認と生まれもった性別が一致している］男性という体験をしている立場と、有色人種や女性、トランスジェンダーの体験をしている立場では、互いに理解が難しいこともあろうかと思う。それこそが、私たちがこの不自由なボディ（肉体）をまとう体験をみずから選んだ理由ではないだろうか。本来の姿は意識だが、人間としての体験をしたくてここに存在している。さまざまな体験をしてみたいし、それぞれの視点で見てみたい。人間としての発言には、3次元的な制限からくる限界もあるだろう。にんげんだもの。

そしてアイクがたびたび言っているのが、「私を信じろとは言わない」ということだ。私たちはみな、存在する、存在した、存在する可能性のあるすべてであるワンネスの一部である。神は外にはいない。あなた自身が「神」である。ついてゆくべき誰かなど必要ない。あなたの信じる道が正解だ。アイクの考えに共感しても、しなくてもいいし、すべてに同意する必要もない。いいとこ取りでかまわない。誰かを盲信することは危険だし、依存でしかない。

本書が、読者のみなさまの気づきや納得の一助となれれば、これにまさる幸いはありません。

2022年11月吉日

渡辺亜矢

◆デーヴィッド・アイク最新著作『The Trap（罠）』のご案内

The Trap
罠：罠とはなにか――そのしくみと、幻想から逃れる方法
デーヴィッド・アイク

２０２２年８月に刊行されたアイクの最新刊『The Trap』。

第１章〜第３章までは自伝的で、これまでの本にも少しずつ書かれていた内容が多くのページを割いて詳述され、誕生から70歳を越えた今にいたるまでを振りかえる。

第10章は、初恋の女性の夢を見たことに端を発する「ツインソウル」事件について。叶（かな）わなかった初恋の相手が突如夢にあらわれ、「あなたと私はツインソウル」（スピリチュアルでいう、前世から分かちがたい縁のある特別な存在）だと告げる。その後、彼女の気配を感じるなど不思議なことが続き、アイクは霊媒師や興信所の協力のもと、なにが起こっているのか探る。これまでの本にも、死＝解脱ではなく、肉体を離れてもシミュレーションに囚（とら）われたまま転生する場合があると書かれていたが、そこをさらに深く追求した、今回初登場の内容。人間社会に存在するさまざまな「罠（わな）」を暴いてきたアイクが、新たな罠を発見したようだ。

第1章　思い出すためにここへ来た

はじめまして／集金人探知レーダー／今とは別人／アッパー&ダウナー／あらかじめ計画された「偶然」／素晴らしい学校での4年間／代役からプロサッカー選手へ

第2章　迷路のなかを導かれて

サッカー選手になって／「もうおしまいだ」（早すぎるよ）／鍼(はり)治療／「もうおしまいだ」（今回はしょうがない）／田舎ジャーナリスト／つき動かす力／テレビリポーター／ニュースキャスター／突如お茶の間の顔に／やったぞ！／「政治家」／さよならサッチャー／導く手

第3章　魔法のようなもの

新しい人生の始まり／やり直し／マインドへのメッセージ：ぶっ飛びますよ／なにが起こったか／もう囚われない／鷲の話／空から降ってきた羽根／なにやってるんだろう？／（やっと）流れが変わった

第4章　狂気の筋道

政府の心理作戦／早くから囲いこめ／答えは4！／ウー「マン」は差別だからウーXンに／グローバル・カルト／実体のないカネ／隠されたものと見えるもの／眺めていても見えない／カルトを承認するのもカルト／検閲：圧制の証拠／弱虫のうそつきだけが検閲する／イムラン・アーメド：プロ検閲師／ナチがあたりまえに／クモの巣／使い走りを選ぶ／使い走りの学校／クモの巣ネットワーク／カルトの大量虐殺／

う幻想／また生まれ変わりたい？／「天国」をシミュレート？／タイムループ／臨死体験で見るトンネル／抜けられない環（わ）

第9章　マトリックスの「神々」

レプティリアンはあらゆる場所に（でも存在しない！）／内側も外側も同じ／ロバート・モンロー主義／昔も今も同じ／エリートのコード／「王族」のコード／どこを見ても同じ／「偽りのスピリット」を吹きこむ／うわー、すっかり変わっちゃった／憑依（ひょうい）された人／悪魔主義の起源／エナジーバンパイア／ワクチンによる憑依／「やつらの思考を植えつけられた」／さかさま／人間社会―ウェティコの巣窟

第10章　なんなんだ？…いったいどうなってる！

ハロー・グッドバイ／昨日の夢／突然の再来／「K」を探して／「なにか聞こえる…具体的になにが？」／「魂」の追跡／記録上／どうやって？／「ハードディスク」に／カルマのドラマ／選択？　選択肢はない？　誰の選択？

第11章　3Dも4Dも行き着くところは同じ

牢獄（ろうごく）の模様替え／HIVとはなにか？／なにを検査する？／こうしてウイルスとその作用は特定された／真っ黒目玉の怪物／ビッグマック／自由ってなに？／メタバースの恐怖／近視眼的細分化／なぜアンチ・ヒューマンなのか？／親の終焉（しゅうえん）／トランスジェンダーとはジェンダーの消滅／化学的去勢／視野狭窄（きょうさく）

第12章　すべてを見通す「私（アイ）」

マインドを解放せよ／答えは４！／つねに疑え／なぜ？　なぜ？　なぜ？／老人の死因はコロナ？／陰謀操作／人類の病—世間知らず／我繰りかえす、ゆえに我あり／私たちは本当は何者なのか？／原因／原因を取りのぞく／シミュレーション場を変容させる／必要なのは愛だけ、愛こそすべて／この愛

The Trap: What it is. How it works. And how we escape its illusions (English Edition)

デーヴィッド・アイク
1952年4月29日、英国のレスター生まれ。1970年前後の数年をサッカーの選手として過ごす。そののちキャスターとしてテレビの世界でも活躍。エコロジー運動に強い関心をもち、80年代に英国緑の党に入党、全国スポークスマンに任命される。また、このいっぽうで精神的・霊的な世界にも目覚めてゆく。90年代初頭、女性霊媒師ベティ・シャインと出会い、のちの彼の生涯を決定づける「精神の覚醒（かくせい）」を体験する。真実を求めつづける彼の精神は、エコロジー運動を裏で操る国際金融寡頭権力の存在を発見し、この権力が世界の人びとを操作・支配している事実に直面する。膨大な量の情報収集と精緻（せいち）な調査・研究により、国際金融寡頭権力の背後にうごめく「爬虫類人・爬虫類型異星人」の存在と「彼らのアジェンダ」に辿（たど）りつく。そして彼は、世界の真理を希求する人びとに、みずからの身の危険を冒して「この世の真相」を訴えつづけている。著作は『大いなる秘密　上・下』『究極の大陰謀　上・下』（三交社）『超陰謀［粉砕篇］』『竜であり蛇であるわれらが神々　上・下』（徳間書店）『今知っておくべき重大なはかりごと　1〜4』（ヒカルランド）のほかに『ロボットの反乱』『世界覚醒原論――真実は人を自由にする』（成甲書房）など多数。

渡辺亜矢　わたなべ あや
札幌市出身。日本大学芸術学部放送学科卒業。訳書に『ジョン・レノンを殺した凶気の調律A=440Hz』（レオナルド・G・ホロウィッツ著、徳間書店）、『マスメディア・政府機関が死にもの狂いで隠蔽する秘密の話』（ジム・マース著、成甲書房）がある。

答え 第3巻［偽の社会正義編］

第一刷　2023年3月31日

著者　デーヴィッド・アイク
訳者　渡辺亜矢

発行人　石井健資
発行所　株式会社ヒカルランド
〒162-0821 東京都新宿区津久戸町3-11 TH1ビル6F
電話 03-6265-0852　ファックス 03-6265-0853
http://www.hikaruland.co.jp　info@hikaruland.co.jp
振替　00180-8-496587
本文・カバー・製本　中央精版印刷株式会社
DTP　株式会社キャップス
編集担当　小暮周吾

ISBN978-4-86742-221-2

ヒカルランド　好評既刊！

地上の星☆ヒカルランド　銀河より届く愛と叡智の宅配便

お金で人々を奴隷化した「地球規模の銀行詐欺」を徹底リサーチ。古代アフリカの哲学「ウブントゥ」が教えるお金のないコミュニティ実践法について圧倒的な筆力で解説する。世界11か国で読み継がれる名著。真に自由な世界に人類を連れ出すウブントゥムーブメント、待望の日本上陸！

ウブントゥ
人類の繁栄のための青写真（ブループリント）
著者：マイケル・テリンジャー
訳者：田元明日菜
推薦：横河サラ
Ａ５ソフト　本体 2,500円+税

NYタイムズベストセラー！　世界39か国翻訳の名著。内なるエネルギーでいかに身体・心を最適化するか、「自己変革」成就への究極の実践プログラム。インドで最も影響力ある50人の１人に選出された現代最高峰のグルが古典ヨガの科学を今に蘇らせる！　今こそ“絶対幸福への道”を歩きだそう！

歓喜へ至るヨギの工学技術
インナー・エンジニアリング
内なるエネルギーでいかに身体・心を最適化するか
著者：サドグル
訳者：松村浩之／松村恵子
四六ハード　本体 2,200円+税